岩 波 文 庫

34-232-1

シャドウ・ワーク

イリイチ 著
玉野井芳郎
栗 原 彬 訳

JN054386

岩 波 書 店

First Japanese edition published 1982,

this paperback edition published 2023
by Iwanami Shoten, Publishers, Tokyo
by arrangement with Marion Boyars Publishers, Ltd., London
through Japan UNI Agency, Inc., Tokyo.

凡　例

一、本書は、Ivan Illich, *Shadow Work*(1981, Marion Boyars)に、一九八〇年十二月「アジア平和研究国際会議」での講演を加えた六篇からなるエッセイの翻訳である。

一、『　』は文献名を、「　」は原文の斜体字部分および原文中の' 'による引用部分、(　)は原文の(　)および訳者による原語、生没年等の簡単な補い、〔　〕で活字を小さくしたものは訳者による補注、である。

一、著者の要望にしたがい、フランス語版(*Le travail fantôme*, 1981, Éditions du Seuil)との異同を示した。*……〔　〕は、英語版での＊以下が、フランス語版では〔　〕であることを示す。……〔*　〕は、英語版になく、フランス語版にある語句、文。

目次

シャドウ・ワーク

序

このエッセイ集が最初からソフトカバー版で、ただし図書館にゆきわたるていどの若干のハードカバー版を含めて、出版されることについて、マリオン・ボヤール社に感謝したい。実際ここに集められた文章は、試論という意味でのエッセイか草稿とでもいうべきものである。あと三年のうちに私は一冊の書物を上梓するつもりだが、本書に収められた各エッセイはどれも、この研究の進み具合をいささかなりとも示す報告である。どのエッセイも、最初は、一九七九年および一九八〇年に、異なる場所でさまざまな聞き手に向けて行なった講演である。私がこれらの報告を今の時点で取りまとめて出版しようと決心したのは、緊急の問題に人々の関心を呼び起こすためである。といっても、私が目下の主題としている稀少性《スケアシティ》の歴史の研究に早急な結論を下すつもりはない。

ここに収録したエッセイ集は、〈影の経済《シャドウ・エコノミー》〉の出現について論じている。私がこの〈影の経済〉という用語を造りだしたのは、金《カネ》で活動を算定する部門から締め出されていて、しかも産業化以前の社会には存在していないような人間の活動《トランザクション》について議論するためである。たとえば、教えられる母語の習得のされ方はその一例であって、この問題については、本書で詳しく述べることになろう。

私はカール・ポランニーから、近代史は市場経済の「埋め込まれた状態からの離床」（disembedding）として理解できるという考え方を学びとった。しかしながら私は、この近代に特有な離床した経済を分析するにあたって、正規の経済学の諸概念を有効に適用できる限られた視角から分析を進めるつもりはない。むしろ私の関心は、この離床した経済の影になっている内側のほうにある。私は、正規の経済学の諸概念からも、また生活文化の研究で人類学が用いる諸概念からもすり抜けてしまう影の特徴を記述してみたい。十九世紀初めの歴史を見てみると、貨幣化の進展とともに、貨幣化されない補足的なもう一つの領域が発生していることに気づく。これら二つの領域とも、それぞれちがったふうにではあるが、いずれも産業化以前の社会に一般的だった領域とは異なっている。二つの領域はともに環境にそなわる利用上の大切な価値を劣化させる。つまり、双方とも、人間生活の自立と自存《サブシステンス》の基盤を破壊するのである。

〈影の経済〉が起こるとともに、賃金も支払われず、かといって家事が市場から自立することにいっこうに役立つわけでもない一種の労役が出現するのをみる。この新しい種類の活動の最もよい例は、人間生活の自立にかかわらない新しい家事の領域において行なわれる主婦による〈シャドウ・ワーク〉であるが、実際それは、家庭を構える賃金労働者が存在する上で必要な条件になっている。このように〈シャドウ・ワーク〉は、賃労働と同じく近時の現象であって、しかも商品集中社会の存続にとっては、賃労働よりも根源的なものとさえいえるだろう。人間生活の自立と自存を志向する民衆の文化に典型的に見られるヴァナキュラーな〔その地の暮らしに根ざした固有の〕活動とこの〈シャドウ・ワーク〉という名の活動とを区別することは、私の研究のなかで最もむずかしいが最もやりがいのある箇所となる。

たんなる好奇心にかられて私は研究しているわけではない。七〇年代を通してはっきりと現われてきたひとつの傾向に私は懸念をいだいており、その懸念につき動かされてのことである。この時期に、専門制度的な、また経済的、政治的な利害がいっせいに〈影の経済〉のすさまじい拡大へと集中した。十年前にはフォード、フィアット、フォルクスワーゲンは資金援助を提供してローマ・クラブに「成長への限界」を予言させたが、彼らはいまや自助《セルフ・ヘルプ》の必要性をしきりに説いている。私は、自助に関するむやみやたらな宣伝は、どう見てもまず受け入れることのできないものと考えている。

ここで自助として宣伝されているものは、自律的な生活、またはヴァナキュラーな生活とは正反対のものである。新しい経済学者たちの説く自助は、社会政策の主題を——

人であろうと物であろうと——真二つに分けてしまう。すなわち一方には、専門家がこれがニーズだと定義するものをまさに必要としているものがいる。また他方には、そのニーズを提供する専門家としての資格をもっているものがいる、という具合だ。このように、自助と名づけられる政策のもとでは、産業的な経済学につきものの生産と消費の分離は、政策の主題そのもののなかに投影される。それぞれの人間は内部消費のための一生産単位に変えられる。そしてこの自慰的なやり方から生じる効用が次いで今はやりのGNPに付加される。この自助と、私がヴァナキュラーな生活と呼ぶものとの差異を明らかにすることができないなら、〈影の経済〉は、今日起こっているスタグフレーションが続いているあいだに最大の成長部門になることだろう。さらに「インフォーマル」な部門は最終的な成長の嵐をじかにあびる最大の植民地となることだろう。そして、新しいライフスタイルの提唱者たち、また非集中化、オルタナティヴ・テクノロジー、意識化、解放といった運動の主唱者たちが、この相違を明確にし、実践的なものに仕立てていくことがないならば、いやおうなしに広がってゆく〈影の経済〉に、気の抜けた理想という色合いや甘味料や風味やらを添えるだけに終わることだろう。

〈シャドウ・ワーク〉と〈ヴァナキュラーな領域〉とを区別することは、たんに学問的に重要であるだけではない。この区別を行なうことは、成長への限界づけに関する人々の議論が、いままさに第三段階に入りつつあることを理解するために欠かせないことなのである。

第一段階は十年以上も前に起こった。その当時、大学やマス・メディアの、言ってみれば時の人たちは、今日の産業的な生産の一般的な傾向がずっと変わらないならば、生態環境がまもなく居住不可能になるおそれがあるという明確な危険性に向けて、世間の耳目を突然あつめた。その警告は自然環境に強調点が置かれた。つづく議論は燃料と汚染への関心に占められる傾向があった。この段階では、サーヴィス部門においてもそれと類似の限界づけの実施が必要であることに注意を喚起することが大切と思われた。これは私が『脱学校の社会』で行なおうとしたことである。私はその著作で、福祉国家のサーヴィス機関が破壊的な副作用を産むことは避けられないこと、またその副作用は、商品の過剰生産から生じる望ましくない副作用に匹敵することを論じた。専門制度化された世話《ケア》への限界は、商品への限界にとっての必要な補完物として考察されねばならなかったのだ。この二つの限界は、根本的には政治的選択とか技術上の決定から独立していた。この間、専門制度的な世話への限界は、しだいに認められるようになってきている。すなわち、健康の医療化への限界、学習の制度化への限界、危険の保険制度への限界、情報の集中化への限界、専門家の手になる社会事業や世話の制度化を容認することへの限界である。これらのことがらは今日では「エコロジー」にかんする議論の一部をなしている。

八〇年代には、成長への限界づけにかんする議論は第三段階に移っている。第一段階は主として商品に、第二段階では専門制度化された世話に焦点があてられていた。第三段階の焦点は共用地《コモンズ》に置かれている。

共用地について語る場合には、入会地である草地や森のことがただちに思い起こされるだろう。また、牧草地の囲い込み《エンクロージャー》を思い浮かべる人もいるだろう。領主は、囲い込みによって農民の羊を追い出し、市場にとって周辺的な生存手段を農民から奪い、その結果、産業的な賃金労働の原型ともいえるものへ農民をおいこんだ。E・P・トムソンのいう「道徳経済《モラル・エコノミー》」の崩壊を想い起こす人もいるだろう。だが、いま問題にしている共用地は、もっと微妙でとらえにくいものだ。経済学者はこの共用地を「環境にそなわる利用上の価値」として語ることがよくある。第三段階においては、経済成長への限界づけについての人々の議論は、主にこの「利用上の価値《ユーティライゼーション・ヴァリュー》」をいかに保存するかに焦点を合わせることになると私は信じている。この「利用上の価値」は、経済の拡張がどのような形態をとろうとも、その拡張自体によって破壊される。

原則的には、このことの理由は理解しがたいことではない。今日まで、経済の発展とはつねに、人々がなにかを行なうことではなく、その代わりに、ものを買えるということを意味した。市場をこえている使用価値《ユース・ヴァリュー》が、商品にとってかわられる。経済の発展＝開発はまた、やがて、商品を買うほかなくなることをも意味した。なぜなら、商品なしで暮らすことのできる条件が、自然的・社会的・文化的な環境から消滅したからである。商品やサーヴィスを買うことができない人々には、環境はもはや利用しえないものとなった。例をあげてみよう。通りはかつてはおもに人々のためにあった。通りはそこで人々がおとなに成長する場所であって、そこで学んだことをとおして大部分の若者は、人生に立ち向かうことができた。その後、通りは乗物での交通のためにまっすぐに作り直された。通りのこの変化は、学校がたくさん建てられて、通りから追い出された若者たちを収容するようになるはるか以前に起こった。人生を学ぶための昔ながらの「共用の」環境がもっていた利用上の価値は、公的な正規の教育のための制度にとってかわられる以前にあっという間に消滅した。

『コンヴィヴィアリティのための道具』において、私は、使用価値を志向する行為のための環境が、経済成長によっていかに破壊されるかについて、注意をうながした。私はこの過程を「貧困の現代化」と呼んだ。なぜなら、現代社会では、市場に接近する機会のもっとも少ない者ほど、共用環境《コモンズ》についての利用上の価値に最も近づけない仕組みになっているからである。私はこれを、「ニーズの充足にたいする、商品による徹底した独占」と規定した。

ひきつづいて私が明らかにしようとしたことは、この徹底した商品独占によって、もともと生産とその生産物の一般的分配の意義が唱道されていた当初の目標から、いかに全人口が切り離されてしまうか、ということであった。私は、この逆説的な逆生産性の代表的な二つの事例として、移動の動力化と健康の医療化とを選びだした。つぎに書く予定の本では、稀少性の制度化の起源を、中世の信仰にまでさかのぼって跡づけようと思う。稀少性こそは、現代社会にたいするヨーロッパの最大の寄与だからである。

このエッセイ集を出版することによって、私は研究の経過を報告したいと考えているが、同時に批判や指導を得たいとも切実に望んでいる。この本に収められた各エッセイにはそれなりの歴史がある。「公的選択の三つの次元」は最初、ポール・ストリーテンの求めに応じて、一九七九年八月にスリランカの首都コロンボで行なわれた開発経済会議で講演するために書かれたものである。「人間生活の自立と自存にしかけられた戦争」は、マイソールの全インド言語協会の会長、デヴィ・P・パタナヤークとの会話から生まれた。「生き生きとした共生を求めて」はカッセル大学で行なった、十二世紀初頭のテキストについての十二回の講義のうちの一つにもとづいている。私はこのエッセイを書いて、ヴァレンティーナ・ボレマンスが準備している「生き生きとした共生的な用具にかんする読書案内」に寄稿した。これにはカール・ポランニー、ルイス・マンフォード、アンドレ・ゴルツらの文章も収められている。「シャドウ・ワーク」と題されたエッセイはつぎにあげる人たちとの会話のなかから生まれた。すなわちバーバラ・デューデン、クラウディア・フォン・ベールホフ、そしてクリスティーヌ・フォン・ヴァイツゼッカーとアーネスト・フォン・ヴァイツゼッカーである。このエッセイは一九八〇年の後半に大学内外で開かれたセミナー向けの概要として広く使われたものである。この本文とともに、セミナーの聴講生のために準備した研究案内をもここに同時に収めることにした。

このテキスト全体は、かれこれ二十年以上のつき合いになるリー・ホイナッキとの対話から生まれたものである。彼が草稿を編集してくれた。初めて書きとめられる以前あるいは以後に、誰がどの語句をいいだしたのだったか思い出せないことがたびたびである。

一九八〇年十一月　ゲッチンゲン

イヴァン・イリイチ

フランス語版への序

五つのエッセイからなる本書の意図は、〈ヴァナキュラーな領域〉と〈影の経済〉との区別を明らかにすることにある。〈影の経済〉とは私の造語だが、これは貨幣化セクターからは独立していながら産業化以前の社会には存在しない活動と交易のことをいう。〈ヴァナキュラーな領域〉のほうはといえば、これを規定する最良の方法は、その特徴をよく示している一要素、すなわちヴァナキュラーな〔その地の暮らしに根ざした固有の〕言語を考察することであると思われる。それとは対照的に、教育による母語の習得は経済に依存している。しばしば〈影の経済〉に依存している。私はここで、この〈影の経済〉についてひとつの考察を試みたい。

近代の歴史は稀少性の領域の形成史として理解することができよう。しかし、近代に特有のこうした領域の歴史を、私は標準的な政治学や経済学の諸概念によって規定された展望のもとに分析するわけではない。というのは、私の関心をひくのは、こうした領域の見えない基層であるからだ。私は経済学者の用いるカテゴリーでも人類学者が生活必需品の経済研究に適用可能と判断するカテゴリーでもとらえられない諸特性を記述するつもりである。十九世紀初頭以来の歴史を見てみると、貨幣経済の発展にともなって、それを補足する非貨幣的要素が形成されてきたということがわかる。それらはともにひとつの経済空間を構成し、どちらも同じく、産業化以前の社会において優勢であるものとは無関係である。実際、より直截にいってみるなら、産業化とともに、報酬は受けないがしかし家庭を市場から独立させることにはなんら貢献していないある種の労働が出現したのである。事実、この新たな種類の活動、すなわち、生活資料《サブシステンス》の生産にはかかわらない家庭という新たな空間における主婦の〈シャドウ・ワーク〉は、賃金労働者である夫の生活の必要条件となり、彼を雇用——正式に申告をして課税の対象となるものにせよ、もぐりの労働にせよ——へと物質的にしばりつけている。したがって、近代の賃金雇用と同じく近時の現象である〈シャドウ・ワーク〉は、すべての欲求が生産物へと方向づけられている社会の存続にとって賃金雇用以上に基本的なものといえるかもしれない。〈シャドウ・ワーク〉とヴァナキュラーな活動との区別を明確化すること、これが、私の研究において最も困難であると同時に最も豊かな部分になるはずである。

この研究テーマを思い立ったのは、たんなる好奇心からだけではなく、七〇年代の半ば以来政治的言説や専門的言説のなかに見られるある種の傾向に私が反対するからでもある。サーヴィスのエキスパートたちが人々の「面倒を見ている」あらゆる領域で、これらの専門家たちは、素人、言い換えると客を自分たちの監視のもとに無報酬で働く助手として引き入れようと躍起になっている。こうした自助《セルフ・ヘルプ》の術策によって、産業化社会の基本的分岐が家庭の内部に投影されている。誰も彼もが、消費者としての自己の欲求を満足させるのに必要な商品を個人的に生産する者となっているのだ。〈シャドウ・ワーク〉のこうした新たな拡張を進めるべく、代替策《オルタナティヴ》、非集中化、意識化などといった語は、それらを用い始めた人々が考えていた意味と正反対の意味を帯びさせられている。人間生活の自立と自存にとっての〈ヴァナキュラーな領域〉に固有な活動と〈シャドウ・ワーク〉との区別を明らかにし、理解をうながさないならば、自己満足と自己監視の経済が八〇年代をとおしての第一の成長部門となることであろう。この本の第二章の試論において、私は〈インフォーマルな部門の諸活動〉のこの種の植民地化が、なぜエキスパートたちの尊大さの新たな境界をなしているように思われるか、その理由を説明したい。古典的な経済を補足するこの非貨幣的要素が、環境の共同かつ共生的利用の価値を、賃金労働と大量生産が破壊したよりもはるかに効果的に破壊するのではないかと、私は恐れている。

したがって、〈シャドウ・ワーク〉と〈ヴァナキュラーな領域〉とのあいだに私が設ける区別は、なにも学問的な次元のものではないということは明白である。私の作った造語は時がたてば、他のもっと良い表現に取ってかわられるかもしれない。だが本質的な点で、そこにある区別は成長の限界にかんする人々の議論が現在達している第三の段階を理解するためには決定的に重要なのである。

第一の段階は十年以上も前に訪れた。当時、ローマ・クラブの呼びかけで集まった大学人やジャーナリストからなる「先触れ」たちが、突然、公衆に向けて、もし工業生産の主流をかえないなら、地球はまもなく生物の存在が不可能となるだろう、と警告を発した。人々が脅かされていると感じていたのは、なによりもまず物理的環境だった。したがって、そこから出てくる議論も燃料と公害に限られていた。そうした頃、私には、サーヴィス部門にも同様の限界が必要であるという点に人々の注意を引きつけることが重要と思われた。『脱学校の社会』のなかで私が試みたのがそれである。この著作において私は、福祉国家のサーヴィスを目的とする諸制度が、財の過剰生産がもたらす副作用と似た副作用を不可避的にもたらすということを明らかにした。商品生産にたいする限界づけを補足して、社会保障事業《サーヴィス》にたいしても限界を考える必要があった。そのうえ、これら二種類の限界は政治的・技術的選択から基本的に独立しているということを私は主張した。以来、社会保障制度に限界づけを行なうことの必要性は人々に認識されるようになってきた。健康の医療化にたいする限界、教育の制度化にたいする限界、災害保険にたいする限界、マス・メディアの四方に広がる影響力にたいする限界、社会保障の許容度の限界――これらすべてが今日では「エコロジー」にかんする議論の一部をなしている。

八〇年代になって、成長の限界づけにかんする議論は第三段階に達した。第一段階は主として財が、第二段階はサーヴィスが中心となったが、第三段階では「共用地《コモンズ》」が中心となっている。

共用地というと、すぐさま牧場や森が念頭に浮かぶ。共用地に囲いを作ることによって、領主が農民の一頭しかいない羊を追い出し、その結果、農民から市場の周辺での生活手段を奪い、彼を初期産業社会の賃労働へと追いやったあの囲い込みが念頭に浮かぶ。これは、E・P・トムソンが「道徳経済」と呼んだものの破壊である。今日議論の対象となっている共用地はこれよりもはるかに微妙なものである。経済学者たちはそれを「環境にそなわる利用上の価値」という点で問題にしようとしているようだが、私としては、経済成長の限界についての人々の議論は、こうした「利用上の価値」、経済の発展がどのような形態をとるにせよこれによって破壊されるであろう諸価値、の保存へとやがて集中していくと考えている。

それがなぜかを理解することは容易である。今日にいたるまで、経済の発展はつねに、人々が物をつくるかわりにこれ以後買うことができるようになる、ということを意味してきた。市場をこえている使用価値が商品に置き換えられるのである。経済の発展＝開発はまた、商品なしに暮らすことを可能にしていた諸条件が物理的・社会的・文化的環境から消え去ったがゆえに、まもなく人々が商品を買わざるをえなくなるということも意味している。そうなると環境は、物資やサーヴィスを金銭で買う能力のない者によって使用されることがもはや不可能となる。たとえば、通りは主としてそこに住む人々のためにあった。人々はそこで育ち、そこで自己の生に立ち向かい、それを制御することを学んだ。ところが、そうした通りが新しくまっすぐに作り直され、車の交通にふさわしいように整備された。こうした変化が起こってからかなりの時間を経て、学校が数多く生まれ、通りから追い出された子供たちを集めるようになる。「共用地的」環境には知の伝達という利用上の価値がある。だが、その環境にとって代わるはずの正規の教育を受け持つ機関が現われるよりもずっと早く、その利用上の価値はなくなってしまった。

『コンヴィヴィアリティのための道具』においては、いかに経済成長が使用価値を創りだすことのできる環境を破壊するかを示した。この過程を私は「貧困の現代化」と名づけた。なぜなら現代社会においては最も購買力のない者がまさしく共用地の利用上の価値から最も遠ざけられている者でもあるからだ。この事実を私は「必要なものの充足にたいする、商品による徹底した独占」に起因するものと考えた。

しかしその当時の私はまだ、古典的な経済と〈影の経済〉との相互補完性を理解していなかった。共用地の消滅は、人々が賃労働へと押しやられたことよりもむしろ〈シャドウ・ワーク〉を強制されたことから生じるものだ、ということを理解していなかった。いま、この点の重要性が見えてきている。というのも、インフォーマルな部門にたいして現に関心が広がりつつあり、それはたちまち、この分野の植民地化と〈シャドウ・ワーク〉の徹底的搾取とにもとづく、経済成長の新段階へと通じかねないからである。

これらの試論をモー・シサンは、いつものとおり私の意表をつく精巧さで英語からフランス語に翻訳してくれた。その最初の訳稿をわれわれはメキシコのヴァレンティーナ・ボレマンスの家で再検討した。振り返ってみると、われわれ三人のうち一体誰がこれこれの的確な語、これこれの文の言い回しを見出したのかは判断しがたい。ただひとつ確かなことは、このフランス語版が最初の英語の原文よりも私にとって満足だということである。

一九八〇年十月　ゲッチンゲン

イヴァン・イリイチ

1　平和とは人間の生き方

このたび私がここに招かれて、これから「アジア平和研究国際会議」の基調講演を行なうにあたってまず話したいことは、現在使われている英語の語彙《ごい》ではとらえきれない主題についてである。今日、英語のキーワードの多くには、暴力がひそんでいる。ジョン・F・ケネディは貧困にたいする戦いをはじめることができたとか、平和主義者はいまや平和のための戦略(文字どおりには、戦争計画)を計画しているとか、という言い方がある。侵略や攻撃のために一般にこしらえられていることばで、私は、真の意味の平和の回復について皆さんに語らなければならない。しかも、日本語についてはなにもヴァナキュラーなものを知らないということがいつも私の念頭にある。それゆえ、本日の講演の一語一語にも、平和をことばに置きかえることのなんとむずかしいかを思わずにはいられない。私には、民衆の平和は民衆の詩と同じように独自のものに思われる。だから平和の意味を考えるのは、詩の解釈と同じくらいに骨の折れる仕事なのである。

時代が異なり、また文化圏が異なるに応じて、平和の意味も異なるものだ。これは石田雄教授が述べている論点である。彼が提起しているように、同じ文化圏でも、中央部と周辺部とでは平和の意味が違う。中央部では、平和はもっぱらそれを維持するということに重点が置かれるのにたいして、周辺部に住む人々は、平和な生活を、つまり「自分たちの生活を平穏にしておいてくれる」ことを念願する。しかし、この民衆の平和という第二の意味は、いわゆる発展＝開発の時代とされたこの三十年ほどのあいだに失われてしまった。このことが私の主要な論点なのである。開発にかこつけて、民衆の平和にたいして世界的な戦争がしかけられてきたのだ。すでに開発ずみの地域には、民衆の平和はほとんど残っていない。民衆に平和を取り戻させるには、経済開発にたいして草の根からの民衆の手で制限を加えることが重要なことと考える。

文化はつねに、平和にたいして意味をあたえてきた。民衆、共同体、文化といったエスノス（種族、民族）は平和にかんするそれ自体のエトス（理想、指針）に反映され、象徴的に表現され、補強されてきた。平和とは言語と同様に、ヴァナキュラーなものなのだ。エスノスとエトスとのこの照応はきわめて明白である。たとえばユダヤ人を考えてみよう。ユダヤの家長は、家族や信徒の上に神の加護をと祈るにさいして、手を高くあげて「シャローム」と祈願する。平和、平穏という意味のシャロームを、「祖先アロンの髭からしたたる油のように」、天から授けられる恩恵とみるのである。セム族の父にとって、平和とは、唯一無二の真の神が、ヤコブの十二人の息子たちの子孫の上にそそぐ正義の恵みなのだ。ユダヤ人には、天使の告げることばは「シャローム」であって、ローマ人のいう「パックス」ではない。ローマ帝国で用いられた平和の意味は、まったく異なっている。ローマの総督は、パレスチナの大地に彼の軍団の軍旗を突き立てるときも、天を仰いだりはしなかった。はるかかなたのローマに目をやり、ローマの法律と秩序を押しつけたのである。シャロームとこの「パックス・ロマーナ」(ローマの支配下の平和)は、同一の時と場所に存在してはいても、共通するところはなにもなかった。

しかし、いまはいずれも色あせてしまっている。シャロームは宗教界に引きこもり、パックスは英語の「ピース」、フランス語の「ペ」などとなって世界を侵略した。エリート支配をとおして二千年ものあいだ使用された結果、パックスはいまや、どのような論法にもあてはまる、いわばがらくた入れのような様相を呈するにいたった。ローマ皇帝のコンスタンチヌス大帝(二七二頃―三三七)は、十字架をイデオロギーにかえるためにこのことばを用いた。フランク王国のカール大帝(七四二―八一四)はサクソン人の集団虐殺を正当化するためにこれを使った。ローマ教皇のインノケンティウス三世(一一六一―一二一六)は剣を十字架に従わせるためにこれを利用したし、近代になると指導者たちは、政党が軍隊を支配するようにこのことばを操作している。パックスは、スペインの宣教師、聖フランシスコ・ザビエル(一五〇六―五二)やフランスの政治家ジョルジュ・クレマンソー(一八四一―一九二九)が使ってからは、その意味の境界もなくなってしまった。それは体制側が使おうと、あるいはそれにかかわる宗派、学派が使おうと、東と西のいずれがその正統性を主張しようと、宗派的かつ改宗的な用語と化しているのである。

パックスの概念には多彩な歴史がある。にもかかわらず、パックスについてこれまで研究された例はほとんどない。だが歴史家たちにとって、図書館の書棚は戦争と技術にかんする論文で溢れているのだ。中国語の「和平」とヒンドゥ語の「シャンティ」(心の平和、安穏)は、いまも昔ながらの意味をもちつづけているようにみえる。だが、この二つのことばのあいだには大きな隔たりがあり、比較の余地もない。中国語の和平が天界の位階における平穏で安らかな調和を意味するのにたいして、シャンティは主として、個人的な心の奥底での位階とは無関係な宇宙的な目覚めの意味で用いられる。要するに、平和には同一化できるものはないのだ。

平和には、他のことばにはない独特の意味がある。平和というのは、「私」ではなくて、つねに「われわれ」の主張である。すなわち平和は、具体的にその意味をとらえると、「私」(I)が、それに照応する「われわれ」(We)に置きかえられる。だが、こうした照応はそれぞれの言語域で異なっている。平和ということばは、第一人称複数の意味を固定化するものである。逆説的に聞こえるかもしれないが、話者のみからなって聴者は含まない「排他的なWe」(マレー語にいう「カミ」)という形を定めてみると、聴者をも含む「包含的なWe」(マレー語にいう「キタ」)が生じる土台こそ、「平和」にほかならないということがわかる。マレー語におけるこのようなカミとキタの区別を、太平洋圏の人々は自然に話し分けることができる。こうした文法上の区別は、ヨーロッパ人にとってはまったく異質のものであって、西洋のパックスという考え方にはこの点がひどく欠けている。それゆえアジアでの平和研究は、パックスについてわずらわされることがないはずである。

この極東では、西洋におけるよりも、平和の研究をその基本的な原理にもとづいて進めることが容易なはずである。その原理とは、「戦争にはすべての文化を同一化する傾向があるが、平和は、それぞれの文化に独自の、他とは比較できない方法で花を開かせることを可能にする」ということである。この原理からみちびかれる命題は、平和とは輸出できるものではないということである。移転されると、平和は必ずだめになってしまう。平和の輸出は必ずや戦争を意味する。このような民族誌的な自明の理を無視するなら、平和研究は、平和維持のテクノロジーと化してしまう。それは、ある種の道徳再武装論に堕落するか、あるいは、高級将校やコンピュータ・ゲーム屋による机上作戦演習用の戦争学に転落してしまうのである。

平和は、もしそれが民族誌的＝人類学的な現実性を含意しなければ、現実離れした、たんなる抽象観念にとどまってしまう。他方ではまた、われわれが平和の歴史的な次元に注意を払わないならば、同じく平和は非現実的なものにとどまってしまう。ごく最近まで戦争は平和を完全に破壊し去ることができなかったし、そのすべての次元に侵入することもできなかった。戦争を継続するためにも、それを支える人間生活の自立の文化が存続することが必要だったからである。昔の戦争行為は、むしろ民衆の平和に依拠するものだった。あまりにも多くの歴史家たちがこの事実を見落してきた。彼らの手で、歴史は戦争の物語となってあらわれている。これはとくに、勝利者や権力者の盛衰を記録したがる古典的な歴史家にあてはまる。だが残念なことに、力ある者たちについて語ることをしなかった側からの報告者として敗者の物語を記録し、消え去った人々のイメージを呼び起こそうとする新しい歴史家の多くにも、やはり同じことがいえるのである。これらの新しい歴史家たちもまた、貧しい人たちの平和よりもむしろ、暴力に多くの関心をよせている。彼らは主として地下の抵抗運動、奴隷、農民、少数民族、疎外された周辺の人々の反抗、反乱、暴動などを記録し、最近ではプロレタリアの階級闘争や女性の解放闘争をも対象としている。

権力を語る歴史家たちと比較すると、民衆の文化を語る新しい歴史家たちには困難な仕事が伴う。エリート文化や軍隊の起こす戦争を取り扱う歴史家たちは、文化域の中央部について記述する。彼らにとって、進軍する軍隊がのこした記念碑や石に刻まれた布告、商業通信文、王たちの自伝といった確実な足跡が資料として利用される。だが、負けた陣営を語る歴史家たちにはこの種の証跡はない。彼らが報告するのは、地上から消し去られたものや、敵に蹂躙されたり、爆風に吹き払われたりしたあとにのこる人たちのことである。農民や遊牧の民の歴史家、村の文化や家庭生活の歴史家、女性や幼児の歴史家には、検討しようにもたどるべき足跡はほとんどない。したがって直観で過去を復元したり、格言や謎、歌などに見出されるヒントに気をくばらなければならない。貧しい者、とくに女性がのこした口頭の記録としては、拷問責めにあった魔女や罪人が自供したものなど、裁判所が記録にのこした調書しかない場合が多いが、最近の人類学的歴史、民衆の文化の歴史、心情や考え方の歴史は、のこっているこれらのものの足跡を明るみに出す手法を編み出さざるをえなくなっている。

しかしこのような新しい歴史にも、戦争に焦点をあてる傾向がある。弱者の姿を、主として敵対する者から自己を防衛せざるをえない対決のかたちで描き出す。レジスタンスの話は伝えても、過去の平和については、暗に知らせるだけである。闘争や紛争は、敵対する者同士を比較可能な同等の立場にしてしまう。それは、単純な割り切り方を過去にもちこんで、これまでに過ぎ去ったもののすべてが二十世紀風に説明できるという幻想をはぐくむ。さまざまな文化も同一化してしまう戦争を、歴史家が話の主題や柱に選びがちであるのはこのためである。いまわれわれに緊急に必要なのは、戦争の歴史よりもはるかに多様な歴史、すなわち平和の歴史なのである。

今日、平和研究と呼ばれているものには、歴史の展望を欠くことが非常に多い。こうした研究の主題は、文化的および歴史的な要因をとりのぞいた「平和」である。一見矛盾しているようだが、平和は、いまや稀少性《スケアシティ》〔人々の必要性を満たすだけの財・サービスが不足している状態〕の仮定のもとで作用する国力や経済力のあいだのバランスが問題となったときに、初めて学問の対象となった。そういうわけで平和研究は、ゼロ－サム・ゲーム〔誰かが、勝って利益を獲得すれば、必ずその分だけ誰かが負けて損をするというような取引を意味する〕にとらわれた競争者のあいだの最小の暴力休戦に関する研究にもっぱら限られている。この研究の諸概念は、あたかもサーチライトのように、稀少性に焦点を定めている。そこでは稀少性の不等な配分の発見が可能である。だが、もともと稀少性でないものの平和的な享受、すなわち民衆の平和は、深い闇の中に置かれたままである。

だが稀少性というものは、したがってまた正規の経済学によって意味あるものとして分析できるもののすべては、歴史の大部分を通じて、多くの民衆の生活にはほとんど重要性をもたなかったものである。今日、生活のあらゆる側面に稀少性が広がったことは、まさしく歴史的な事象として記録できる。すなわちそれは、中世以降のヨーロッパ文明に生じたものである。稀少性の仮定が拡大するなかで、平和はヨーロッパのどこにも先例のなかったひとつの新しい意味を獲得したのだ。平和は「パックス・エコノミカ」(経済的平和)を意味するようになったのだ。「パックス・エコノミカ」とは、実体＝実在的な経済からはなれた形式的な経済力のあいだのバランスを意味するのである。

この新たな現実の歴史は注目に値いする。「パックス・エコノミカ」が平和の意味を独占していった過程は、とくに重要である。というのは、これこそ平和の最初の意味として世界的に広く受け入れられたものだからである。このように平和の意味が経済によって独占されたということは、深く憂慮されねばならない。そこで私は、この「パックス・エコノミカ」を、それとは反対のものであり、したがってそれを補う関係にもある民衆の平和と対照させてみようと思う。

国際連合の創設いらい、平和は徐々に「発展＝開発」と結びつけられてきた。このような連関は以前には想像もできなかったことだ。これがいかに目新しい連関であるかは、いま四十歳以下の人々には理解しがたいことである。その奇妙な事態が理解できるのは、私のように、米国のトルーマン大統領が低開発国援助の「ポイント・フォア」計画を発表した一九四九年一月十日に、成年に達していた人々だけである。「発展＝開発」が現在のような意味で使われるのを聞いたのは、この日が初めてだった。それまではもっぱら、このことばは、生物の種の発達とか不動産の開発とか、チェスの駒の動きなどをあらわすことに用いられてきた。それが人間や国土や経済戦略に関しても用いられるようになったのは、そのとき以来のことなのである。しかもまだ一世代もたたないうちに、互いに対立しあう発展＝開発の理論が洪水のように登場してきた。だが、いまではこれらの理論の多くは、収集家向きの骨董品となっているにすぎない。いまとなってはやや困惑の念で想い起こすことが少なくないだろう。ひとのよい民衆が、「一人あたり所得を高めよ」とか「先進国に追いつき、追いこせ」とか「従属からぬけだそう」とかいった矢継ぎばやなプログラムのためにどんなに犠牲をしいられてきたことか。さらにまた首をかしげたくなるようなことも多い。「心構え」とか「平和のための原子力」とか「仕事口《ジョッブ》」とか「風車」とか、そしていまでは「もうひとつのライフスタイル」とか、専門家によって指導される「自助」といったことまで、なんと多くのことが輸出にふさわしいものとみなされてきたことか。

ここには二つの理論の流れがあり、波となって押しよせてきている。一つの波は、企業の高揚をはかったプラグマティストを自任する人たちを登場させた。もう一つの波は、イデオロギーや革命を「良心的に信じこんでいる」人たちをあてにした自称政治家たちを登場させた。だが、両者はともに成長志向において一致していた。どちらも、生産の上昇と消費依存の増大を弁護した。また派閥的専門家をかかえたどの陣営も、救世主たちのどの集まりも、開発に平和の追求を結びつけたのである。平和は、このように開発と連関づけられて、実際には党派的な目標となった。そして開発と結びつけられた平和の追求が、至高の、文句なしの原理となった。それからというもの、経済成長――あれこれの経済成長ではなく経済成長それ自体――に反対する者はだれでも、平和の敵として非難されかねないことになった。ガンジーでさえ、愚か者、夢想家、精神病者といった一連の汚名を着せられた。いやそれどころか、彼の教えは、開発のためのいわゆる非暴力戦略と曲解されてしまった。ガンジーの平和もまた成長と連関づけられた。「カーディ」〔インド製手織りの木綿布。独立運動の時の精神的シンボル〕は〈商品〉に仕立てあげられ、非暴力は経済的武器にされてしまった。価値とは、稀少でなければ守るに値いしないもの、というエコノミストの定義は、「パックス・エコノミカ」を民衆の平和への脅威にまでしてしまったのである。

平和が開発に連関づけられたために、開発とは何かを問いただすことがむずかしくなった。実はこのような問いかけをすることこそが平和研究のおもな仕事である、と提案したい。開発は、それを語る人によって異なった意味をもつということは、ここでは問題でない。多国籍企業にとって、またワルシャワ条約機構の閣僚会議にとって、さらにまた新国際経済秩序の提唱者にとって、それぞれ発展＝開発の考え方は異なる。しかし、開発が必要だという点では当事者のすべてが一致していたのであって、このために、「発展＝開発」の理念に特別な地位があたえられてきたのだった。こうした合意によってもたらされた開発の条件は、次のようである。すなわち、平等と民主主義という十九世紀の理想は、稀少性という仮定の範囲内にかぎる、というただし書きのもとに追求されるべきだということである。「だれが何を手に入れるか」という問題をめぐる論争のもとで、すべての開発につきものの避けがたいコストが埋もれてしまった。だが一九七〇年代に、この隠れたコストのいくつかが明るみに出た。ある明白な「真理」が突然論争の的となった。エコロジーと呼ばれるもののもとで、資源の有限性、毒やストレスの許容量いかんが政治問題となった。しかし、環境利用の倫理的価値に向けての暴力的侵犯の問題は、これまでのところ十分に解明されていない。人間生活の自立と自存にたいする暴力は、これからさきの成長のすべてに内在するものであり、また「パックス・エコノミカ」の名のもとに蔽われているものであるが、この暴力こそ、根源的な平和研究の主要課題だと私には思われるのである。

開発は、その理論においても実際においても、人間生活の自立と自存を志向する諸文化を変化させてひとつの経済システムへと統合させることを意味するものだ。開発は、人間生活の自立・自存志向の諸活動を犠牲にして、形式的・画一的な経済領域の拡大を意味するものだ。それはゼロ－サム・ゲームの前提のもとで交換が行なわれる領域を、だんだんと「離床」させることを意味するものだ。こうした拡大は、他のすべての伝統的な交換の形式を犠牲にして進められている。このようにして開発は、つねに稀少性が伝播してゆくことを含意している。つまり、稀少とみとめられる財とサーヴィスへの依存を含意している。開発とは、環境を商品の生産と流通のための手段につくりかえてゆく過程で、人間生活の自立志向の諸活動にとっての条件がそこから除去されているような環境を創造することなのである。それはしたがって、民衆の平和というもののすべてをことごとく犠牲にして、「パックス・エコノミカ」を強制することにほかならない。

民衆の平和と「パックス・エコノミカ」とのあいだの対立を例証するために、ヨーロッパの中世にこれから話を移すことにしよう。だからといって私は、ことさら過去への回帰を提唱しているのではない。ここで過去をとりだすのは、表面上だれの目にも明らかかな、平和における二つの相補的な形態のあいだに、いかにダイナミックな対立があるかを描きだそうとするからにほかならない。私が社会科学の理論よりもむしろ過去を探究するのは、ユートピア的な考え方や計画志向を避けるためである。過去は、計画や理想とちがって、現に可能性のあるようなものではない。あるべきなにかではない。過去とは、あったものなのだ。ここで私がヨーロッパ中世に目を向けるのは、ひとつの暴力的な「パックス・エコノミカ」がその姿態をととのえてきたのは、中世も終わりに近いころだったからである。

十二世紀には、パックスは、領主たちのあいだの戦争の不在を意味してはいなかった。教会や皇帝が保障しようとしたパックスは、騎士同士の武力衝突をなによりもまず防ぐというようなものではなかった。平和とは、貧しい者とその生活の糧《かて》を、戦争の暴力から守るということを意味したのだ。平和は小農民と修道士を守った。これこそ「神の休戦」の意味であり、また「領邦の平和」の意味でもあった。それは特定の時間と場所を守ることであった。領主たちのあいだでいかに血なまぐさい戦争があろうと、平和は、牛を守り、穫《と》り入れ前の畑を守ったのである。緊急時用の穀物や種子の貯蔵庫、収穫の期間を守ったのである。一般的にいえば、「地域の平和」(peace of the land)は、共用の環境を利用するうえの大切な価値を暴力的な干渉から守ったのである。それは、自分の生活の糧を他からひきだすすべをもたなかった人々のために、水と牧草地、森と家畜を利用できる状態に保護したのである。かくて「地域の平和」は、戦う者同士の休戦とは別個のものだったのだ。もともと人間生活の自立と自存を志向するこうした平和の意味は、ルネサンスとともに失われたのであった。

国民国家が台頭するにつれて、まったく新しい世界が出現しはじめた。それとともに、まったく新たな種類の平和と暴力がもたらされた。その平和も暴力も、それまでにあった平和と暴力の形態のすべてとかけはなれたものであった。これまでの平和が、領主たちの戦争をささえていた最小限の人間生活の自立と自存の基盤を保護するものであったのにたいし、いまやこの自立そのものが平和という名の侵略の犠牲となった。人間生活の自立と自存そのものが、サーヴィスと財貨の拡大する市場の餌食となったのである。この新たな平和は、あるユートピアの追求を伴うものだった。民衆の平和は、不安定ではあるが実在の共同体を全面的な滅亡から保護していた。ところがこの新たな平和は、ひとつの抽象にそって構築された。この平和は、どこかの他人が生産した商品を消費することでもともと生活する「ホモ・エコノミクス」という、普遍的人間の尺度へと考えを切りかえることである。民衆の平和が守っていたのは、ヴァナキュラーな自治であり、また自治の栄えるもととなる環境であり、さらにまた環境を再生産するための多様なパターンでもあった。これにたいし新しい「パックス・エコノミカ」はもっぱら生産を守ったにすぎない。それは、民衆の文化への侵害、共用地《コモンズ》への侵略、女性への侵犯を保障するものである。

第一に、「パックス・エコノミカ」は、人々が自分で生活を維持することができなくなっているという仮定を蔽いかくしている。この平和は、新たなエリートに権限をあたえて、すべての民衆が生きてゆくためには、教育、健康管理、警察の保護、アパート、スーパーマーケットなどに彼らが依存せざるをえないようにさせている。以前には知られなかったようなやり方で、それは生産者の地位を高め消費者を墜落させる。「パックス・エコノミカ」は、人間生活の自立を志向するものに「不生産的」、自律的なものに「非社会的」、伝統的なものに「後進的」、のレッテルをはる。それは、ゼロ-サム・ゲームに適さないすべての地域の諸慣習にたいする暴力を意味するものである。

第二に、「パックス・エコノミカ」は環境にたいする暴力を促進する。この新たな平和は住民の無事を保障するが、この無事とは、商品の生産のために採掘される資源として、また商品の流通のためにあてられる空間として、環境を使用してよいということにほかならない。それは、共用地の破壊を許可するというよりもむしろ奨励するものである。民衆の平和は、共用地を守っていた。それは、貧民が牧場や森林に近づくことを守った。それは、道路や川が人々によって使用されることを保護した。それは、寡婦や乞食たちに環境利用の特別な権利を保留した。「パックス・エコノミカ」は、環境を稀少な資源として定義するものであり、その資源を財貨の生産や専門的管理において最適な使用に供するものである。歴史的にみるなら、これこそ開発が意味したもの、すなわち、領主の羊の囲い込みから始まって、道路を自動車使用のために囲い込んだり、望ましい仕事口を、十二年間以上もの学校教育を受けた人たちに限定したりすることにいたるまでのすべてを意味するものだった。開発がつねに意味したものは、消費に依存しないで環境利用の価値にもとづいて生きのこることを求める人々を、暴力的に放逐することだった。「パックス・エコノミカ」は共用地にたいする戦争を予告するものである。

第三に、新たな平和は、男性と女性との新たな戦争を促進する。優勢をめざすこれまでの伝統的な戦いから男女間の新たな全面戦争への推移は、経済成長の側面効果について分析されることの最も少ないものである。この戦争もまた、いわゆる生産諸力の成長の必然的な結果なのであり、その過程は、賃金労働が他のすべての形態の仕事をますます完全に独占することを意味する。だからこれもまた一種の侵略である。賃金にかかわる仕事をこのように独占することは、人間生活の自立と自存を志向するすべての社会に共通する特性にたいする侵略となるものである。こうした人間生活の自立と自存を志向する社会は、たとえば、日本とフランスとフィジー島の社会というように、それぞれに異なってはいるけれども、すべてに共通するひとつの本質的な特徴点がある。すなわち、生活の自立と自存の基盤を確保するのに必要な仕事はすべて、これは男の仕事、これは女の仕事というように、性(gender)に特有なしかたでふりわけられているということである。社会に必要とされる特有な仕事が何であるかは文化的に定義されるものであり、それはそれぞれの社会で異なるものである。だがどのような社会も、男または女にそれぞれ可能な仕事をさまざまに配置していて、各社会は固有で独自のパターンにもとづいてこれを行なっている。およそどんな文化にも、社会内部における仕事の配置が同一であるようなものは二つとない。どの文化においても、おとなになるということは、そこに特徴的な活動に従事する、また、そこにのみ特徴的に定まった男の活動または女の活動に従事するまでに成長する、ということである。産業化以前の社会において、男であり女であるということは、性別のない人間(genderless humans)に付け加えられる二次的な特性ではなく、そうであることこそがひとつひとつの行為における最も根本的な特徴なのである。「おとなになる」とは「教育を受ける」ということではなく、女として、または男として行動することによって、生活に入ってゆくことを意味する。男と女のあいだのダイナミックな平和は、まさしくこのような具体的な仕事のふりわけからなるものである。このことは、単純に平等を意味するものではない。それこそ男女間の相互の抑圧を制限するものとなるのである。こうした男女の関係という身近な領域においてもまた、民衆の平和は、男女間の戦いを防止し、一方的な支配を抑止したのである。だが、賃金労働はこのパターンを破壊してしまった。

産業上の労働、生産的労働は、中立的《ニュートラル》＝中性的なものとみなされていて、経験の上からもそう思われることが多い。これらの労働は、男女いずれもが従事しうる性別のない(genderless)労働と定義される。このことは、それが有給労働であるか無給労働であるかを問うものではない。また労働のリズムが生産によって定まっているか消費によって定まっているかを問うものでもない。けれども、たとえ労働は性別のないものとみなされても、この性別のない活動へと近づく道は根底からゆがんでいる。男は、望ましいとみえる有給の仕事へとまず第一につくことができる。そして女は、のこされている有給の仕事を割りあてられる。もともと、無給の〈シャドウ・ワーク〉を強いられた者は女であった。もっとも、男たちにも今日ではこうした〈シャドウ・ワーク〉が与えられてきているが。いずれにしても、このような労働の中立化＝中性化の結果として、開発は不可避的に男女間に新たな戦いを促すものとなっている。それは、どちらか一方が性別ということで損をするといった、理論的には平等なもののあいだの競争にほかならない。ここには、稀少となってきている賃金労働を求める競争があり、また支払われることもなく生活の自立と自存に寄与することもない〈シャドウ・ワーク〉を避けるための闘争がある。

「パックス・エコノミカ」はゼロ－サム・ゲームを守り、その公然たる進歩を保障するものだ。すべての者がプレーヤーになり、「ホモ・エコノミクス」のルールを承認するように強いられる。このゼロ－サムのモデルに合うように行動することを拒否する者は、平和の敵として追放されるか、妥協するまで教育されるか、そのどちらかである。このゼロ－サム・ゲームのルールでは、環境と人間労働の両者はともに稀少性をめぐる賭けである。そこでは一方が得をすれば他方が損をする。いまや平和の意味は、次の二つになってしまった。少なくとも経済学では、二足す二がいつかは五になるというあの神話。そうでなければ、休戦そして行きづまり。開発とは、とりもなおさずこうしたゲームの拡大であり、また、ますますふえるプレーヤーとその資金との合体にほかならない。それゆえ、「パックス・エコノミカ」の独占は、惨憺たるものとなるにちがいない。開発と結びつく平和以外の平和が存在するのではないだろうか。

次のように譲歩することもできよう。すなわち「パックス・エコノミカ」にもいくらか積極的な価値がなくもない。自転車はすでに発明されている。そしてその部品が流通する市場は、かつて胡椒が取引きされた市場とは異なったものであるにちがいない。また経済力同士のあいだの平和は、少なくとも古代の領主たちのあいだの平和と同じくらい重要である。

だがしかし、こうしたエリートの平和の独占は問い直されなければならないだろう。この挑戦を理論的に定式化することこそ、今日の平和研究の最も根本的な課題だと、私には思われる。

〔だが、こうした「パックス・エコノミカ」への挑戦こそは、このパックスという名の近代的で西欧的な形態によって耐えきれないほどに苦しめられている人々から、すなわち人間生活の自立・自存の基盤の新たなタイプの増大にたいしてわずかに望みを託している人々から、やっと始まるのである。それぞれのコミュニティが、地域に生きる民衆の草の根の声として「平穏に暮らしたい」という主張をいかに表現することになるだろうか、私にはわからない。たしかなことは、どの主張も、それぞれのコミュニティにおいて固有かつ独自なやり方で明示されねばならないだろうということである。〕

講演を訂正・加筆した *Resurgence* (No. 88 September/October 1981) 掲載の右の論文は、紙幅の関係か末尾の数行が短く要約されている。右〔　〕内は講演末尾の原文の邦訳である。

——訳者

2　公的選択の三つの次元

人間生活の自立と自存にたいしてしかけられた戦争が人々をどこへ導いてきたかについては、いわゆる発展＝開発を鏡にすることによって最もよく看て取ることができる。一九六〇年代に、「発展＝開発」は「自由」や「平等」と肩を並べる地位を得てきた。他の民族の発展を進めることは、金持たちの義務と責任になった。発展はまるで建設計画でもあるかのように語られた。――あらゆる肌の色の民族が「国家の建設」を語って、顔を赤らめることがなかった。こうした社会工学の当面の目標は、機械化のあまり進んでいない社会にバランスのとれた設備のセットを設置することにほかならなかった。つまり、もっとたくさんの学校、もっと近代的な病院、もっと広く長い高速道路、新しい工場、高圧送電システムを設けることであった。それとともに、それらの設備を扱うスタッフや設備の必要性を教えこまれた人間をつくることが目標となった。

今日からみると、十年前の道徳上の定言命法はナイーヴにみえる。今日、道具主義の観点から望ましい社会像を描くことのできる批判的思想家はほとんどいない。二つの理由が多くの人々の心を変えた。第一に、望ましくないいわゆる外部不経済《エクスタナリティーズ》が利益を上まわった。――たとえば学校や病院の税金負担が、どのような経済も支えきれないほど莫大になった。高速道路がもたらしたゴーストタウンは都市や田園の風景をつまらないものにした。サンパウロ市でつくられるプラスチックのバケツは、西ブラジルの地方のブリキ屋がくず金属から作るバケツより軽くて安いけれども、安いプラスチック製品は、まずブリキ屋を追い出し、次いで、プラスチックの産む有毒ガスは、環境に特有の痕跡を残した。これは新たな幽霊といってよい。古来からの固有の力の破壊も、このような害毒と同様に不可避的な副産物であって、この破壊は永いあいだどのような幽霊払いも寄せつけないだろう。産業廃棄物を埋葬するための墓地は高くつき、バケツをつくるコストよりも高い。経済学者が使うもっともらしい用語を使えば、その「外部費用」は、プラスチックのバケツの生産から生じる利潤を上まわるばかりか、製造工程で支払われる給料そのものをも凌駕する。

しかしながら、この増大する外部不経済は、発展＝開発がいやでも支払わなければならない勘定書きの一面でしかない。逆生産性はもう一つの面である。そもそも外部不経済は、消費者が欲しいものに支払う価格の「外部に」あるコストである。それは消費者本人か他の人々、あるいは未来の世代のいずれかが、どこかの時点でツケを負担するコストである。ところが、逆生産性は購買された商品のまさに使用の「内側で」生じる新たな種類の失望なのである。この内的な逆生産性は、現代の産業制度に不可避な構成要素であって、そのために、制度の顧客である多数の貧しい人々は、たえず欲求不満におちいることになった。それは熾烈な経験でありながら、いままで明確に定義されることがなかった。経済のそれぞれの主要な部門は、それ独自の逆説的な矛盾を産出する。それぞれの経済部門は、それが当初構成されたさいに産み出すと予定されたものとは反対のものを必然的にもたらす。経済学者は、外部不経済に値段をつける能力を徐々にましてきてはいるけれども、ネガの内部不経済を扱うことはできないでいる。つまり、彼らには、産業制度にとらわれた顧客たちの内在的不満、費用とは別ものである欲求不満を推しはかることはできない。大部分の人間にとって、学校制度なるものは、遺伝学上の差異をねじまげて、証明書つきの価値の引き下げに追い込むことである。また健康の医療化は、サーヴィスにたいする需要を、可能で役立つ限度をはるかに越えて増加させるばかりか、常識的に健康とよばれる身体の調整能力を衰えさせる。大多数の人間にとってラッシュアワーにしか使えない交通機関は、自由に選ぶことのできる移動や相互的な接近の機会を減少させて、通勤の乗物に隷属しながら費やす時間を増すことになる。教育・医療、そのほかの福祉施設が発達して、当初このような計画が企てられ財政化されたときの明確な目的を、大部分の顧客にとって手の届かないものにしてしまった。強制的な消費から生まれる、この制度化された欲求不満は、新たな外部不経済と結びついている。この欲求不満は、装置化された生産能力の観点からする望ましい社会についての記述を、すっかり信用のおけないものにしてしまう。こうしたことの結果として、環境にたいして産業化のおよぼす影響力の全体像が、徐々にではあるが、目にみえるようになる。つまり、ある種類の成長だけが生態環境をおびやかす一方、すべての経済成長が挙げて共用地《コモンズ》をおびやかすのである。いいかえれば、経済成長はすべて不可避的に環境の利用上の大切な価値を衰弱させるのだ。

新たな「満足」を手にすることよりも、開発のもたらす損害から身を守ることのほうが、人々の一番求める特権になった。もしラッシュアワーの時間帯以外に通勤できる身となれば、そのひとはすでに成功者であるにちがいない。自宅で子供を産める身となれば、そのひとはおそらくエリート校に通える身分でもあるにちがいない。もし病気でも医者にかからずに済ませられるとすれば、そのひとは他にはない特別の知識に精通していることだろう。もし新鮮な空気を吸うことができるとすれば、そのひとは金持で幸運なひとにきまっている。もし自分の手で丸太小屋を建てることができるほどのひとならば、そのひとは本当は貧しいとはいえないのだ。今日の下層階級を構成するものは、逆生産性のお荷物一式を消費しなければならないもの、みずから買って出た奉仕者たちのお情けを何としても消費しなければならないもの、にほかならないのだ。これと逆に、特権階級とは、逆生産的な装置一式と手前勝手な世話やきを自由におことわりできる人々のことである。そこで、近年になって新たな態度がはっきり現われてきた。すなわち生態学的にみて公平な開発などありえないのだということが自覚された結果、多くの人々が、万一公平な開発が可能だとしても、自分のためにも、また他人にたいしても、もうこれ以上の開発はご免だ、と考えるようになったのである。

十年前には、私たちは、政治の領域内で行使される社会的選択と、専門家にまかされた技術上の選択とを区別する傾向があった。もともと前者は目標に、後者はどちらかというと手段に焦点を合わせていた。大雑把な言い方をすれば、望ましい社会の選択は、右から左へと連なるスペクトルの上に配列されていて、手前のほうには資本主義的、向う側には社会主義的「開発」が置かれる。いかなる方法をとるかは専門家にゆだねられていた。こうした一次元的な政治のモデルはいまでは過去のものである。今日では「誰が何を得るか」の問題に加えて、新たに二つの選択の領域がふつうの人々の問題となっている。つまり、一つは適切な生産手段にかんする素人の判断の正当性、もう一つは成長と自由とのあいだのやりとりをめぐる素人の判断の正当性、の領域である。その結果、三つの相互に独立した選択のクラスが、互いに垂直に交叉する、公的な選択の軸としてあらわれる。私としては、X軸には、ふつう「右」と「左」ということばで表わされる問題、たとえば、社会の階層制、政治的権威、生産手段の所有、資源の配分をめぐる諸問題を配置したい。Y軸には「ハード」と「ソフト」とのあいだの技術上の選択がくる。ただしこのことばについては、私は、たんに原子力に賛成か反対かを越えて、もっと意味を広げて使いたい。なぜなら、財ばかりかサーヴィスもまた、ハードとソフトの二者択一によって影響を受けているからである。

三番目の選択はZ軸上にくる。ここではもはや特権や技術でなく、人間の満足＝欲求充足の性質それ自体が問題となる。Z軸の両極の特徴をはっきりさせるために、エーリッヒ・フロムの定義した用語を使うことにしよう。Z軸の下限には「持つこと」(having)に充足を求めるのに適した社会組織が置かれる。上限には「行為すること」(doing)に充足を見出すことに適合する社会組織がくる。したがって、Z軸の下限には商品集中社会がくることになる。この社会では、専門家によって企画・指定され、しかも彼らの管理のもとで生産される商品やサーヴィスの規格化といった観点から、ニーズというものが定義される傾向が強まる。この社会の右のような理念像に対応するのは、限界効用の観念につき動かされる諸個人から成る人類のイメージである。この人間観はマンデヴィルからスミスやマルクスを経て、ケインズへと発展したもので、ルイ＝デュモンが「ホモ・エコノミクス」と呼んだ人間観である。Z軸上の反対の極、つまり上限においては、実にさまざまな社会が、扇型に並ぶ。そこでは、生活は自立と自存を志向する活動のまわりに組織され、それぞれのコミュニティは、成長の要求に懐疑的になることで、コミュニティ独自のライフスタイルをいっそう強化する。選択のZ軸上において、私は、成長を志向する社会を、他の社会、つまり伝統的な生活の自立が、気の遠くなるような遠い昔から伝達された文化の型によって構造化されている社会と対立させるつもりはない。そうした選択はそもそもありえないのだ。この種の野心は感情的で、破壊的ですらある。私はZ軸の下限に経済成長につかえる社会を置き、それに対立するものとして、生活の自立と自存を志向する、共同の環境の使用が生産と消費にとってかわることに高い価値を与える社会、を置きたい。すなわち、「ホモ・エコノミクス」の観点から組織される社会にたいして、「ホモ・アーティフィクス」(homo artifix)、つまり人間生活の自立と自存にかんして伝統的な仮説を回復した社会を対立させるのである。

現代社会の形態は、実際、これらの独立した三つの軸に沿っていまなお行なわれている選択の結果である。しかしながら、当今の政治の概念作用となると、すべてを一次元化してやまないから、これらの選択の大部分は、互いに無関係な諸決定の相助作用の結果にすぎず、しかもそれら無関係な諸決定は、環境を「ホモ・エコノミクス」用の檻に一次元的に組織してしまう。このような傾向は、多くの人々が経験して、深い憂慮をもつようになっている。こうして政治形態への信用の度合いは、三つの選択のそれぞれの組合せに、人々がどの程度参加するかに依存しはじめる。どの社会についてもいえることだが、社会のユニークなイメージ、つまり社会の諸部分が明確に分節され、独自に関連づけられているイメージというものは美しい。こうした社会のイメージの優美さが国際的にインパクトをもたらす決定的な要因になることが望ましい。美的で倫理的な範例は、経済指標による競争にとってかわるかもしれない。実際のところそれ以外に道は開かれていないのだ。質素とつつましさという特徴をそなえ、現代的ではあるが手作りであって、小規模に営まれる生活様式というものは、市場化をとおしてのそれ自身の伝播をなかなかゆるさないものである。こういうふうにして、歴史上初めて、貧しい社会と豊かな社会とを掛け値なしに対等の関係に置くことができるようになるだろう。しかしながらこのことが本当に実現するためには、開発の視点から国際的な南北関係の問題をみる現在の認識のあり方が、何をおいてもまず破棄されなければならない。

開発とかかわりをもつ、今日の時代で高い位置を占める政治目標である完全雇用という問題も、再検討されなくてはならない。十年前には、開発や政治にたいする態度は、今日におけるよりも単純であった。いってみれば、仕事にたいする態度は男女差別主義者のそれであり、まことにナイーヴなものであった。仕事は雇用と同一視され、名誉ある職業は男性(male)に限られていた。就職口と切り離して行なわれる〈シャドウ・ワーク〉の分析はタブーだった。だから左翼は、せいぜい原始的再生産の残滓として〈シャドウ・ワーク〉に言及し、右翼はそれを組織された消費*〔非生産者による消費〕だと見なした。ところが両者とも、開発が進めば、そのような労働は消えていくだろうと考える点では、意見の一致をみたのだ。雇用の増加を求め、同等の仕事にたいする平等の賃金を要求し、そしてすべての仕事の賃金引き上げを求める闘争が行なわれてきたが、この闘争は、賃金労働から切り離された他のすべての労働を、政治学や経済学からは死角に隠されてしまう影の一隅に押しこめてしまう。最近、フェミニストたちが一部の経済学者や社会学者たちとともに、いわゆる「媒介構造」に注目しつつ、産業的な経済のために行なわれている、主として女の責任分担とされている、賃金の支払われない貢献について検討しはじめた。これらの人たちは「再生産」を、生産にたいする補完物として論じている。しかしながら、昔ふうの仕事をつくり出す新しいやり方や、手持ちの仕事を配分する新たな形態や、家事・教育・子育て・通勤などの支払われない仕事を支払われる仕事に変換する方法、などを議論している自称ラディカルで、舞台はほとんどいっぱいである。そのような要求が目白押しであるからには、完全雇用という目標は開発という目標と同じく疑わしいものに思えてくるのである。仕事の性質そのものに疑問を投じる新たな役者たちが、舞台の中央に進み出る。彼らは、賃金の支払われる支払われないを問わず産業的に構造化されている仕事と、雇用と職業的保護の制約を越えた領域で行なわれる人間的生活の創造とを区別する。彼らの議論は、*先述の〔あの第三の軸の〕垂直軸上の中心となる問題点を提起することとなる。人間を成長中毒患者とみなす考えに賛成するか反対するかの選択の分れ目は、非雇用、もっとありていに言えば失業――これは賃金や給料の枷なしに働くという実質的な自由のことなのだが――をみじめな禍とみるか、あるいは有益な一つの権利とみるかの分れ目を決めてしまう。

　商品集中社会では、日常、基本的なニーズは、賃労働の生産物によって満たされる。たとえば、教育に劣らず家をもつことも、分娩に劣らず交通もまた、賃労働の生産物である。商品集中社会を動かす労働倫理は、給料や賃金のための仕事を正統化し、それと反対に自律的な活動の価値をひき下げる。ところが、賃労働の広がりはそれ以上のことをやりとげる。つまり、賃労働が一般化することによって、支払われない仕事は、二つの相反するタイプの活動に分かれてしまう。賃労働の蚕食によって支払われない仕事がこうむる損害については、たびたび語られてきているけれども、他方、あらたな種類の仕事が生み出されてきたことについては、一貫して無視されてきたのである。それは産業的な労働とサーヴィスにとっての支払われない補足物のことである。すなわち、商品集中経済に奉仕する一種の強制労働や産業奴隷と、産業制度の外部に横たわる人間生活の自立・自存を志向する仕事とは、注意深く区別されなくてはならないのだ。先述のZ軸上の選択を行なうさいに、この区別が明確にされ、活用されることがないならば、専門家が導入する支払われない仕事は抑圧的な生態学的福祉社会をとおして広がるだろう。家庭内という領域での女の隷属状態は、今日もっとも明らかなその代表である。家事には給料が支払われない。しかも、昔は女の仕事の大部分は生活の自立と自存を目ざす活動であったが、今日の家事はそうではなくなった。女はかつては男たちと並んで、家の全体を、家の住人たちの生活に必要なものをつくり出す環境および手段として、切り盛りしたのである。ところが、現代の家事は、生産を支えることに向けられた産業的な商品によって規格化されている。現代の家事は、性別*を明確にする仕方で〔差別的に〕女たちに強制されていて、賃金労働者を再生産し、休養させ、賃労働にかりたてる原動力となる役割に彼女たちを押し込めている。すでにフェミニストらが十分に明らかにしてきたように、家事はあの広範囲な〈影の経済〉のひとつの表われでしかない。〈影の経済〉は、拡大する賃労働の必然的な補足物として、産業社会のいたるところに発達してきている。

この影*の補足物〔この影の補足物を指すのに英語で用いていることば Shadow Work, Shadow Economy に対応することばをフランス語で使うことができれば、私はうれしいのだが。さらにまたドイツ語の場合のようにSchattenarbeit(影の労働)を、Lohnarbeit(賃労働)と対置させ、またEigenarbeit(自分に固有の仕事)と対置させることができれば、うれしいのだが。しかし、fantôme(幻の)ということばは、隠されているこの存在をかなりよく表現しているように思われる。正規の〔古典的な〕経済とともに産業的な生産様式の一構成要素である。量子理論以前には素粒子の波動性が見落とされていたように、〈シャドウ・ワーク〉も経済学の分析の手からすりぬけていたのだ。だから、*正規の経済部門のために開発されてきた概念がこの影の補足物に適用される場合には、その概念がせっかく見落とすことのなかったものをも歪めてしまう。賃金が支払われない二種類の活動の本当のちがい――つまり賃労働を補う〈シャドウ・ワーク〉と、この双方に競合し対立する生活の自立・自存の仕事――は、一貫して看過されてきた。こうして、生活の自立・自存の活動がますます稀なものになるにつれて、すべての支払われない活動は家事と類似の構造をもつようになる。成長志向型の仕事は、その活動が賃金の支払われるものであろうとなかろうと、いやおうなしに活動の規格化と管理をもたらすのである。

コミュニティが人間生活の自立と自存を志向する生活の仕方を選ぶときには、いまとは正反対の仕事観が広がってくる。その場合には開発を逆転させること、消費財をその人自身の行動におきかえること、産業的な道具を生き生きとした共生の道具に変えることが目標となる。そこでは賃労働と〈シャドウ・ワーク〉はそれこそ影をひそめるだろう。なぜなら、賃労働と〈シャドウ・ワーク〉によって産み出される生産物である商品やサーヴィスは、ひとつの目標すなわち従順な消費として評価されるよりも、むしろ主として、創意に富んだ活動のための手段として評価されるからである。そうなると、レコードよりもギターが、教室よりも図書館が、スーパーマーケットで選んだものよりは裏庭でとれたもののほうが、価値あるものとされる。そこでは各労働者がみずからの生産手段をみずからの手でコントロールすることによって、おのおのの事業の小地平が決定される。この地平は、労働者の個性の開花や社会的生産に欠かせない条件となる。もとよりこのような生産様式は、奴隷制、農奴制、およびそのほかの従属の形態においてもまた存在しうる。しかしながら、それが花開き、そのエネルギーを解放し、適切で古典的なかたちを獲得するのは、労働者が道具および資源の自由な所有者となる場合に限るのであって、そのときだけ、職人は名匠のごとく振舞うことができる。この生産様式は、生産と社会の双方にたいして自然が指示する限界内でのみ維持されるにすぎない。そこでは創*造的失業〔非雇用〕が尊ばれる。これにたいし、賃労働は一定の限界内で許されるだけとなる。

一九四九年一月十日の時点でおとなであった人々は、開発のパラダイムをおそらく間違いなく拒絶するだろう。その日、トルーマン大統領が「ポイント・フォア」計画を発表したときに初めて、われわれの多くは、開発ということばの現代的意味に出会ったのだ。それまで「開発」といえば、生物の種、不動産、チェス*の駒の動き〔音楽のテーマ〕について述べるさいに使っていた。それが、国民、国、経済的戦略について述べるのに使われるようになるのは、そのときからのことである。それ以降、開発理論は巷にあふれたわけだが、この理論の提供するさまざまな珍奇な概念は収集家の好奇心をそそるたぐいのものである。例をあげてみよう。「成長」、「追いつく」、「近代化」、「帝国主義」、「二重性」、「従属性」、「基本的ニーズ」、「技術移転」、「世界システム」、「内発的産業化」、「一時的な切り離し」などである。それぞれの概念は二つの波となって押しよせてきた。まず第一の波は、自由企業体と世界市場の高揚をはかるプラグマティストたちを運んできた。第二の波は、イデオロギーと革命とを力説する政治家をもたらした。理論家たちはといえば、山ほど多くの処方箋と、互いに相手を批評するカリカチュアを産みだした。こうした開発理論の波のもとに、あらゆる共通の根源的な了解事項はうずもれてしまった。いまこそ、開発という観念によって隠されてしまった公理を掘りおこすべき時である。

この開発の概念は、根本的に次のことを含意している。すなわち、生活の自立・自存の活動を目ざす人間の広範で申し分のない力を商品の使用と消費におきかえること。賃金労働の、他のすべての仕事にたいする独占。専門家の企画にしたがって大量生産される商品とサーヴィスの観点からニーズを再定義すること。最後に、空間、時間、材料、デザインがどれも生産と消費に好都合にはたらくように環境を再編成すること、である。もとよりその場合には直接に生活の必要をみたす、使用価値を志向する活動が、それだけ縮小され、無力化されることはいうまでもない。このような世界的規模で進行中のあらゆる同質的な変化と過程とは、不可避的なものとして、しかもよいこととして評価されている。理論家たちがそのような劇のあらましを記述する以前に、偉大なメキシコ人の壁画家たちはその典型的な人物像をドラマティックに描き出した。彼らの壁画には、機械の背後に立つ胸当て付き作業着姿の男性や、顕微鏡をのぞく白衣の男性が、人類の理想像として描かれている。絵のなかの男は、山にトンネルを掘り、あるいはトラクターを誘導し、また煙でもうもうの炉に燃料をたきこんでいる。女たちは、男の子を産み、その子の世話をし、また教育している。アステカ族の自立と自存の生活とはいちじるしく対照的に、リベラやオロスコは、生活と生きるうえでのあらゆる喜びとに必要なすべての財の唯一の源泉として、産業的労働を目にみえる形に表現したのである。

しかし、今日、この産業的人間の理想像はぼやけてきた。理想像を庇護していたタブーの力が弱まっているからだ。賃労働の威厳と喜びとを讃えるスローガンは弱々しく聞こえる。失業ということばは一八九八年に、固定収入を持たない人々を指す語としてはじめて導入されたわけだが、この失業は、今日では、世界のたいていの人々が、産業循環の好景気の絶頂にあるときでさえも、ともかく生きのびている状態を指す。ことのほか東ヨーロッパについていえることだが、また中国においてもそうだが、一九五〇年以降「労働階級」ということばが、新しいブルジョアジーとその子供たちの特権を要求し、獲得するための見せかけのことばとして使われてきたことについては、よく知られているとおりである。雇用を生み、成長に刺激を与える「ニーズ」は、明らかに疑わしく思える。かつて極貧階層出身の自称英雄的戦士は、その「ニーズ」の名において、開発に代わるいかなる他の選択肢をも押しつぶしてきたわけだが。

開発への挑戦は多様な形態をとる。ドイツだけでも何千という集団のそれぞれが、産業的なあり方に代わるもう一つの道を求める実験と取り組んでいる。同じことはフランスについてもイタリアについてもいえる。このような実験に従事する人々には、ブルーカラー*の家庭の出身者がますます多くなってきている「あの無階級、すなわち、労働が廃止されていく過程で生産から追放されたり、知的労働の産業化のために、その能力が不完全にしか活用されていないような個々の人々全体を事実上包み込むあの無階級」(アンドレ・ゴルツ)のなかから出てきている」。彼らの大部分にとっては、賃金で生計を立てることにいかなる尊厳も残されていないのだ。南シカゴのスラム街の住人のことばでいうならば、彼らは「消費からプラグを抜こう」としている。アメリカ合衆国では少なく見つもっても四百万人の人々が、このような小さな、高度に分化した共同体の奥底にくらしている。しかも、彼らと同じ価値観を個人として共有している者は、少なくともその七倍は数えられる。たとえば女性は、婦人科医学に代わるオルタナティヴ、つまり代替策となるもう一つの道を求めている。親だったら学校に代わるオルタナティヴを、自力で家を建てる者は水洗トイレに代わるオルタナティヴを、郊外に住む人々は通勤に代わるオルタナティヴを、一般の人々はショッピング・センターに代わるオルタナティヴを求めている。南インドのトリバンドラムで私は、特殊な種類の商品依存に代わる、もっと正確にいえば、学習の特権的なかたちとしての授業や証明免状に代わる、オルタナティヴの最も成功した例の一つを見たことがある。千七百の村々に図書館が置かれ、各図書館には少なくとも一千冊の本が収蔵されている。これが、ケララ・シャストラ・サヒーチャ・パリシャドの正会員であるために必要とする最小限の設備である。そして少なくとも年間三千冊の図書を貸し出す場合にのみ、その村は正会員にとどまることができる。少なくとも南インドでは、村を基盤とした、村の財源による図書館が、学校を図書館の付属施設に変えてきている。このことを知って、私は大いに励まされたものだ。ところが他方では、この十年間のうちに、いたるところで図書館が、専門の教師の授業中の指示にしたがって使われる教材のたんなる置き場所にすぎなくなりもした。さらにまたこれはインドのビハールでの話だが、メディコ・インタナショナルは、草の根に基盤を置いて、保健を非医療化する試みを行なっている代表的な例である。このビハールの場合には、中国の裸足の医者がおちいった罠にはまることはなかった。中国の裸足の医者のほうはといえば、もっとも低い地位に追いやられているとはいえ、それでも国家の生命管理機構に統合されている。

こうした実験的な形態をとるばかりでなく、開発への異議申し立ての仕方としては、法的、政治的な手段を利用することもある。オーストリアでは国民投票が行なわれて、国民の絶対多数が、完成した原子力発電所の始動にたいして拒否の票を投じた。政治的には有権者を掌握していたクライスキー首相の始動裁可権は承認されなかった。市民たちは、利益集団によって圧力をかける従来のやり方に加えて、今日ではよりいっそう、投票と法廷に訴えることをとおして、生産のテクノロジーにたいして否定的な設計基準を設定しようとするのである。ヨーロッパでは「緑の党」の候補者が選挙に重大な影響をおよぼしている。アメリカでは、市民たちの法を駆使しての努力が、高速道路とダムの建設をさしとめはじめている。このような行動は十年前には予想もできなかったことである。権力側の多くの人々は、いまだにそれらを合法的なものとは認めていない。メトロポリスにおいて草の根で組織された、これらすべての生活と行動とは、海外開発という近時の考え方に挑戦するだけではない。むしろ自国における進歩と「ニーズ」という、より基本的で根源的な概念にも挑戦している。

この重大な時点において、西欧的「ニーズ」の概念の源泉を明らかにし、それの生成の筋道を解きほぐすことは、歴史家と哲学者の負うべき課題である。このような課題の追究によってのみ、いかにしてかくも一見啓蒙的な概念が、こんなにも破壊的な開発という名の搾取を産み出したかが理解できるであろう。進歩の観念は、実に二千年間西欧を特徴づけてきたのであって、とりわけこの観念は、古代ローマ衰退期以降、西欧とそのアウトサイダーとの関係を決定してきた。進歩の観念は、ニーズ信仰の背後に横たわっているのである。社会は超越的な神々のなかにばかりでなく、国境のむこう側の外国人についていだくイメージのなかにも、おのれの姿を映しだす。西欧は、産業社会に特有なものといえる「われわれ」(us)と「彼ら」(them)という二分法を輸出した。自己と他者にたいするこの特異な態度は、いまや世界中に広がって、ヨーロッパが創始した万人救済という普遍的な使命に勝利をもたらしつつあるのだ。だが、開発を再定義することによって何が起こるか。それは国の内外を問わず、インフォーマルな部門を専門的に植民地化することによって、フォーマルな標準経済学のモデルにたいする西欧経済の支配を強化するだけに終わるだろう。この危険を避けるためには、今日、「発展＝開発」としてあらわれている概念についての六段階の変遷を最初に理解しなくてはならない。

共同体はすべて、よそ者にたいする態度にそれなりの特徴をそなえている。たとえば、中国人がよそ者やその持ち物について何かいうときには、きまってその面子を引き下げるようなレッテル張りをする。ギリシア人にとっては、よそ者は、隣のポリスからきたその家の招待客か、そうでなければ人間以下の野蛮人であるかのいずれかであった。ローマでは、野蛮人は市民の一員になろうと思えばなることができた。しかし野蛮人を市民にすることは、別にローマのあえて意図するところでも担うべき使命でもなかった。ただ古代も後期では、西欧教会にとっては、よそ者は困窮していて救いを必要とする者であり、キリストのみ教えに引き入れられるべき存在であった。このような、よそ者の救済をみずからの責務とする考え方は、西欧社会に本質的な部分として、しっかり組み込まれることとなった。外部世界にたいするこの普遍的な救済伝道がなかったならば、われわれが西欧と呼ぶものは誕生していなかったであろう。

〔異国人とは救済すべき者だと感じるこの認識は、優位に立つにいたったキリスト教会という制度の果たすべき役割の理想像と結びついたのである。救いの手をさしのべてやるべき相手の異国人というのは、十四世紀に、キリスト教会が母性的役割をふりあてられたことから生まれてきている。それ以前には、公的な制度が「母」と呼ばれたことはないし、またそれが許し与えてくれるものが、生きるための絶対必要物だとも考えられたこともなかった。ところがそれ以後人間は、母なる教会の乳房から流れ出る信仰という乳で養われないならば救われることはできない、ということになったのである。この制度こそ、今日西欧にみられるあり余るほどの教会制度の原型をなすものである。今日の西欧キリスト教会の制度は、そのどれもが、生きるために絶対不可欠と考えられているものを生産するのだが、いずれも、専門的に分化した流派の異なる聖職者たちによって、とりしきられている。教育と栄養補給という女性分野の仕事は、大部分が男性によって管理された制度のいいなりになってきた。そして生きるための必要不可欠なものも、制度が支給してくれるものに合わせて変化してきた。たいていの場合、こういったことが、西欧の歴史をつくりあげているのである。〕*

外部世界のものたちは助けられる必要があるという考え方は、さまざまな形をとって相次いで現われてくる。古代後期には、野蛮人は異教徒に変わった。こうして、開発へと向かう第二段階が始まった。異教徒は、まだ洗礼を受けていない者として定義されたが、生来キリスト教徒になるように運命づけられてもいた。異教徒に洗礼をさずけてキリスト教世界の内陣に組み入れることが、教会内部の人たちの義務であった。中世の初頭ではヨーロッパのほとんどの人々は、しばしばまだ改宗をしていないにもかかわらず、少なくとも洗礼を受けていた。次いでイスラム教徒が登場した。ゴート族やサクソン族とちがって、イスラム教徒は一神教徒で、明らかに敬虔な信仰者であった。彼らは改宗に抵抗した。それゆえに、洗礼に加えて、異教徒というものは、服従させられ、教化されることがもともとどうしても必要なのだ、とされた。こんなわけで、異教徒が反キリスト教的な不信心者に変わった。これが第三段階である。中世後期にいたるまでには、よそ者のイメージはまたもや変わった。この頃までにはムーア人はグラナダから追放されていた。コロンブスが大洋を横断していた。同じ頃、スペイン国王は教会がかつて持っていたさまざまな機能をみずからの手に奪い取っていた。こうして、信仰をおびやかす不信心者にとって代わって、フマニストの文明化の役目をおびやかす未開人《ワイルドマン》のイメージが登場した。同時に、これも見のがせないことだが、この時、よそ者は初めて経済に関連する用語で記述された。当時行なわれた怪物、猿、未開人についての数多い研究をとおして、われわれは、この頃のヨーロッパ人が未開人を、ニーズを持たないものと考えていたことがわかる。この独立不羈ぶりによって、ヨーロッパ人の眼には未開人が高貴なものにみえた。しかしながら、植民地主義と重商主義の企図にとっては、ニーズを持たない存在はひとつの脅威ともなった。未開人にニーズを植えつけるためには、未開人を原住民《ネイティヴ》に仕立て直さなければならなかった。これが第五段階である。時間をかけた熟考の末に、スペインの法廷は、少なくとも新世界の原住民にかんする限り、魂があり、したがって原住民は人間であると決めた。未開人と対照的に、原住民はニーズをもつにしても、そのニーズは文明人のそれとは違っている、と考えられた。原住民のニーズは、気候・人種・宗教・神の摂理によって規定されているというわけだ。アダム・スミスはまだしも、原住民のニーズが弾力的なものであることに思考をめぐらしている。グンナー・ミュルダールが指摘するように、植民地主義を正当化し、植民地を管理するためには、文明人とはっきり区別される原住民のニーズをでっちあげることがなんとしても必要だった。原住民にたいして統治・教育・商業を用意することは、四百年にわたって白人の責務となった。

西欧がよそ者に新しい仮面をかぶせるたびに、古い仮面は捨てられた。なぜなら、古い仮面はいまとなっては、以前に捨てられた自己のイメージの戯画と認められたからだ。こうして、キリスト教世界が十字軍を派遣するためには、生まれながらにキリスト教の魂を持つ異教徒というイメージが、頑迷な不信心者に道を譲らねばならなかった。未開人は世俗的なフマニスト的教育の必要性を正当化するために必要となった。原住民とは、一人よがりの植民地のルールを推進するにはなんとしても必要な概念であった。だが、第二次大戦後のマーシャル・プランの頃までには、商品やサーヴィスへのもともと限られた原住民のニーズは、成長や進歩を阻害するようになっていた。マーシャル・プランの頃は、一方では、多国籍企業が拡大しつつあり、国境を超えて、教育学者、セラピスト、経済計画のプランナーたちの野心が限界を知らずとめどもなく膨れた時であった。そのために原住民は、低開発国民に変身しなくてはならなかった。これが第六段階目の、すなわち今日の西欧の異民族観である。このように、植民地の解放はまた改宗の過程でもあった。「ホモ・エコノミクス」という西欧の自己イメージは、さらにそれを極端にした「ホモ・インドゥストリアリス」(homo industrialis)すなわち産業人のイメージとして、世界中にあまねく受容された。それとともに、あらゆるニーズが商品によって定義づけられるようになった。二十億の人々が自分たちを低開発国民と決めこむのには、おそらく二十年では十分とはいえない。私は一九六三年のリオのカーニバルをいまでも鮮やかに思い出す。軍事評議会がでしゃばる前の最後のカーニバルであった。賞を得たサンバのモチーフはなんと「開発」であった。踊り手たちは、ドラムの響きに乗って跳躍しながら、「開発！」と叫んでいた。

一人当りの高エネルギー消費量と専門家によるおびただしい世話《ケア》をもとにする開発は、西欧の伝道の努力が生んだ最も有害なものである。開発は、人間による自然の管理という生態学的に実現不可能な観念によって導かれる企画である。それは、いわば文化にとっての暖かい隠れ家や活気に充ちた時代遅れの精神病院を専門家のサーヴィスに都合のよい無菌で不毛な病棟ないし監房にとりかえようとする、人類学的にみてきわめて悪質な試みである。新生児を吐きすて、死にゆく人々を再び吸い込む病院。職に就く前も、職を失った後も、また職と職とのあいだも、雇用されていない者を学習に忙しく追いまくる学校。スーパーマーケットへの小旅行に出かけるとき以外の多くの時間、人々が収容されている、高くそびえるアパート。開発の浮かれ騒ぎをやっているわずかのあいだに、ガレージとガレージをむすぶ高速道路が風景のなかにくっきり入れ墨模様のような線を刻み込んでしまう。これらの諸制度は、母乳で育てられなかった、いわば生涯にわたる人工栄養児を、医療センターから学校へ、仕事場へ、またスタジアムへと輸送するために設計されたものであって、いまや大伽藍に劣らず異様なものに見えはじめてきている。もっともこちらのほうの大伽藍は、どのような美的魅力をもってしても、人を罪から救済することはないのだが。

生態学的・人類学的なレアリズムがいまや必要である。だが、用心が肝要だ。ソフトな技術を求める人々の要求は曖昧模糊としている。いってみれば、右翼も左翼もソフトなものを自分のものだと主張しているのだ。Z軸上において、ソフトなものは、蜜をたっぷりふくんだ蜜蜂の巣を目ざすのにも、多元的な独自の行為を目ざすのにも、ひとしく役立つ。ソフトなものの選択は、国内で母性的社会を手直しすることや、海外で伝道への献身的情熱を別な形につくり変えることを、容易に可能にする。たとえばエイモリー・ロビンズは、成長をこれ以上続けることができるかどうかは、ソフト・パスへと速やかに移行できるかどうかにかかっている、と論じている。このやり方によってのみ、一世代のあいだに富める国は実質所得を二倍に、貧しい国は三倍にすることができると、彼は主張している。石油から太陽に移行することによってのみ、生産の外部性、つまり外部不経済をカットすることができるのであって、そのことによって、第一に、廃棄物をこしらえることにつぎこまれている資源を、また第二に、その廃棄物を捨てる清掃人を雇うのに使われている資源を、有益なものに転化することができる、というわけだ。この意見に私も同意する。もしも成長がなければならないものならば、ロビンズの主張は正しい。そうすると、投資する場合にも、油井やぐらよりもむしろ風車のほうが安全だということになるだろう。伝統的な右翼と左翼の双方にとって、さらに民主的な経営者か社会主義の独裁的権力者かのいずれかにとってもいえることだが、ソフトな移行過程とソフト・エネルギーとは、左右双方の官僚制を拡張するために欠かせない言い訳になっており、また、商品とサーヴィスの規格化された生産を通じて増大しつつあるニーズを満足させるための合理的根拠にもなっている。

世界銀行はサーヴィスについて、右の主旨にぴったりの議論を行なっている。すなわち、労働集約型の、時にはそれほど能率のよくない産業的な生産形態を選択することによってのみ、*教育をうまく徒弟制度につなげることができる「実習（職業教育）は教育的な価値を付与されうる」。逆に、効率のよい大規模な施設は、実施を前提とする公教育において巨大で高くつく外部不経済を生みだしてしまい、そのわりには、いっこうに職業について教え込むことができない、というのである。

世界保健機関は、今日では自分で自分の面倒を見る方式の病気予防と教育とを強調している。このようなやり方によってのみ、人々の健康水準は向上し、高額な治療は放棄することができる。もっとも、治療はいまだに医者の主要な仕事になってはいるが、その効果のほどは、大部分証明されていない。十八世紀の自由平等のユートピアは、十九世紀の社会主義者が産業社会の理想としてとりあげたものだが、いまやソフト・パスと自助の道を選ぶ場合にのみ実現可能なようにみえる。この点では、右翼も左翼も同じようなところへ向かっている。高い教養の持ち主で共産主義者のヴォルフガング・ハーリッヒは、孤独な牢獄での監禁状態を、二度にわたって——一度はヒトラー政権のとき、二度目はウルブリヒト政権のもとで——八年間経験し、自己の信念をみがき、鍛えあげた人物だ。その彼もまた、東ヨーロッパにおけるソフト・パスのスポークスマンの一人である。ところが、ロビンズにとっては分散型の生産への移行が市場に依存しているのにたいして、ハーリッヒの場合は、この移行の必然性は、スターリン主義者の生態学を支持する議論になっている。要するに、右と左の双方にとって、さらに民主主義者か権威主義者かのいずれかにとって、ソフトな移行過程とソフト・エネルギーとは、商品とサーヴィスの規格化された生産を通じてだんだんと増大しつつあるニーズを満足させるために必要な手段となっている。

　こうして、ソフト・パスは二つの社会のどちらかに通じている。一方には民衆が、生存と喜びに必要と判断することをみずからの手で行なう能力をもつ生き生きとした共生の社会がある。他方には完全雇用の目標が、賃金の支払われる活動も支払われない活動をも政治的に管理することを意味する新たな商品依存型の社会がある。「左翼の道」や

「ソフト・パス」が新たな形態の「開発」と「完全雇用」に向かって進むか、それともそこから離れていくかは、第三軸*〔垂直軸〕の「所有」(having)か「存在」(being)かのあいだの選択にもとづくのである。

すでにみたように、賃金労働が広がるところではどこでも、その影としての産業的隷属もまた増大するものである。支配的な生産形態としての賃金労働と、その支払われない補足物の理想型となっている家事労働とは、両者ともに、歴史のうえで、また人類学的にみても、前例のない活動形態である。絶対主義国家と、そして後には産業国家が、自立と自存を目ざす生活のための社会的条件を破壊したところに限って、賃金労働と家事労働とは盛んになる。二つの労働が世界的に広がるのは、小規模で多様な、ヴァナキュラーな共同体の存続が、社会学的にも、法制度からみても、もはや不可能になったときである。言いかえれば、二つの労働が世界中にあまねく拡大するのは、個々人が一生を通して、教育や保健サーヴィスや交通に依存せざるをえなくなり、また産業的制度が装備している多種多様な機械的な供給装置がもたらすその他のパッケージに依存することによってしか暮らしていけなくなったときなのである。

伝統的な経済分析は、産業時代のこの相補的な二つの活動の一方だけにしか焦点を当ててこなかった。つまり、経済分析は賃金をかせぐ生産者としての労働者にもっぱら関心を集中してきた。雇用されない者の行なう同じく商品志向型の活動は、経済学のサーチライトの影に隠されたままだった。女性あるいは子供の行なう仕事や、いわゆる「勤務時間」のあとに男たちが従事しなければならないことは、いいかげんに看過されてきた。だが、この傾向は急速に変わってきている。支払われない活動が産業システムにおいて果たす役割の重要性とその性格が気づかれはじめたのである。フェミニストたちの、仕事に関する歴史的、人類学的な研究が行なわれた結果、産業社会の労働が他のいかなる社会にもまして、セックスに特有な(sex-specific)方法で深く分極化されている事実を無視することができなくなった。十九世紀に「先進」国では、女性が賃金労働力の仲間入りをした。そのことによって女性は権利を勝ちとった。学校教育を制限なく受けることができるようになり、仕事のうえでも平等な権利をもつようになった。ところが、こうして得たすべての「勝利」は、古くからの知恵が女性たちに割り当てていた仕事とはまったく逆の帰結をもたらしたのである。逆説的なことだが、いわゆる「解放」は、支払われる仕事と支払われない仕事のあいだの対立をきわだたせた。さらにまたそれは、支払われない仕事と生活の自立・自存とのあいだのつながりをすべて断ち切ってきた。このようにして解放は、支払われない仕事の構造を再規定してきたのであり、その結果、支払われない仕事は、女性にいやおうなしに負わされる新たなかたちの隷属となっている。

性《ジェンダー》に特有な(gender-specific)任務というのは、格別新しいことではない。既知の社会ではすべて、性別に仕事の役割がふりわけられている。たとえば、干し草を刈るのは男、熊手でかき集めるのは女、それを集めて束ねるのは男、積むのは女、荷車で運ぶのは男、牛に餌をやるのは女、馬の餌は男、という具合である。ところが、現代のように二つの形態に仕事が分裂している事例は、他の諸文化をいくら探しても、ほかに見つけることはできない。すなわち、賃金の支払われるもの対支払われないもの、生産的だと認められるもの対再生産と消費にかかわるもの、重い仕事とみなされるもの対軽い仕事とみなされるもの、特別な資格がいるもの対資格のいらないもの、高い社会的権威を与えられるもの対「私事」に属するもの、などがそのおもな分裂である。二つの形態の仕事は、ともに産業的生産様式にとって根本的なものである。ただ、この二つの仕事は次の点で異なっている。つまり、賃金の支払われる仕事から生ずる余剰は雇用者が直接取り立てるが、支払われない仕事の付加価値は賃金労働を経由して初めて雇用者の手に届く。余剰は、このような男性と女性の経済面での分裂をとおしてつくりだされ、徴収されるわけだが、産業社会以外のところでは、こうした分裂は見ることができない。

家全体がひとつの枠組としてはたらいていて、その家の住人たちが生活で使うものはたいがい自分たちでつくり、自分たちで何でもやることになっていた社会では、労働外的な支払われない仕事と雇用されて支払われる仕事とのあいだの分割は、およそ考えられないことであったろう。もとより多くの社会において賃金労働と〈シャドウ・ワーク〉の形跡をみつけることはできるけれども、それが仕事についてのその社会のパラダイムになることはありえなかった。またそれが、セックスに特有な方法で労働の分割の中心的なシンボルとして利用されることもありえなかったのだ。そのような二つのタイプの仕事が存在しなかった以上、男と女に異なる経済的性質を付与することは考えられなかったので、この種の異性をつなぐためにわざわざ家族が存在するなんの必要もなかった。核家族であれ、拡大家族であれ、歴史上どこでも、家族というものは、相補的でありながら互いに排他的な二種類の仕事——一方は主として男性(the male)に、他方は女性(the female)にふりわけられている——を結びつける媒介具などではそもそもないのだ。家族をとおして分ちがたく結びつけられた、この対立的な活動形態の共存という事態は、商品集中社会に独自なものである。いまやわれわれは、それが開発や完全雇用を追求することから不可避的に生じた結果であることを知っている。かりにこの二種類の仕事が存在しなかったならば、セックスによる役割分割はそんなに決定的なものではなかったと思われるし、はっきり異なる本性を男性と女性にふりわけることもなかっただろう。

したがってまた、家族が二種類の仕事を熔接するはんだに変形するはずもなかったことだろう。

産業労働の非情な歴史は、こうして経済学の盲点を取り除くものである。すなわち、「ホモ・エコノミクス」はけっしてセックスとしては中性ではありえないのだ。最初から「ホモ・エコノミクス」は勤労者(vir laborans)と主婦(femina domestica)といったカップルで創られたのであって、そうしたセックスによる分割を土台に、「ホモ・インドゥストリアリス」はつくられた。完全雇用を目標に発展してきた社会で、〈シャドウ・ワーク〉が完全雇用とともに成長しないような社会はどこにもなかった。この〈シャドウ・ワーク〉がもたらした仕組みは、前例を見ないほど効果的に機能したのであって、女が当然優位を占めるタイプの活動の価値を下落させた。他方、〈シャドウ・ワーク〉は、男に特権を付与する活動をささえてきたのである。

これはごく最近になってのことだが、生産機能と消費機能とのあいだにもうけられていた正統的な区別はもはや保持しがたくなってきた。男性と女性の利害関心が相反し、相対立するようになって、賃金の支払われない仕事の重要さがにわかに人々の公的な議論の的になった。経済学者は、「インフォーマル」な部門で起こることに影の値段をつけるようになった。たとえば、客がケーキを選び、代金を支払い、それを運ぶといった仕事がケーキ自体の価値に付加する貢献分とか、セックス行為において、セックスから辺縁の、限界的なところでなされるさまざまな行為の集積分とか、また心臓の手術にたいするジョギングの価値、などである。いまや主婦たちは家事の代金を、モーテルやレストランにおけるサーヴィスの費用に換算して請求しようとする。教師は母親を、子供に宿題をやらせるよく訓練された監督官へと、だが賃金を支払われることのない監督官へと変貌させてしまう。政府報告が認めているように、賃金を支払われない有能な素人がこうしたサーヴィスを産みだす場合にのみ、専門家の定義する基本的ニーズは満たされることになる。もし成長や完全雇用が目標としての地位をたもち続けるならば、金銭的報酬を動機としない訓練を積んだ人々を管理する作業が、八〇年代における最新の「開発」の形態として開始されることだろう。今日ではブルージーンズをはきもする「ホモ・インドゥストリアリス」だが、彼らは経済上、男女の区別のない単一《ユニセックス》の性を切望している。

Z軸〔垂直軸〕*の頂点には、影の経済に属する生活よりも、むしろヴァナキュラーな仕事、つまり生存に固有の仕事を置く考えを、私としては提案したい。それは同じ支払われない活動であるにしても、日々の暮らしを養い、改善していく仕事であって、標準的な経済学の内側で開発された概念を用いた分析では、まったくとらえきれないものである。私はこうした活動にたいして「ヴァナキュラー」という語を当てたい。それというのも、「インフォーマルな部門」とか「使用価値」とか「社会的再生産」などの用語がカバーしている領域内では、この語によるのと同様な区別が可能な、一般に流布されている概念が他に見あたらないからである。ヴァナキュラーとはラテン語の用語であって、英語として用いられる場合には、有給の教師から教わることなしに習得した言語にたいしてのみ使われる。ローマでは紀元前五〇〇年から紀元後六〇〇年にかけて、家庭で育てられるもの、家庭でつくられるもの、共用地に由来するものなど、そのような価値のいずれをもあらわすことばとして使われた。さらにまた、人間が保護し、守ることのできる価値――ただし市場では売買されない――をあらわすことばとしても使われた。商品とその影に対置させる用語として、この簡素な「ヴァナキュラー」ということばを復活させてみてはどうだろうか。このことばによって、〈影の経済〉の拡大と、その逆、つまり〈ヴァナキュラーな領域〉の拡大とを区別することが可能になると思われる。

ヴァナキュラーな仕事と産業労働――後者には賃金を支払われるものと支払われないものとがある――とのあいだに生じる緊張とバランスは、第三の選択の次元における中心的な問題であって、それは、政治上の左・右の次元、技術上のハード・ソフトの次元とは明確に区別される。産業労働は、賃金の支払われるものであれ、他の方法で強制されるものであれ、消滅することはないと思われる。しかし、開発、賃金労働およびその影が、ヴァナキュラーな仕事を蚕食するとき、そのいずれが比較的優勢になるかは重大な問題となる。一方でわれわれは、賃金の支払われるものであれ支払われないものであれ、自主的選択であれ強制であれ、階層制に沿って管理され規格化された仕事を自由に選ぶことができる。他方でわれわれは、たえず新たに創られる簡素で統合された人間生活の自立・自存の行動を選ぶ自由を守ることができる。その生活の自立・自存をめざす行動の成果は、官僚にとって予測できたり、階層制によって管理されうるようなものではない。それは、特定の共同体の内部で共有される価値をめざしているからである。

もし経済が膨脹を続けるならば、しかもソフトな選択は結局その膨脹を受け入れてしまうと思われるが、〈影の経済〉はいっそう急速に成長せざるをえないし、それにつれて〈ヴァナキュラーな領域〉はますます縮小するにちがいない。この場合、雇用の稀少性が高まるとともに、失業者はインフォーマルな部門において新たに組織される有用な活動のなかに統合されていくだろう。その結果、男の失業者には、生産をうながすタイプの、無給の活動に従事するいわば特権が与えられるだろう。そのような活動は、十九世紀に家事として出現して以来、「弱き性」(weaker sex)のために慎重に取っておかれてきたものである。「弱き性」という表現はまた、生活の自立と自存よりはむしろ産業的隷属のほうが女性の仕事であると規定されたときに、初めて用いられたのである。愛の名をもって要求された「世話《ケア》」は、セックスのちがいによる固有の特徴を失い、その過程で国家に管理されやすいものになった。

まさにこの選択のもとに国際的な開発がすっかり普及してきた。海外でインフォーマルな部門を開発するために行なわれる技術援助は、国内で失業者を新たに性別のない〈sexless〉無給の仕事に飼いならすことを反映している。ドイツ式というよりもむしろフランス式の自助の方法や風車の設計を推進している新しい専門家たちが、とっくに空港や会議にむらがっている。開発推進者たる官僚の抱く最後の望みは、〈影の経済〉の開発にあるのだ。

私がさきに言及した異端の多くは、右に述べたことにたいして反対の立場をとっている。すなわち彼らは、その本性からして〈ヴァナキュラーな領域〉を減少させ、インフォーマルな部門の活動にたいする専門家の管理を強化させるような、ソフト・テクノロジーの使用に反対する。この新しい先導者たちは技術上の進歩を、伝統的でもなければ産業的でもなくて、人間生活の自立と自存を志向し、理性的に選ばれるような、新たなタイプの価値をささえることのできるひとつの媒介具とみなしている。彼らの生活は、多少とも成功裡に、美についての批判的な感覚、特別な喜びの経験、独自な人生観を表現している。こうした生活態は、ひとつの集団の内部で養われるものであり、隣りの集団ではいちおう理解されるかもしれないが、必ずしも共有されるとは限らない。彼らは、現代の道具が、進歩しつつあるさまざまなライフスタイルを可能にする活動によって、また古い時代の生存と自立が含む骨折り仕事の多くを取り除く活動によって、人間生活の自立と自存を可能にしているということに気づいている。彼らは生活のなかに〈ヴァナキュラーな領域〉を拡張する自由を求めて奮闘している。

人を麻痺させ、飽満にし、無気力にさせてしまうあの豊かさという名の現代の「デモンストレーション・モデル」の魅力に近ごろは多くの人々が囚われるようになってきているが、このいわば多数派の人々を、トラヴァンコール(Travancore)からウェールズ(Wales)にいたるいくつかの事例は、遠からず解放するようになるかもしれない。だが、そのためには二つの条件が満たされなくてはならない。第一に、人間と道具とのあいだの新たな関係から生まれたライフスタイルは、「ホモ・インドゥストリアリス」ではなく、「ホモ・アーティフィクス」だという人間の認識によって活性化されねばならない。第二に、商品から独立化したライフスタイルは、それぞれの小さな共同体のなかで新たに形成されなくてはならず、強制されたものであってはならない。なによりもヴァナキュラーな価値によって生活している共同体では、他の人に与えられるものといえば自身のモデルの魅力以外にはなにもないのだ。しかし、ヴァナキュラーな仕事を通じて現代的な生活の自立と自存を拡大させる貧しい社会の事例は、今日批判にさらされている豊かな社会に住む、仕事を持たない男性たちにとって、むしろ魅力的に映るはずである。それはまた増大する〈影の経済〉のなかで社会的再生産につく女たちにとっても同じく魅力的であるにちがいない。けれども、新しいやり方で生きることができるだけでなく、その上この自由を主張することができるためには、「ホモ・エコノミクス」という人間観と他のすべての人間のあり方との相違を明確に認識することが必要である。この目的のために私は、歴史研究を特別にゆるされた道として選ぶのである。

3　ヴァナキュラーな価値

環境*が次の三つの種類から構成されていると考えるのは、人間的なことである。すなわち食物、禁止された食物、そして非食物。ヒンドゥ教徒にとっては、豚肉はタブーであるが、ベゴニアはタブーではない。ベゴニアを食べることなど思いもよらないことであるが、豚肉を食べることは、カーストを失うことである。ところが、ベゴニアの花を食べる中央メキシコ出身のインディオといっしょになると、彼ではなく、彼のまわりの世界が一変する。ベゴニアは非食物から食物へと移行することになる。

論争上の問題も同じように区分することができる。ある問題は合法的なものとみなされる。別の問題は上品な社会では提起すべきでないとみなされる。第三の種類のものは、まったく意味をなさない問題と思われている。もし、そのような問題を提起すれば、悪魔のようなやつだと思われるか、あるいはひどくむなしいことだと考えられてしまう危険がある。ヴァナキュラーな〔その地の暮らしに根ざした固有の〕領域と〈影の経済〉とを区別することはそうした種類の問題である。私はこの試論によって、この区別を議論の可能な領域へと引きよせてみたい。

七〇年代をとおして、社会的・経済的分析は広がりをみせた。第一に、環境上のさまざまな制約が明らかとなり、ますますはっきりと規定されるようになった。第二に、現代の経済にとって、労働および生産物のヤミ市場の重要性が十分に認識された。政策立案者たちは、税法をかすめる取引、非組合員たちの行なう取引、また認可なしに、あるいは現金よりも現物で行なわれる取引を、その計画のなかに取りこむようになった。イタリア、ポーランド、インドの合法的な経済取引のほぼ半分は、非合法、つまり「ヤミ市場」である。だが第三に、経済学者は以前にもまして、私的部門に侵入し、ヤミ市場を版図に加え、政策立案者による植民地化の対象とした。そうすることで、経済学者たちは豚肉を食べはじめたのだ。

この試論において意図していることは、経済学上の豚肉とヴァナキュラーなベゴニアとを区別することである。経済学上の豚肉、ヤミ市場の商品、合法的な物資をただひとつのメニューで提供することの妥当性については、私の関心は間接的でしかない。

〔なすことを許されないもの、これはタブーである。考えることのできないもの、これは第二段階のタブーである。環境はどんな社会においても、食物と毒、そしてけっして消化できるとはみなされないもの、に区分される。豚肉を食べるとユダヤ人は汚れることになる。ユダヤ人はベゴニアを食べようなどとはけっして思わないだろう。ベゴニアが慣習に照らして汚れていないかどうかという問いはなされることさえない。ところがチルザポルタのメキシコ人にとって、ベゴニアはごちそうである。つい最近のこと、私はその証拠をにぎった。訪れてきたメキシコ人をほんのしばらく庭にひとりにしておいたところ、ベゴニアが切り取られてしまったのだ。これとちょうど同じように、問題は合法的なものと、非合法的なものと、提起すべきものと提起すべきでないものに区分される。最後の問題は実際上少しも根拠がない。もし問題があるとすれば、最後の問題が根拠がないからというのではない――ベゴニアが好きだということは尊重されてよいことだ――そうではなく、許しがたい想定をするやつだと非難されるからだ。ヴァナキュラーな価値と産業的な価値とを区別することは、この貝殻追放《オストラシスム》の領域に置かれているものである。私はこの試論によってこの区別を議論の認められる領域に引きよせてみたい。

一九七三年以来、私は、毎年ヨム・キプールの記念大祭がくるとエネルギー危機の引き金となった戦争のことを思い出す。しかしこの戦争の一層持続的な影響はそれが経済思想にあたえた衝撃であろう。経済学者たちはそのときからというもの、豚肉を食べ始めた。すなわち古典経済学に事実上含まれていたタブーを侵し始めた。先進的経済すべてにおいて――おそらく、フランスよりもイタリアとかポーランドにおいてはより多く

――ヤミ労働とヤミ市場とが急速に広がっているということを認めても、たしかにこれは彼らにとって違反ではない。市場がヤミになるのは、市場が税務官庁の手を逃れるからであり、市場法則をまぬがれるからではない。けれども、経済学者たちはもっと先へ行く。彼らは給料も支払われず、定価もついていない財やサーヴィスを国民総所得に加えた。彼らはつぎつぎに、最近の産業社会のあらゆる財およびサーヴィスの三分の一、半分あるいは三分の二さえもが、合法的であれヤミであれ、市場の外部で、家事、個人的研究、通勤、置物、その他の支払われない活動によって産み出されているという結構なニュースをもたらしている。」

フランス語版では、冒頭の部分は右の通りである。

経済学者は、自分が計測することのできる領域しか扱うことができない。非市場的な領域に侵略を開始するためには、目盛りをつける新しい物差しを必要とする。貨幣が通貨でないところで機能するためには、その概念は独自のものでなければならない。しかし経済学という学問の分裂をさけるには、新しい分析用具は古いものと矛盾するものであってはならない。ピグーは〈影の価格〉をそのようなひとつの用具として定義した。その用具としての〈影の価格〉とは、今日、金《カネ》による支払いなしに行なわれている財やサーヴィスといったものを換算するのに必要な貨幣のことである。こうして支払われないものが、そしておそらくは価格のないものさえもが、商品の世界と矛盾するものではなくなって、操作と管理と官僚的な開発が可能となる領域へと登場することになった。支払われないものは〈影の経済〉の一部となって、スーパーマーケット・学校・病院から供給されるものと結びつけられる。ちょうど波が粒子と関係づけられるように。電子を理解するには、波動と粒子の二つの理論を検討しなければならない。

この〈影の経済〉は普通の正規な経済を反映しているものだということが、綿密な分析によって明らかとなっている。二つの領域は共働的に作用しており、いっしょになって一つの全体を構成する。明るく照明された領域では、産業的生産の増大につれて、労働、価格、ニーズ、市場がますます管理されてくるが、〈影の経済〉はこの領域のあとを追って、これに対応する活動を全面的に展開する。こうしてわかることは、現代女性の家事が彼女の夫の賃労働と同じくらい根源的に新しいものだということである。また家庭でつくられる料理の、レストランの出前による代替は、もっとも基本的なニーズが現代の諸制度の産出物《アウトプット》に対応する用語で定義されるのと同じくらいに、新しいものだということである。

他の箇所で論じたことであるが、こうした影の領域を分析することができる何人かの経済学者の新しい能力というものは、ただ伝統的な経済分析を拡張するというだけのものではないのである。それは産業的市場と同様に、過去二世紀のあいだにやっと歴史にはじめて姿を現わした新しい領土の発見にほかならない。私は、自分のしていることを理解しない経済学者たちを残念に思う。彼らの運命はコロンブスの場合と同じくらい悲しい。コロンブスは羅針盤と、羅針盤が開いた航路をたどるように設計された新型の帆船、そして航海者としての彼自身の能力*〔勘〕によって、思いがけない土地を偶然にも見つけることができた。しかし彼は、自分が半球に出くわしたことに気づくことなく、インド諸島に到達したのだという信念を固く信じたまま死んだ。

　産業的な世界において、〈影の経済〉学の領域は、これもまたはじめて探険されているところであって、月の裏側に比べることができる。そしてこの産業的現実の全体は、こんどは、私がヴァナキュラーな現実とよんでいる実体＝実在的な領域、すなわち人間生活の自立と自存の領域を補足するものである。

　二十世紀の古典的経済学からすると、〈影の経済〉と〈ヴァナキュラーな領域〉とはともに市場の外部にあって、金を支払われることのない領域である。それゆえ、両者はいわゆるインフォーマルな部門にとりこまれている。また両者は無差別に、「社会的再生産」に寄与するものとみなされている。しかし、分析をなによりも混乱させているのは、賃労働を補足するものとなっている支払われない労働が、人間生活の自立と自存のための活動の残存であるとしばしばまったく誤解されているという事実である。だが前者は、構造的に産業社会だけに特有なものであり、後者は、ヴァナキュラーな社会に特徴的なものであって、産業社会においてひきつづき存在しうるものなのである。

いくつかの変化を現在はっきりと見てとることができる。市場経済とその影との区別は弱まっている。生活の自立と自存を目ざす活動を商品で代替することは、必ずしも進歩とはみなされなくなっている。女性たちは、家事にともなう稼ぎのない消費活動が特権であるかどうか、あるいは彼女たちが実際には消費を義務づける支配的な構造によって堕落的な仕事を押しつけられているのではないか、を問うている。学生たちは、自分たちが学校へ行くのは学ぶためであるか、それとも協力しておのれ自身の愚鈍化につとめるためか、を問うている。消費のために苦労がふえ、消費が約束する心の安らぎはますます減っている。だんだんと多くの人に知られるようになってきていることは、おそらくはそれほど非人間的でもなければ、それほど破壊的でもない、よりよく組織された労働集約的な消費と、人間生活の自立と自存を目ざす現代的な諸形態とのあいだの選択である。この選択は、影の経済の拡大とヴァナキュラーな領域の回復との相違に対応している。だが、まさしくこの選択こそは、ちょうど犬や粘土といったものがわれわれ人間の口に合わないものであるのと同じように、経済学の分析においてなによりも妨げとなる盲点である。この暗闇をいくらかでも吹きはらうためには、まったく思いもかけない別の話題から議論を進めてみるとよいだろう。ここで私は、日常の話しことばを検討して、この問題に光を投げかけてみたい。産業社会におけることばの経済的性質を産業化以前の時代のこれにあたるものと比較対照することから議論を進めることにしよう。後に見るように、この区別は、十五世紀末にスペインで起こったまだほとんど知られていない出来事にその起源がある。

一四九二年八月三日の早朝、クリストファー・コロンブスはパロス港を出帆した。その近隣にあるもっと重要なカディス港は、その年混雑をきわめていた。そこはユダヤ人が出港を許された唯一の港であった。グラナダはふたたび征服されていて、イスラムとの戦闘にユダヤ人の軍務はもはや必要とされなかった。コロンブスはジパングをめざしたのだ。それは亡くなって久しい故チムール王が短期間統治したときの中国の名である。彼は地球の経度を一度四十五マイルに等しいと計算した。これによると、東アジアはカナリア諸島の西方二千四百マイル、サラゴサ海のアンチル諸島のどこか近くに位置することになる。彼は大洋を、自分が操ることのできる船の区域に縮小して考えていた。コロンブスは、偉大な王《カーン》と話ができるようにアラビア人の通訳を船に乗せていた。彼は新しい陸地でもなく、新しい半球でもなく、航路を発見するために出発したのである。しかし、彼の計画はひどく非合理的なものであった。ルネサンス初期の知識人のなかには、地球が宇宙の中心に位置していると信じたり、地球が天球の内部を回転していると信じるものがいたけれど、地球が球体であるということを疑う者はいなかった。しかし、エラトステネス以来コロンブスほど、地球の大きさをおそろしく過小に見積もったものは誰ひとりとしていなかった。二五五年にキレネのエラトステネスは、アレキサンドリアで自分が館長をしていた大図書館からサイン（現在のアスワンダムの場所）までの距離を五百マイルと計測した。彼はその距離を測るのに、日の出から日没までの隊商のラクダの驚くべき着実な歩みを彼の「杖*」（測量単位）として用いた。サインでは夏至の日に太陽が垂直に差し、またアレキサンドリアでは七度それることに気がついていた。このことから、彼は地球の円周をその真の大きさの約五パーセントと違わずに計算したのである。

コロンブスが冒険の援助を女王イサベラに求めたとき、彼女は賢者タラヴェラにその実行可能性を検討するようにたのんだ。老練な専門委員会は、西回りで東洋へ行くことは確固とした根拠を欠いていると報告した。権威筋は、それは不確実、いや不可能であると考えたのだ。企図された航海には三カ年が必要だろう。遠距離の探険のために設計された最新式の船である軽快な帆船ですら帰還できるかどうか疑わしかった。大洋は、コロンブスが想定しているほど小さくも航海可能でもなかった。また真に価値ある無人島を何世紀ものあいだ人間から隠しておくということを神が許すなどということはほとんどありそうもないことだった。こうして女王は最初、コロンブスの要求を却下した。理性と官僚の専門的知識が彼女の判断を支えたからだ。後に彼女は熱心なフランシスコ会修道士によって心を動かされ、以前の決定を取消し、コロンブスとの「契約」に署名した。イスラム教徒をヨーロッパから駆逐していた彼女は、大洋をこえてキリスト教の信仰を植えつけることを望んだ提督の願いを拒絶することができなかった。後にみるように、植民のための海外征服をきめたこの決定は本国における新しい戦争の布告を意味していた。すなわち彼女に従う国民の〈ヴァナキュラーな領域〉の侵害、ヴァナキュラーな生存にたいする五世紀におよぶ戦争の開始、を意味していた。いまわれわれは、その破壊の深度を測りはじめているのだ。

五週間のあいだコロンブスはよく知られた海域を航海した。彼はピンタ号の舵を修理し、ニーニャ号の大三角帆を取り換えるために、またベアトリス・デ・ペラサ嬢との謎の情事を求めて、カナリア諸島に立ち寄った。カナリア諸島を出てから二日たった九月十日に、ようやく彼は東風に乗った。彼が出くわしたのは貿易風であり、それに運ばれてすばやく大洋を横切った。十月に彼は、自分も女王の顧問たちも予期していなかった土地に行き当たった。一四九二年十月十三日の日記のなかに、サント・ドミンゴ島(イスパニョーラ島)で彼を歓迎してくれたナイチンゲールの鳴き声を鮮やかに記している。もっともそのような鳥はそこにはいなかった。コロンブスは終始、偉大な航海者にして凡庸な宇宙誌学者であった。彼は死にいたるまで、自分の捜し求めたもの——中国の海辺に住むスペインのナイチンゲール——を見つけたと確信しつづけていたのだ。

さて、当然ながらよく知られていることから、不当に看過されてきたものへと話題を転じることにしたい。すなわち、一四九二年といえばすぐに連想されるコロンブスから、スペイン以外ではほとんど忘れ去られてしまったエリオ・アントニオ・デ・ネブリハに話題を転じることにしたい。コロンブスがポルトガルの見慣れた海域や諸港を巡航しているあいだに、スペインでは新しい社会の根本的な建設案が女王に提示された。コロンブスが身近なもの——黄金、臣民、ナイチンゲール——をもとめて海外の地にむけて航海しているあいだに、スペインではネブリハが女王の臣民をまったく新しいタイプの従属へと移すことを主張していた。彼は文法という新しい武器を女王に贈ったのである。それは新手の傭兵、知識人(letrado)の手で用いられるものだった。

私はネブリハの『カスティリア語文法』——ゴシック体で組まれた五つの署名のある

四つ折の一冊本――を手にしたときに深く感動した。題辞は赤で印刷され、一ページ余白があって序文が始まる。

> スペイン本土とわが海洋に浮かぶ島々の女王、自然の統治者の名をもつ高貴かつ賢明なイサベラ第三世女王陛下へ。
> アントニオ・デ・ネブリハ師が新たにカスティリア語について記した文法書がここにできあがり、まず最初に序文をしたためます。お読みいただけますなら幸いに存じます。

グラナダの征服者はひとつの請願をうけとったのだ。それは多くの他の請願と類似したものだった。しかし、マルコ・ポーロの中国へいたる新しい航路を確立するための資金を要求したコロンブスとは異なって、ネブリハの要求は、女王に国内の新たな領域への侵入をうながしているものであった。彼はイサベラに、彼女の臣民たちが話す言語を植民地化する道具を提供した。つまり彼は、民衆の話しことばのかわりに女王のことば(lengua)、彼女のことばづかいを強制することを要求した。

ここで、ネブリハの文法の六ページにわたる序文の一部を翻訳し、論評を加えることにしたい。そのさい覚えておいてほしいのは、『カスティリア語文法』の奥付によれば、八月十八日にサラマンカで発行されたと記されていることである。それはコロンブスが出帆してちょうど十五日後であった。

威光あふれる女王陛下。文章に保存されてきた過去の遺産をつくづく考えるとき、私はいつも、こういう同じ結論に到達せざるをえません。すなわち、言語はいつも帝国の伴侶でありましたし、また永遠に同志としての役割を果たしつづけるでありましょう。帝国は国語とその誕生を同じくし、ともに成長し栄え、そしてともに衰退するものであります。

ネブリハにとって、「言語」(la lengua)が何を意味するものであったかを理解するには、彼が何者であったかを知る必要がある。改宗者アントニオ・マルチネス・デ・ラ・カラは〔彼はほどなく、生まれ故郷の名、ネブリハまたはレブリハを名乗ることになる。*〕ユダヤ人。すなわち〕ユダヤ人改宗者の子孫であった。彼は十九歳のときに、使われずに死語となってしまったと言いうるほどラテン語がすたれている、という判断を下していた。このようにスペインは、その名に値いするひとつの言語(una lengua)もない状態にあった。聖書の言語――ギリシア語・ラテン語・ヘブライ語――は明らかに民衆の話しことばとは別ものであった。それから、ネブリハはイタリアへ行った。彼の意見によれば、そこはラテン語がもっともすたれていないところであった。彼がスペインに戻ってきたとき、彼の同時代人エルナン・ヌニエスは、地獄からエウリディケを連れ帰ったオルフェウスのようだと記した。つぎの二十年間、ネブリハは古典の文法と修辞学の再生に専念した。サラマンカで印刷された最初の文字どおりの、正真正銘の書物は彼のラテン語文法(一四八二年)であった。

彼の言によると、四十代に達し、年を取りはじめたとき彼は、スペインで日常出くわしている話しことばの形からひとつの言語をつくることができるということ、すなわちひとつの言語を、*工作し《エンジニア》(構築し)、化学的に合成することができることに気づいた。そこで執筆したのが、彼のスペイン語文法である。これは近代ヨーロッパの言語のなかで最初のものであった。この改宗者は、「イスパニア基本法」の法的カテゴリーを言語の領域へと拡張するために、彼の古典の教養を利用したのである。イベリア半島のいたるところで、さまざまな言語を話す群衆がよそ者のユダヤ人たちを虐殺すべく集まっていた。ちょうどその同じときに、このコスモポリタンの改宗者は、剣で制圧できるところではどこでも使用に適するような一つの言語を創造することによって、女王に奉仕していたのであった。

ネブリハは二冊の規則書をつくった。二冊とも女王の政治体制に役立つものだった。まず、文法書を書いた。ところで、文法書はけっして目新しいものではなかった。ネブリハには知られていなかったが、文法書のもっとも完全なものはすでに二千年前にあった。パーニニのサンスクリット語の文法書である。死語を記述しようとしたもので、ごくわずかな人々にしか教えられないものだった。これは、インドのプラクリット語の文法学者によって、また西洋ではラテン語やギリシア語の文法学者によって追求されている目標である。しかしながら、ネブリハの著作は、海外征服のための道具として、また国内において*教師に教わらない話しことばを制圧する〔「自発的」な話しことばを抑圧するための〕武器として、書かれたものである。

文法の仕事に取りくみながら、ネブリハはまた、今日まで古スペイン語の唯一で最良の資料であるひとつの辞書を書き上げた。これに取ってかわろうとする試みがわ*が時代に〔近代になって〕二つ現われたが、二つとも失敗した。ヒリ・ガヤの『スペイン語彙集』は一九四七年に着手されたが、Eのところで挫折した。R・S・ボッグズ（『中世スペイン語辞書試案』）は一九四六年以来、何度もコピーされたけれども、草稿のままである。ネブリハの辞書は彼の文法書の一年後に現われたが、すでに「新世界」の証跡を含んでいた。最初のアメリカ語 canoa（カヌー）が登場したのだ。

さて、ネブリハがカスティリア語についてどのように考えていたかを記しておこう。

カスティリア語はカスティリアとレオンの裁判官（the judges）や王の時代に幼年期を経て、アルフォンソ賢王のもとで力を増しました。……ギリシア語およびラテン語の法律書や歴史書を収集し、それらを翻訳させていたのはこの王でありました。

たしかにアルフォンソ[*]（一二二一—八四）〔学者王ないしは賢者〕は、書記の俗語やヴァナキュラーなことばを大法院の言語として使用したヨーロッパで最初の君主であった。彼の意図は、自分がラテンの諸王の一人ではないことを証明することであった。彼がカリフのように自分の廷臣たちに命じたことはこういうことであった。すなわち、イスラム教やキリスト教の書物を通じて巡礼を行ない、またそれらの書物を、その言語のゆえに、自分の王国に残すべき貴重な遺産となってゆくような財宝へと変えることであった。たまたま、彼の翻訳者の大部分はトレド出身のユダヤ人であった。これらのユダヤ人は自分たちの言語が古カスティリア語であったので、オリエントの言語を教会の聖なる言語であるラテン語に翻訳するよりもむしろそのヴァナキュラーな語に翻訳することを好んだのだった。

ネブリハは、アルフォンソ王が古スペイン語[*]〔古スペイン語で書かれた一群の信頼しうるテキスト〕という堅固な形見を残してくれたということを、女王に指摘した。さらに彼は、ヴァナキュラーな話しことばを法律の作成、歴史の記録、古典からの翻訳に使用することによって、厳密[*]な意味での言語〔真の言語〕に変えるということをめざして仕事をしていた。彼はこう続ける。

われわれのこの言語は、海外支配のためにわれわれが送り出した兵士たちの後につづいていきました。それはアラゴンに広がり、ナヴァラに広がり、イタリアにさえ広がりました。……こうして、この散在するスペイン領土の断片や小片が集められ、ひとつの王国へと統合されるにいたりました。

ネブリハはここで、剣と書物とのあいだに新しい協定が可能であることを女王に気づかせている。彼は、両方とも女王の世俗的な領土内にあるこの二つの領域間の盟約を提案したのだ。それは、皇帝と教皇とのあいだの中世的な協定とは異なり、俗界と聖界とを架橋する盟約であった。彼が提案しているのは、自国の領土内で最高の権力をもつ剣と法衣との協定ではなく、海外征服の機関と王国全土のなかの多様な科学的支配の組織を含むような剣と専門的知識との協定である。また彼は、自分が語りかけている人物のことをよく知っていた。アラゴンのフェルディナンド王の妻であり、かつて彼が彼女はあらゆる人間(men 原文のまま)のなかで最も開明的だと賛美した女性であった。彼は、彼女が楽しみのために、キケロ、セネカ、リヴィウスを原語で読んでいることを知っていた。また彼女が、精神界と物質界とを彼女自身のことばによれば「洗練された趣味」と呼んだものに一体化させる感受性をそなえていることにも気づいていた。実際、歴史家の主張するところでは、彼女はこの表現を用いた最初の人である。彼女はフェルディナンド王とともに、二人が継承した混沌としたカスティリアに形をあたえようとしていた。二人はともに、ルネサンス的な統治の諸制度、すなわち近代国家の形成に適した諸制度、しかも法律家の国家よりも優れたもの、を創りだそうとしていた。ネブリハはこの二人に、今日でもまだスペインで力をもっている考え方——文武両面の力で(armas y letras)——を呼びさました。彼が語ったのは帝国と言語との結婚であり、彼が語りかけたのは、ごく最近、それもひどく短期間ではあるが、教会から宗教裁判所を奪って、王権の世俗機関として使おうとしていた主権者であった。この君主国は、大公たちにたいする経済的支配力を手に入れるために、また貴族を王国の国務院のなかでネブリハのいう知識人(letrados)におきかえるために、宗教裁判所を利用したのだった。これは、旧い諮問会議を文民の官僚組織へと、すなわち国王の政策の執行にもっぱら適した制度へと、転換した君主国であった。こうした「専門家」の長官ないし大臣たちは、のちにハプスブルク家の宮廷典礼において、行列やレセプションでの儀礼的な役割を与えられたのであって、これはビザンチン以来、他のどんな世俗的官僚制においても見られなかった役割である。文武両面の新たな統合こそは、教会と国家との統合を補足するものであって、スペインの散在した領土の断片を集めて完全に統一した王国をつくるのに、本質的なものであるということを、ネブリハの議論はまことにぬけめなく女王に思いおこさせている。

この統一された至高の機関は、何世紀かかっても破壊することのできないほどの内的な結合力と形態をそなえたものとなるでありましょう。教会が純化され、こうして神との和解がなりました（彼は彼の同時代人トルケマダ〔スペインの初代宗教裁判長〕のことを思い浮かべているのだろうか？）からには、また「信仰」の敵がわれわれの武力によって制圧されています（彼は国土回復運動《レコンキスタ》が最高潮に達したことに言及している）からには、さらにまた正義の諸法が*強化〔発布・施行〕され、われわれすべてが平等に生きることが可能となりました（おそらくエルマンダデ〔地方警察として創設された警備隊《エルマンダード》〕のことを念頭に置きながら）からには、平和な諸芸が栄えること以外に何が残されていましょうか？　諸芸のなかでもわれわれと野獣とを区別する言語の諸芸が第一のものであります。言語は人間独自の特徴であり、瞑想に次ぐといえる理解の手段なのです。

この一節を見ると、文明化したキリスト教徒の世界を野蛮の世界から守ることを女王に訴えているフマニストの声がはっきりと聞こえてくる。中世の野蛮人といえば、つねに話すことができないということが野蛮人神話の一部であった。道徳的に秩序づけられた世界では、野蛮であるということは、話に一貫性を欠いて黙りこくっていることであり、罪深き人でありかつ呪われた者であることであった。以前は、異教徒は洗礼によって教会のなかに入ることができた。それ以降は言語によってであった。いまや言語は教師を必要とする。

そこでネブリハは指摘する。

これまで、われわれのこの言語は移り動き、規則にしたがわぬままでした。それゆえ、ほんの数百年のあいだに見分けのつかないほど変化してしまいました。われわれが今日話していることばを五百年前のことばと比較してみるなら、この二つが別々の外国語であるにしても、これ以上に大きくはありえないような差異と多様性のあることに気づくことでありましょう。

ネブリハは、ヴァナキュラーなことばである俗語が時とともに進化し拡散していくことを述べている。彼は、教師を通さないカスティリアの話しことば〔カスティリアの「自発的」な話しことば〕に言及する。このことばは、アラゴン、ナヴァラといった、軍隊によりカスティリア語に編入された諸地域のことばと異なり、しかもアルフォンソ王の修道士やユダヤ人がギリシア古典をそのアラビア語版から翻訳したさいの古カスティリア語とも異なるものである。十五世紀の人々は、今日われわれが言語を感じ、言語とともに生きているのとは異なる感じ方、生き方を自分たちの言語にたいしてとっていた。このことを理解するには、メネンデス・ピダルの手になるコロンブスの言語の研究が役立つ。コロンブスはもともとイタリアのジェノヴァ出身の織物商人であり、最初のことばはジェノヴァ語であった。ジェノヴァ語は今日も依然として標準語化されていない方言である。彼は、まったく粗野で風変りな表現ではあるが、ラテン語で商業文を書けるようになった〔ラテン語で商業文を書くことを学んだが、そのラテン語はかなり粗野だった〕。ポルトガルで難破したあと、彼はポルトガルの女性と結婚した。そしておそらくイタリア語の多くを忘れたことだろう。彼はポルトガル語を話しはしたが、一語も書くことはなかった。リスボンにいた九年間に、彼はスペイン語で文章を書きはじめた。だが、スペイン語の十分な学習のために、彼の優秀な頭脳を用いることはけっしてなかった。彼はいつも、ポルトガル語の入り混じった癖のある文体でスペイン語を書いた。彼のスペイン語はカスティリア語ではなかったが、半島のいたるところで習いおぼえた簡潔なことばに富んでいた。構文は多少奇異ではあったけれども、彼はこの言語を生き生きと、表現力に富み、しかも正確に、あやつった。こうしてコロンブスは、話すことのない二つの言語で書き、数カ国語を話したのである。このことは、どれひとつとして、彼と同時代の人々にとって問題にならなかったように思われる。だが、コロンブスのどの言語も、ネブリハの眼には言語ではなかったということも真実である。

ネブリハはひきつづき請願を進めながら、自己の議論の核心的部分を提示する。規則なき、自由な話しことば、すなわち人々が実際に生きてゆくうえで、またその生活を営むうえで、拘束されることのないことばや放縦なことばは、王にたいする挑戦となる、というのである。彼はいまや、なんら問題となることのないひとつの歴史的事実を、近代国家という名の新たな政治体制の建設者にとっての問題と解釈したのであった。

女王陛下、私の絶えざる望みは、わが国家が大きくなること、そしてわがことばを話す人々に、彼らの余暇にふさわしい書物を提供することでありました。目下のところ、彼らは小説や虚偽にみちた空想物語に時間を浪費しています。

ネブリハは、「出版界がまだ書物に適したことばを十分に知らないとき」、人々が気まな読書に時間を浪費することを止めさせるために言語を規制するということを提案している。だが十五世紀後半、紙と印刷機の発明によって可能となった余暇の「浪費」に関心をもった人間は、ネブリハだけではなかった。二十九年後、イグナティウス・デ・ロヨラ〔イエズス会の創設者、聖人〕はパンプロナで、砲弾によって痛めた足の回復をはかっているとき、悲惨なまでに自分の青春を浪費しているのだと信じるようになった。三十歳のとき、彼は自分の人生を「世間の虚栄……」にみちたものとして回顧した。彼の余暇にはヴァナキュラーなことばで書かれた駄作の読書が含まれていたのである。

ネブリハは生きている言語を、印刷体にするときの便宜のために標準化するということを主張した。この議論はわれわれの時代にも行なわれている。しかし現在ではその目的は異なっている。現代人は、標準語*〔言語の規格化〕が人々に読むことを教えるために必要な条件であり、印刷された書物の普及に不可欠であると信じている。この議論は一四九二年ではこれと正反対である。ネブリハは、数十の異なったヴァナキュラーな言語で話す人々が蔓延した読書熱の犠牲となったということで、心をいためていたのだ。彼らは、当時として可能なかぎりの官僚的統制の外部で流通している書物に彼らの時間を投じて、余暇を浪費していたというのだ。原稿はたいへん貴重でめずらしいものであったので、当局はしばしば、あらゆる写本を文字どおり差し押さえることによって、著者の作品を抑圧することができた。原稿類は時として一掃することが可能であった。書物のばあいは不可能であった。印刷の初期に典型的だった二百部から千部以下の少ない版でさえも、全部数を没収することは不可能であっただろう。印刷された書物は『禁書目録』による検閲を求められた。書物が印刷されると禁止することしか可能でなく、絶滅することはできない。しかしネブリハの提案は、『目録』が一五五九年に出版される五十年前に現われた。しかも彼は、印刷されたことばにたいする統制を、教会がのちに発禁をつうじて試みたよりもはるかに徹底して行なうことを望んでいる。彼は民衆のヴァナキュラーなことばを文法学者の言語でおきかえることを望んだのだった。このフマニストが口語の標準化を提案したのは、印刷という新しい技術をヴァナキュラーな領域から取り除くためであった。つまり、人々がその当時までただ話すだけだったさまざまな言語でもって印刷したり読書したりすることを妨げるためであった。このように、教えられる公式な言語の独占によって、彼は、教えられない野生のヴァナキュラーな言語の読書を抑圧することを提案したのであった。

民衆に安逸な楽しみを与えている気ままな読書を止めさせるためには、標準化された国語による義務教育が必要である。これがネブリハの議論であるが、その意味を十分に理解するには、当時の印刷の占めていた位置を想い起こすことが大切である。ネブリハは、取りはずし可能な活字の出現する前に生まれていた。取りはずしのきく活字が最初に使用されたとき、彼は十三歳であった。彼の自覚的な成人期は印刷の「揺籃期」初期印刷本(インキュナブラ)と一致している。印刷機ができて二十五年たったとき、彼のラテン語文法が出版された。三十五年たったとき、彼のスペイン語文法が出版された。ちょうどわれわれがテレビ以前の時期を想い起こすことができるように、ネブリハは印刷以前の時期を想起することができたのだ。私が論評を加えているネブリハのテキストが発刊されたのは、トマス・カクストンが死んだ年と偶然にも一致している。しかもカクストンの仕事そのものも、ヴァナキュラーなことばの書物にかんするわれわれの理解を助けるものである。

トマス・カクストンは*ネーデルランド〔フランドル地方〕に住むイギリスの織物商人であった。彼は翻訳をやりはじめてから、印刷屋に徒弟奉公した。英語の書物を数冊出版したあと、一四七六年に印刷機をイングランドに持ち帰った。彼は死ぬ（一四九一年）までに、四十の英訳と、イギリスのヴァナキュラーな文芸作品中で、ウィリアム・ラングランドの『農夫ピアス』を除いて、役に立つものをほとんどすべて出版した。この例外は注目に値いする。彼がこの重要な著作をリストから削除したのは、彼のベストセラーのひとつ——『よく死ぬために知るべき技芸』——とこの本が競合することとなるからではないかと、私はしばしば考えた。ウェストミンスター印刷所から出版されたカクストンのこの著作は、自助のための書物の最初のシリーズに属する。教養ある礼儀正しい社交界の人士への養成となるものと、*やさしくて〔誠実で〕信仰深いふるまいへとみちびくものとのすべてが、ゴシック体できちんと印刷された小さめの二つ折判や四つ折判のなかに集められた。それらは、ナイフを扱うことから会話を進めることまで、涙の流し方からチェスのさし方や死に方にいたるまで、ありとあらゆることにかんする手引書であった。一五〇〇年以前に、この最後にあげた死に方にかんする書物は百もの版があらわれていた。それは医師や牧師の介在なしに、威厳をもって死に臨む方法を示した自己指南の手引書であった。

各国の民衆の言語でまず出版された本には四種類あった。すなわち、ヴァナキュラーな土着文芸、フランス語およびラテン語からの翻訳、信仰の書物、そして教師を不必要にするハウツーものの手引書がすでにあった。ラテン語で印刷された書物はこれらとは質的に異なるものであり、教科書、儀礼書、法律書からなっていた。これらの書物は専門の聖職者や教師によって思うままに書かれた。印刷された書物はその当初から二つの種類があった。一つは、読者が自分の楽しみのために自主的に選択した書物、もう一つは、読者自身の役に立つように*専門的に処方された〔読者に押しつけられた〕書物である。一五〇〇年以前には、ほぼ三百のヨーロッパの都市にあった千七百以上もの印刷所が一冊ないしそれ以上の書物を出していた、と見積もられている。十五世紀のあいだに、総計千五百万冊から二千万冊におよぶほぼ四万点が出版された。これらの書物の約三分の一はヨーロッパのさまざまなヴァナキュラーな言語で出版された。印刷された書物のこの部分がネブリハの心配の種だったのである。

読書の自由についてのネブリハの憂慮をより完全に理解するためには、彼の時代の読書が黙って読むものではなかったことを想い起こす必要がある。黙読というのは最近の発明である。すでに偉大な著作家であったアウグスティヌスは、ヒポの司教のとき、黙読が可能なことに気づいた。彼は『告白』のなかでその発見を記している。思いやりのあった彼は、夜中に読書のときに自分が立てる声で仲間の修道士の邪魔をすることをはばかった。だが好奇心から、書物はやはり手にせざるをえなかった。そこで彼は、黙って読書することを習得したのである。この方法は、彼が自分の師であるミラノ司教アムブローズただ一人から学びとっていたものである。アムブローズは黙読という方法を実践していた。というのは、そうでなければ人々が彼のまわりに集まり、書物をめぐって質問攻めにしただろうからである。声を出して読書することは、古典の学問と民衆の文化とをむすびつける環であったのだ。

大きな声で読むという慣習は社会的効果をもたらすものである。それは、ここに読み手がいて、その読み手の肩ごしに見ている人たちに方法を教える非常に効果的なやり方である。それは、ただ単に自己満足の卓越した形または純化した形というよりもむしろ、共同体の意思交換を促進するものである。すなわち、読まれた章句を共通に消化し論評することへと積極的にみちびくものである。インド言語を見ると多くの場合、「本を読む」と翻訳される動詞は「音を出す」に近い意味をもっている。この同じ動詞は、本と七弦琴の特徴を描きだすことばでもある。読書することと楽器を演奏することとは相対応する人間の活動として認められている。読み書きできることにかんする、一般に流布している、考えの浅い、国際的に承認された定義は、書物、印刷、読書というものにたいしてもうひとつの見方〔別の接近の仕方〕*を試みることをさまたげている。もしも読書がもともとギターを演奏する能力と同じくらいに社会的な活動とみなされているならば、もっと読者の数が減っても、それは、書物や文芸に接するうんと広範な機会があることを意味しうるものであるだろうに。

大きな声を出して本を読むということは、ネブリハの時代以前には、ヨーロッパでは普通のことであった。この伝染しやすい読書熱は、印刷によって流行病のように増大し、蔓延したのである。さらにいうなら、読み書きできる者とそうでない者との境界は、今日われわれが認めるものとは異なっていた。読み書きできる者とはラテン語を教えられていた人たちであった。地域のヴァナキュラーな文芸を熟知している大多数の人々は、自分でラテン語を聞き覚えていた者でも、会計官として教育された者でも、またかつて僧職にあった者でも、ラテン語の読み書きを知らないか、たとえ知っていてもほとんど使わないかのどちらかであった。このことは、貧しい人々にあてはまった。また多くの貴族にも、とくに女性にあてはまった。今日でさえ、金持や多くの専門家、高級官僚たちは助手に文書や情報を口で要約させ、他方では秘書に彼らの言うことを文章化することを要求している。この事実をわれわれは時として忘れることがある。

ネブリハが提案した事業は、女王にとって、コロンブスの企画よりも一層ありえないことのように思われたにちがいない。しかし、それは最終的にハプスブルク家の興隆にとって、「新世界」以上に根本的なものであることがわかった。ネブリハは、印刷技術の自由で無政府的な発展を阻止する方法を明示した。そしてそれを、発展する国民国家の官僚的統制の道具へといかに変えるかを明確に示したのであった。

今日われわれは、もしも書物が公的な文法に制約されることのないヴァナキュラーな言語で書かれるならば、一部といえども印刷に付されることなく、また読まれることもないだろう、という仮定のもとに行動している。同様にわれわれは、学生が伝統的にラテン語を教えられたのと同じように人々が教えられることがなければ、自分自身のことばを読み書きするようにはならないだろう、と仮定している。もう一度ネブリハの言うところを聞こう。

私の文法によって、人々に人工のカスティリア語を学ばせます。それは彼らの知っている言語にもとづいてつくられているので、そうすることは困難ではありません。

そして、そのときラテン語はやさしいものとなるでありましょう……

すでにネブリハは、ヴァナキュラーな言語を、彼のカスティリア語という技術を生み出すひとつの原料として、掘り出すべきひとつの資源として考えていた。それはキューバで唯一の価値ある重要な資源であると、コロンブスが悲しくも結論づけていた「*ブラジルすおう」〔ブラジル産の木〕や人間奴隷と異なるものではなかった。

ネブリハは、人々が読めるようになる文法を教えようとしたのではなかった。むしろイサベラ女王に懇願して、読書の無政府的な拡散を、彼の文法を使用することでくい止めるよう権力と権威を与えてほしいといったのである。

目下のところ、人々は小説や虚偽にみちた空想物語にその時間を浪費しています。それゆえ、私の最も緊急な課題は、カスティリアの話しことばをひとつの*人工語〔道具〕に変えることであると心にきめました。そうすれば、それ以後この言語で書かれるものはすべて、ある標準的な性格をもつことになるでありましょう。

ネブリハは、自分のやりたいことを率直に述べ、信じがたいような計画の大要を示してさえいる。彼は帝国の伴侶を慎重にその奴隷へと変えた。ここで最初の近代言語の専門家は、民衆の話しことばと生活から、国家とその追求目標にふさわしい道具をつくる方法を女王に進言している。ネブリハの文法は、彼自身によって国民国家の柱石と考えられている。その結果として国家は、当初から攻撃的なまでに生産的な*代理機関〔組織体〕とみなされている。新しい国家は、人々の生存を基礎づけることばを人々から取り上げ、それを規格化された言語へと変えた。それ以後、人々は、各人が制度的に負わされている教育の次元で、この標準化された言語を使うことを余儀なくされる。これ以後、人々は、お互いに共有するひとつの言語能力を発展させるよりもむしろ、上から受け入れた言語に頼らざるをえなくなるであろう。ヴァナキュラーな言語から公的に教えられる*母語〔母国語〕への転換は、*商品集中社会〔商品超依存社会〕が到来したときに、おそらくもっとも重要な意味をもつ——にもかかわらずもっとも研究されることの少ない——出来事であろう。ヴァナキュラーな言語から教えられる母語への根源的な変化は、とりも直さずつぎのような転換を予示するものであった。すなわち、母乳から哺乳ビンへ、人間生活の自立から福祉へ、使用のための生産から市場のための生産へ、そして国家と教会とのあいだでわかれていた期待の世界から、教会が周辺的な存在となり、宗教が私的な存在となり、かつては教会によってのみ主張されていた母性的機能を国家が引き受けるという世界への転換、である。かつては教会の外に救済はなかった。いまや教育の領域の外に読むことも書くことも——もし可能なら話すことさえも——存在しないであろう。人々は*君主〔女王〕の子宮から生まれ直し、その胸で育まれなければならないであろう。近代国家の市民と国家の提供する言語との両者がはじめてこの世に生まれた。この二つは歴史上どこにも前例のなかったものなのである。

しかしすべての個人が、人間の生存にとって母乳と同じくらいに必要なサーヴィスを手に入れようとして、公的な官僚制度に依存するということは、根本的に新しいことであり、またヨーロッパの外部にはこれに匹敵するものがない。けれどもこれは、ヨーロッパの過去との断絶ではなかった。むしろ論理的には一歩前進であった。すなわち、最初キリスト教会の内部で正当化されたものが、世俗国家の承認され期待される俗界機能へと発展していった過程である。制度としての母性は三世紀いらいヨーロッパに独自の歴史をもっている。この意味で、ヨーロッパが教会であり、教会がヨーロッパであるというのは実際に真実である。ネブリハと近代国家における普遍的教育とを理解するには、この教会という制度が母を象徴しているかぎり、教会にかんする正確な知識を必要とする。

教会はきわめて早い時期から「母」と呼ばれていた。一四四年にグノーシス派のマルキオンがこの名称を使った。最初、信仰者の共同体は、聖体拝領という名の共同体の祝福という真実から生まれる新しい成員にとって、母であるとされていた。しかし、まもなく教会が母となり、その胸の外ではほとんど人間と呼ばれるに値いしないし、また生きているにも値いしないというまでになった。しかし、教会が自己のことを母として理解するようになった起源はほとんど研究されてきていない。キリスト教が広まりはじめたころ、ローマ帝国内のいたるところにさまざまな宗教が散在していたが、そこでの母神の役割についてはその解説をしばしば見出すことができる。だが、以前に母と呼ばれた共同体がなかったという事実はなお注目すべきであり、研究の必要がある。母としての教会像がシリアに由来し、三世紀の北アフリカで盛んであったということはよく知られている。その最初の遺跡といわれるトリポリ近くの美しいモザイクには、見えざる共同体と見ることのできる建物との両者が母として表象されている。そしてローマは、教会にその比喩が適用された最後の場所である。制度の女性的擬人化はローマ人の表現法にはふさわしくなかった。その考えは四世紀末になってようやく、教皇ダマススの詩のなかではじめて取り上げられる。

母としての教会という、この初期キリスト教の概念は、歴史的に前例のないものである。グノーシス派や異教の直接的な影響や、ローマ人の母なる女神崇拝との直接的な関係は、いままでのところどれも証明されていない。しかし教会が母性的なものであるという説明はまったく明白である。教会は息子たちや娘たちをはらみ、産み、誕生させる。その果実を失うこともあるかもしれない〔流産のこと〕。教会は子供たちに信仰というミルクを与えるために、その胸で子供たちを育てる。こうした初期には、この制度的特性は明らかに存在していた。だが、教会が司教を通じて母性的権威を行使することと、教会の建物を女性実在として儀式的にとりあつかうこととは、神の愛の母性的性質の主張と、洗礼をうけた神の御子たちの相互愛の主張によってなお均衡が保たれていた。その後、中世になると、権威主義的で所有欲の強い母親としての教会像が支配的となった。そのとき教皇は、母親(Mater)、教師(Magistra)、支配者(Domina)として教会を理解することを主張したのである。グレゴリウス七世(在位一〇七三―八五)は神聖ローマ皇帝ハインリヒ四世との闘争のなかでこのように教会を呼んだ。

ネブリハの序文は近代国家の建設に熱心な女王にむかって語られていた。彼の議論は、それまで教会によってのみ主張されていた普遍的な母性的機能を、国家が制度的に引き受ける必要があるということを含意していた。母なる教会の胸で最初に制度化された機能としての教育(educatio)は近代国家の形成の過程で国王の機能となった。

子孫の教育(educatio prolis)とは、ラテン語の文法で女性主語を要求する語である。それは雌犬や雌豚であろうと、人間の女であろうと、食物を与え育てるという母親の仕事を意味する。人間のあいだでは女だけが教育するのである。そして彼女たちが教育するのは幼児だけである。なぜなら幼児は、語源的にいえば、まだことばをもたない者を意味しているからである。教育することは、教育学上の言い伝えが主張する「引き出すということ」とは語源的になにも関係がない。ペスタロッチはつぎのようなキケロのことばに注意すべきだったのだ。ラテン語では、educit obstetrix, educat nutrix すなわち、産婆が引き出し、乳母が育てる。男はそのどちらもしないのである。男は教えること(docentia)と指導すること(instructio)に従事する。教育という機能を自分に帰属させた最初の男たちは、母なる教会の乳があふれそうな胸(alma ubera)へと会衆をみちびいた初期の司教たちであった。そして会衆たちは母なる教会からけっして乳離れすることができなかった。司教たちが信者たちをその世俗的な後継者のように、alumni――乳飲み児あるいは乳を吸う者を意味し、それ以外には何も意味しない――と呼んだ理由は、ここにある。ネブリハが手を貸したのは、この女性の機能を、聖職者によって支配された専門分化の制度的領域に移すことであった。国家はこの過程で、相異なる形の栄養物をたくさんの乳房で提供するという機能を獲得したのであった。それぞれの栄養物は、別々の基本的な必要に対応し、階層制の上位序列のなかでつねに男性(male)である聖職者によって擁護され、管理されている。

実際、ネブリハがカスティリア語を一つの人工語[*]〔道具〕に変え、それが女王の臣民にとって、キリスト教徒にとっての信仰と同じくらいに必要なものだということを提起したとき、彼は錬金術の伝統に訴えたのだった。彼の使った二つの単語 reducir と artificio は、その時代のことばとして、日常的な意味と専門的な意味の両方をもっていた。二つの単語は後者の場合、実は錬金術のことばに属するものなのである。

ネブリハ自身の辞書によると、十五世紀のスペイン語 reducir は、「変える」、「従わせる」、「文明化する」を意味していた。後のイエズス会士は Reducciones de paraguay をこの最後の意味で、つまりパラグアイの文明化として理解した。さらに reductio は、十五、六世紀を通じて、自然の通常の要素が賢者の石へと変化してゆく、すなわち、触れるとすべてのものが黄金となる万能薬へと変化してゆく七段階のひとつを意味していた。この場合、reductio は七段階の昇華の第四番目を意味する。それは、脳ずいが啓蒙の初歩の段階から高次の段階へと高まるために通過しなければならない決定的な試練を意味する。最初の四段階で自然の素材は連続的に液化され、純化され、濃縮される。第四段階の reductio の過程で、それは賢者のミルクを与えられはぐくまれる。それがこの実体へと適合するのは、最初の三段階で制御しえない粗野な性質を完全に取り除いた場合にのみ生じる。そのときその深部にひそんでいた金色の精子を取り出すことができる。これが educatio である。錬金術師はつぎの三段階で彼の alumnus――彼がそのミルクで育てた実体――を凝固させて賢者の石をつくる。ここで使用されている言語は、正確にはネブリハより少し後のものである。それはほとんど文字通りパラケルスス〔錬金術、占星術を説いたスイスの自然科学者、医学者、神学者〕から取られている。この人は『カスティリア語文法』の出版から一年以内に生まれたもうひとりの人物である。

さて、本文にもどろう。ネブリハは議論を展開する。

私はカスティリア語をひとつの人工語〔道具〕に変えることを心にきめました。*そうすれば、それ以後この言語で書かれるものはすべて、ある標準的な性格をもつことになるでありましょう。*すなわち、時代をこえて生き続ける鋳貨となるでありましょう〔将来あらゆる時代にそうなるでしょう〕。ギリシア語やラテン語は文法(art)によって支配されていました。このようにして時代を通じて統一性を保ってきたのです。われわれの言語にたいして、これに類することがなされないとしますと、年代記が女王陛下の行為をいくら賞讃しても無駄でありましょう。陛下の努力は数年とはつづかないでありましょう。われわれ自身の王にかんする外国語で書かれた物語をカスティリア語に翻訳し、供給していくことになるでしょうから。女王陛下の偉業はその言語とともに色あせていくか、それともその落ちつく場所もなしに、よるべなく、海外の異邦人のあいだをさまようかのどちらかでありましょう。

ローマ帝国は、帝国エリートのラテン語によって統治することも可能であったろう。

しかしペルシア語、アラビア語、ラテン語、古フランコニア語といった、かつての帝国において記録の保持、国際関係の維持、学問の発展のために使用された伝統的な別々のエリート言語は、国家主義的な君主国の大望を実現するには不十分であった。近代ヨーロッパの国家はヴァナキュラーなことばの世界では機能することができない。新しい国民国家は、外交にかんする永遠のラテン語やアルフォンソ賢王の滅びやすいカスティリア語とは異なる、ひとつの人工語を必要としていた。この種の政体はその法律に従っているすべての人々によって、また君主の命令で書かれた話（すなわち、宣伝）が向けられるすべての人々によって理解される標準語*〔規格化された言語〕を必要としていたのである。

けれども、ネブリハはラテン語を廃棄すべきだとはいわなかった。それどころか、スペインでネオ・ラテン・ルネサンスが起こったのは、主として彼の文法、辞書、教科書に起因したのである。しかし彼の重要な新機軸は、前例のない言語学的な理想のための基礎をおくことであった。すなわち、普遍的な支配者のもとにある官僚、軍人、商人、農民のすべてがひとつの言語を話そうとする社会を創造することであった。それは貧しい人々が理解し聞きいれると仮定された言語であった。ネブリハがここで確立したのは、母語の教育が必然的につくりだすピラミッドの決められた場所に、各人を位置づけるのに十分な一種の日常言語という考えである。彼は議論のなかで、歴史的名声をもとめるイサベラの要求は宣伝の言語をつくることにかかっていると主張した。それはラテン語のように普遍的で変化せず、しかもすべての村々や農場へと滲透して臣民を近代的市民に変えることのできる言語であった。

ダンテいらい何と時代の変わってしまっていたことか！　ダンテにとっては、文法にしたがって学び話さなければならない言語は、当然のことながら死んだことばであった。彼にとっては、そのような言語は学校教師にのみふさわしいものであった。彼はそのような人々のことを、皮肉をこめて、文法的能力の発明家と呼んだ。ダンテにとって死んで役に立たなかったものを、ネブリハはひとつの道具として推薦しているのだ。一方は生き生きとしたことばのやりとりに関心があった。他方は普遍的な征服に関心があった。つまり、石でできた宮殿と同じくらいに朽ちることのない語を規則によって鋳造する言語に関心があったのである。

> 女王陛下、私は陛下の威光が国の隅々にまで及ぶことのできる基礎を定めたいと願っています。私はゼノドトスがギリシア語にたいして行なったこと、またクラテスがラテン語にたいして行なったことを、われわれの言語にたいして行ないたいと思います。彼らより偉い人々が彼らのあとを継いだことは疑いありません。だが、弟

子たちが改良したという事実は、先人たちの名声をおとしめるものではありません。あるいはあえて言わせていただけるなら、この事実は、そうした発明の機が熟したちょうどそのときに必要な技術の発明者であるわれわれの栄光を傷つけるものでもありません。女王陛下、私を信用してください。いまこのときに、カスティリア語の文法ほど時宜をえた技術はないのであります。

この専門家はいつも急いでいる。しかし進歩への信念は彼に謙虚なことばを使わせている。このアカデミックな冒険者は、帝国の建設計画が破綻するとのおどしをかけて、いまこそ自分の考えを採用してほしいと政府に迫っている。時こそ来たれり！

実際、われわれの言語は、いまちょうど上昇を望みうるよりもむしろ沈むことを恐れなければならないひとつの高みに到達しています。

ネブリハの序文の最後の一節には、雄弁がにじみでている。明らかに修辞学の教師は、自分の教えていることを心得ていた。ネブリハは、彼の計画を説明し、女王にそれを受け入れる論理的な理由を示している。もし女王が彼の言うことに耳を傾けない場合に起こるかもしれないことで、彼女を驚かせている。そして最後に、コロンブスと同様に、〔領土拡大の〕明白な天命《マニフェスト・デスティニー》についての彼女の意識に訴えている。

さて、女王陛下、陛下が私の文法から手にされるであありましょう最後の利益に話を進めさせていただきます。そのためには、私がサラマンカで今年はじめこの本の草*稿〔概要〕を献上したときのことを想いおこしていただきたく存じます。そのとき、陛下はそのような文法がはたしてどんな目的に役立ちうるのかと私に質問なさいました。これにたいして、アヴィラ司教がさえぎり、私にかわってお答えくださいました。司教が申されたのはこういうことでした。「まもなく女王陛下は異国のことばを話す多くの蛮人たちを支配下に置かれることになるでありましょう。陛下のこの勝利によって、これらの人々は新たにつぎのことを必要とするでありましょう。それは、勝利者の被征服者にたいする義務である法律の必要と、われわれがもたらす言語の必要であります。」われわれが若者にラテン語を教えるために文法を用いたように、かの蛮人たちにカスティリア語を伝えるために、私の文法が役立つでありましょう。

ネブリハがやがて出版する本の草稿〔概要〕*を女王に手渡したとき、サラマンカで起こったことをここで再構成してみよう。女王は、聖書の言語であるヘブライ語、ギリシア語、ラテン語に保持されているものをカスティリア語に与えたことで、このフマニストを賞讃した。（この改宗者がグラナダの再征服の年に、コーランのアラビア語に言及しなかったことは、驚くべきことであり、また意義深いことである！）しかし、イサベラは、生きている言語を文法の規則として記述するという、この知識人の偉業を理解することはできたけれども、そのような事業の実際的な目的を理解することはできなかった。彼女にとって、文法とは教師によって教えられるためにのみつくられた道具であった。しかし彼女は、ヴァナキュラーなことばが教えられるものだとは思っていなかった。女王の王室的言語観では、彼女の多数の王国の臣民はだれも一生のあいだに自力で自分のことばの完全な支配に達するように生まれついていた。この「女王の言語学」の立場からは、ヴァナキュラーなことばは臣民の領域であった。ヴァナキュラーなことばはまさに事の性質から、スペイン君主の権威のおよぶ範囲をこえていた。国民国家をつくろうとする統治者はこの計画に内在する論理を理解することができなかった。イサベラが最初拒絶したことは、ネブリハの提案の独創性を裏書きするものだったのである。

母語を話すための教育の必要にかんするネブリハの草稿をめぐるこの議論は、一四九二年三月ごろに行なわれたにちがいない。コロンブスが彼の計画を女王に論じたてていたのと同じころである。最初、イサベラは地球の円周の計算が誤っているという技術顧問の忠告にもとづいて、コロンブスを拒絶した。しかし彼女がネブリハの提案を拒否したのは別の動機からであった。臣民たちのことばの自律性を王室が尊重していたからであった。国王がそれぞれの村の法の自律性、人々の法、*貴族による判決〔同等の者による裁き」を尊重するということは、スペインの再征服に従事しているキリスト教徒の基本的自由として、民衆と支配者によって認められていた。ネブリハは、イサベラのこの伝統的な、典型的にイベリア的である偏見——国王は王国のさまざまな慣習を侵犯することはできない、という考え——に反論を加え、そうして近代的な国王にとっての新しい普遍的な使命というイメージを呼びさましたのである。

結局、コロンブスは勝利を収めた。というのは、フランシスコ会の彼の友人たちが、女王の超自然的な使命に奉仕するために神から送られてきた男として、彼を女王に紹介したからであった。ネブリハも、これと同じようなふうに進んでいった。最初に彼が論じたのは、君主の権力の範囲と持続期間を増大させるためには、ヴァナキュラーなことばを人工語によっておきかえなければならない、ということだった。ついで彼は、宮廷の決定によって諸芸を涵養すること、また気ままな読書や印刷によって生じた脅威から既成の秩序を擁護することを論じた。だが彼は、「グラナダの恩寵」——ただ征服するだけでなく、全世界を文明化するという女王の運命——に訴えて、その請願を結んだのである。

コロンブスとネブリハの両者は、新しい型の帝国建設者に、彼らのサーヴィスを提供した。しかしコロンブスがやったことと言えば、ヌエバ・エスパニアにおける王権拡大のために、最近つくられた帆船をその航続距離の限界まで使用することを提案しただけであった。ネブリハはもっと根本的であった。すなわち彼は、まったく新しい領域での女王の権力を増大するために彼の文法を使用すること、また人々が毎日いとなんでいる生存のあり方を国家が管理することを論じたのであった。ネブリハは、事実上、人間生活の自立と自存にたいする宣戦布告の大綱を起草している。これは新たな国家が組織的に行なおうとしている戦争である。彼が意図していたのは、教えられた母語でもってヴァナキュラーな〔その土地の暮らしに根ざした固有の〕ことばをおきかえることであった。それこそ、普遍的教育の最初の発明物なのである。

4　人間生活の自立と自存にしかけられた戦争

歴史家たちはコロンブスの大西洋の渡航の時点を、中世から近代への移行をしめす適切な日付として選んできた。代々の教科書編集者にしてみれば、それは有用な時点だったといえる。しかし、プトレマイオスの世界は一年にしてメルカトールの世界になったわけではなく、ヴァナキュラーな世界もまた一夜にして教育の時代となったわけではなかった。むしろ伝統的な宇宙誌《コスモグラフィ》は、拡大する経験に照らして、徐々に調整されていったのだ。コロンブスの後にコルテスが、コペルニクスの後にケプラーが、ネブリハの後にコメニウスがつづいた。個人的な洞察とは異なり、われわれが商品やサーヴィスへと依存するようになる世界観への転換には、五百年の歳月がかかったのである。

時計の針がどれだけ進んだかは四分儀上の数字言語に依存する。中国人は発芽の五段階について語り、アラブ人にとっては夜明けは七段階になってやってくる。もしも私がマンデヴィルからマルクスないしガルブレイスにいたる経済《ホモ・エコノミクス》人の進展を叙述しようとするなら、教育《ホモ・エドゥカンドゥス》人というイデオロギーがネブリハからラドケを経てコメニウスへと発展した諸段階を概観しようとする場合にくらべて、これとは異なる時代区分を考えつくことだろう。さらにまた、この同じパラダイムの内部においても、種々の転換点を取りあげてみると、教師に就かない学習が衰弱してゆくことがよく描かれるだろうし、また教育制度が必然的にもたらす不可避的な誤った教育への道筋がよく描かれるであろう。

コロンブスが発見したのは、まさしく新航路ではなく新しい半球であったが、このことが認識されるにはまる十年かかった。彼が存在を否定していた大陸にたいして「新世界」という概念をつくりだすには、さらに長い年月がかかった。

ネブリハの主張とジョン・アモス・コメニウスの主張とのあいだには一世紀半の隔たりがある。ネブリハは、女王の事業として女王に従う者のすべてに話すことを教えねばならないと主張した。これにたいしてコメニウスは、一群の教師たちがあらゆる人間にあらゆることを完全に教えるような方法をもたねばならないと主張した。

コメニウス(一五九二―一六七〇)の時代までに、新旧両世界の支配層はそのような方法の必要なことを深く確信していた。ハーヴァード大学史の一挿話がこの点を十分に例証している。ネブリハの文法が誕生してから百五十年たったとき、ジョン・ウィンスロップ・ジュニアは、ハーヴァード大学の学長職をひきうけてくれる神学者、教育者をもとめて、ヨーロッパへと向かう途上にあった。彼が交渉をはじめた最初の人物は、モラヴィア教徒の指導者であり、その最後の司教であったチェコ人コメニウスであった。ウィンスロップはロンドンで彼に会った。彼は英国学士院を組織し、パブリックスクールにかんして政府に助言を与えていた。コメニウスは『大学教授、あるいはすべての人のために、すべてのことを完全に教授する方法』で彼の専門的職業の目標を簡潔に定義している。教育は子宮のなかから始まり、死ぬまで終わることがない。知るに値いするものはすべて、その主題にふさわしい特別な方法で教えるに値いするものである。この目標に望ましい世界が組織され、それがすべての人にとって学校として機能するようになっている。学ぶことが教えた結果であるときにのみ、個人はその人間性を十全に高めることができる。教えられずに学ぶ者は人間というよりもむしろ動物に似ている。また学校制度は老若、貧富、身分の上下、男女の別なく、あらゆる人々が、たんなる象徴や見せびらかしとしてではなく、効果的に教えられるように組織されねばならない。

これはハーヴァード大学の学長になるかもしれなかった人物によって書かれた思想である。しかし彼は大西洋を渡ることはなかった。ウィンスロップが会ったときには、彼はクリスティナ女王のもとめに応じ、国民的な学校制度を組織するためにスウェーデン政府の招きをすでに受け入れていた。ネブリハと異なり、彼は自分の事業《サーヴィス》の重要性を説く必要がなかった。十分な需要がいつもあったからである。イサベラによって触れてはならないものと考えられていた、ヴァナキュラーなものの領域は、スペインの知識人、イエズス会士、チェコの神学者たち*〔マサチューセッツ州の牧師たち〕の職探しの狩場となっていた。公的教育の領域がすでに離床していたのだ。抽象的な規則にしたがって専門的に*扱われる公的教育の〔詰めこまれた〕母語は、ヴァナキュラーなものと競合し、その領域に侵入しはじめていた。このように、ヴァナキュラーなものがその高価な偽物に徐々にとってかわられ、衰退していくことは、われわれが現在生きている*市場集中社会〔規格化された生産物の社会〕の到来を予告するものだった。

　ヴァナキュラーというのは、「根づいていること」と「居住」を意味するインド－ゲルマン語系のことばに由来する。ラテン語としての vernaculum は、家で育て、家で紡いだ、自家産、自家製のもののすべてにかんして使用されたのであり、交換形式によって入手したものと対立する。自分の妻の子、奴隷の子、自分が所有する家畜のろばから生まれたろばは、ちょうど菜園や共用地《コモンズ》からとれた基本的な生活物資のように、ヴァナキュラーな存在である。もしカール・ポランニーがこの事実に気づいていたなら、古代ローマ人によって受け入れられていた意味で、ヴァナキュラーという言葉を使用したかもしれない。すなわちそれは、生活のあらゆる局面に埋め込まれている互酬性の型に由来する人間の暮らしであって、交換や上からの配分に由来する人間の暮らしとは区別されるものなのである。

　前古典時代からテオドシウス法典にみられる専門的な文句にいたるまで、ヴァナキュラーはこの一般的な意味で使われていた。この語をとりあげて、言語の領域に同じ区別をもちこんだのは、*ヴァロ〔ウァッロ、Varro〕〔前一一六—二七、ローマきっての博識の文人、学者〕であった。彼にとって、ヴァナキュラーな話しことばとは話し手自身の土地で育まれたことばと*型式《パターン》〔言いまわし、表現〕からなるものであり、他の場所で育てられ、運びこまれてきたものとは対立するものだった。ヴァロの権威がひろく認められていたために、彼の定義はいつまでも残ることになった。この人はシーザーとアウグストゥスの図書管理者であって、ラテン語にたいして徹底した批判的研究を試みた最初のローマ人だった。彼の『ラテン語』は数世紀にわたっての基本的な参考文献であった。クインティリアンは彼を全ローマ人中の最も学識ある人として賞讃した。また*クインティリアンは〔スペイン生まれの演説家であり〕、未来のローマ元老院議員を訓練するスペイン生まれの教師であるが、通常の研究者にはつねにその学問的職業の創始者のひとりと見なされている。しかし、二人ともネブリハに匹敵しうる人物ではない。ヴァロとクインティリアンの両者は、議員や書記の弁論、すなわち法廷での話しことばをこしらえることに関心をもっていた。これにたいしネブリハはそうではなかった。彼がもとめたのは、ふつうの人々の日常生活の話しことばを女王の名で管理することだった。ネブリハはただ、ヴァナキュラーなことばに代わるひとつの母語を提案したにすぎなかった。

ヴァナキュラーという語は、ヴァロが限定づけたある一定の意味で英語*〔とフランス語〕に入った。私はいまここで、この語の古い息づかいをいくぶん復活させたい。われわれが必要としているのは、交換という考えに動機づけられていない場合の人間的活動を示す簡単で率直なことばである。それは、人々が日常の必要を満足させるような自立的で非市場的な行為を意味することばなのだ。その性質上、官僚的な管理からまぬがれているその行為は、それによってその都度独自の形をとる日常の必要を満足させるものである。ヴァナキュラーというのは、この目的に役立つ古い*〔旧き良き〕ことばであるように思われる。また多くの現代人によって受け入れられるはずのことばであろう。経済学者によって計量されない、いや計量されえない必要《ニーズ》の充足を名づける専門用語がいくつかある。経済的生産に対立する社会的生産、商品の生産に対立する使用価値の生成、市場経済学に対立する家政経済学などである。しかし、これらの用語は専門的に特殊化していて、あるイデオロギー的偏見が染みこみ、それぞれにどれもひどい欠陥がある。これらの対になった対照的用語はまた、ヴァナキュラーな仕事を、賃金を支払われない、規格化され標準化された諸活動へと帰着させるという混乱を助長している。私が明らかにしたいのはこの種の混乱である。シカゴ学派や社会主義国の人民委員《コミッサール》によって計量され操作されることから擁護しておきたい、固有の能力、欲望、関心にかかわる諸行為を名づける簡潔な形容詞をわれわれは必要としているのだ。その用語は食物の準備、言語の形成、出産、さらにレクリエーションに適用できる十分な幅をもつものでなければならないが、現代女性の家事と同種の個人化された活動、趣味、非合理的で旧式な手続きは含意しない。このような形容詞は身近には存在していない。しかしヴァナキュラーならば、その役目をはたすことができよう。私は、ヴァナキュラーな言語とその再生の可能性を語ることによって、望ましい未来社会の生活のあらゆる場でもう一度ひろがるかもしれない存在《あること》、行動《すること》、制作《つくること》のヴァナキュラーな様式がありうることに気づかせ、その議論をひきおこそうとつとめているのだ。

「母語《マザー・タング》」ということばは、この語が最初に使われていらいヴァナキュラーなものを意味したことはなかった。むしろ、その反対であった。この語はカトリックの修道士が説教壇から話しかけるとき、ラテン語のかわりに用いた特定の言語の名称としてはじめて用いられた。それ以前にインド–ゲルマン語の文化でこの語が用いられたことはなかった。このことばは十八世紀に英語からの翻訳語としてサンスクリット語にとりいれられた。私が照合したかぎりでは、この語は現在話されている他の主要語族には起源がない。古典時代に自分の本国を一種の母親とみなした唯一の民族はクレタ人であった。バッハオーフェンは彼らの文化のなかに古い母系的な秩序の記憶の名残りがあることを示唆した。しかしクレタ島にさえも、「母」語にあたるものは存在しなかった。「母語」という語の組合せができた過程をたどるには、まずシャルルマーニュの宮廷で起きたこと、ついで、その後ゴルツの修道院で起きたことを見る必要がある。

人はすべて生まれながらに定めもっているあの人間性なるものに達するために、専門家からの制度的サーヴィスを必要とする。人間とはそのようなふうに生まれついているものなのだ。こうした考えは、カロリング朝時代にまでさかのぼることができる。そのときに歴史上はじめて、人間にとってある基本的なニーズが存在するということが発見された。そのニーズとは人類にとって普遍的なものであり、ヴァナキュラーな仕方では対応できないような標準的なやり方で満足をあくまでも求めるというものである。その発見はおそらく八世紀に行なわれた教会改革ともっとも関連があるだろう。この改革では、ヨーク大学の学長となり、その後シャルルマーニュ大帝の宮廷付きの哲学者となったスコットランドの修道士アルクィンがきわだった役割をはたした。教会はそのときまで聖職者をおもに教会長老とみなしていた。すなわち、聖体拝領や礼拝式の公的必要〔人々の、共同体的、儀式的要求〕にこたえるために選ばれた、特別の力をそなえた人々とみなしていた。彼らは儀式のおりには説教をし、聖体拝領などを主宰しなければならなかった。彼らは官吏としてふるまった。それはちょうど、国家が法の執行を認めた役人、あるいはローマ時代の公共事業の役人に似ていた。この種の行政官たちをあたかも「サーヴィスの専門家」であるかのように考えることは、わが現代のカテゴリーを時代を無視して投影することになるだろう。

しかしそのとき、ローマ的およびヘレニズム的方式《モデル》を起源とする古典的な長老は、八世紀以降、サーヴィスの専門家である教師、ソーシャルワーカー、教育者といった人たちの先駆者へと姿を変えはじめていた。教会聖職者たちは、教区民の個人的なニーズを世話し、秘跡や牧師の神学を身につけはじめていたのであり、そうした牧会神学が聖職者たちの定期的なサーヴィスにたいするニーズを定め、つくりあげるものだった。個人、家族、村落共同体にかんする世話を制度的に定めることは、前例のないほど顕著になった。信者たちの愛は、集会というその行為のなかで「聖霊」の衝撃のもとに新たな生命を生みだすものなのだが、「聖なる母教会」という語は、そのような信者の表現の集まりをほとんどまったく意味しなくなってきた。母という語は、それ以後、救済に絶対必要なあのサーヴィスがそこからしかえられない、神秘的で目に見えない実在にだけ関係するようになってきた。それ以後、普遍的に必要とされる救済はこの母の恩寵に依存するものとなり、この恩寵に近づく機会は男性《メール》聖職者の階層組織の完全な統制下におかれることになった。生命の制度的源泉に近づくことを取りつぐ男性階層組織という性に特有なこの神話は、まったく先例のないものである。九世紀から十一世紀にかけて、専門家のサーヴィスによってのみ満たすことのできるような全人類に共通のニーズが存在するという考えが、形を整えてきたのだ。このようにして、サーヴィス部門で専門的に定められた商品の形でニーズを定義することが行なわれたのであるが、これは、誰もが必要とする基本的物資の産業的生産に先立つこと、ちょうど一千年前のことであった。

ルイス・マンフォードは、三十五年前にこのことを主張しようとした。彼によると、産業制度を基礎づけている基本的前提のいくつかは九世紀の修道院改革によってつくられたという。私は、彼のこの所説をはじめて読んだとき、それが論証よりもむしろ直観によるものと思われて、確信をうることができなかった。けれども私は、産業時代のイデオロギーのルーツが初期カロリング・ルネサンスにあるという点に議論の多くが収斂していることにやがて気がついた。実はその大部分にマンフォードは感づいていないようだ。母なる教会という制度の名のもとに、専門家によって提供される個人的サーヴィスなしには救済というものはありえないという考えは、以前には気づかれなかった発展のひとつである。またそのような発展がなければ、われわれ自身の時代というものも考えることができない。実際、中世神学がこの概念を仕上げるには五百年かかった。牧会という教会の自画像は、中世の終わりにやっと完全に仕上げられたものである。聖職者の階層組織によってミルクを与えられる母なる教会という自画像が公式に規定されたのは、ようやくトレント公会議(一五四五年)においてであった。カトリック教会は、第二ヴァチカン公会議(一九六四年)の規約では、明らかにその世俗の類似物の姿に自分を合わせたのであるが、教会は世俗的なサーヴィス組織の発展にとって、過去に主要なモデルとしての役割を果たしていたのである。

ここで重要な点は、次のような通念である。それは、聖職者がそのサーヴィスを人間本性のニーズとし、このサーヴィス商品を必然的なものとし、それなしですまそうとすれば必ず永遠の生命が危険にさらされる、というものである。現代のサーヴィス国家ないし福祉国家を考えるときは、必ずこの非世襲的なエリートの能力にその基礎を置くべきである。驚くべきことに、産業時代を他のすべての時代と根本的にわかつような宗教的諸概念にかんする研究はほとんどなされていない。牧師による世話を中心に組織された生活が支持され、キリスト教的生活のヴァナキュラーな概念が公的に衰退していったことは、複雑で長い過程であり、西洋の言語と制度的発展における一連の変遷にとって、その背景となっているものである。

メロヴィング朝時代と中世最盛期とのあいだに、はじめてヨーロッパは、ひとつの観念として、またひとつの政治的実体として、形をとりはじめたのであるが、民衆の話すことばは問題となるようなものではなかった。それは「*ロマンス語」ないし「テオディスク語」〔ガリア(ゴール)地方では「ロマン語」、ラインの彼方では「ティオディスク語」〕と呼ばれ、民衆的なものであった。いくらか後になって、やっと俗語が民衆のことばを行政や教義に使われるラテン語と区別する*ふつうの名称〔共通の了解事項〕となった。個人の最初の言語は、ローマ時代いらい、patrius sermo すなわち家族を率いる男性の長《メール・ヘッド》の言語であった。そのような sermo すなわち話しことばは、どれも別々の言語として認められていた。古代ギリシアにおいても、また中世においても、相互に理解可能な方言とさまざまな言語とは、現代のように区別されていなかった。同じことは今日、たとえばインドの草の根の地域にあてはまる。今日われわれが単一言語社会として知っているものは、かつてもそうであったが、いまでも例外的な存在である。バルカン半島からインドシナ西部の辺境にいたるまで、二、三種以上のことばで話していないような村を見つけるのは、今でもまれである。各人は自分の家の長《おさ》のことばをもっていると仮定されている。他方、たいていの人がヴァナキュラーなやり方で、教えられずにいくつかの「俗」語を話すことも同様に当然のこととされている。こうしてヴァナキュラーなことばは、専門化され、学習された言語――教会のラテン語、宮廷の*古フランコニア語〔フランク語〕――と対立するものであって、十一世紀にいたるまで地方のぶどう酒や食物の風味と同じくらいに、また家屋や鍬の形態と同じくらいに、その多様性は明白だった。そのとき、まったく突然に母語という用語が出現した。それはゴルツの修道院の修道士たちの説教のなかに姿を現わした。この出来事によって、ヴァナキュラーな話しことばは道徳的に重要な一問題へと転化することになったが、ここではごく簡単にしかふれることができない。

　ゴルツはヴェルダンから遠くない、ロレーヌの母修道院であった。その僧院は八世紀にベネディクト派の修道士によって、聖ゴルゴニウスのものと信じられている遺骨のあるあたりに建てられた。九世紀に、教会の規律は広範囲に衰微した。ゴルツもまた、まぎれもなく衰退した。しかし、そのような恥ずべき堕落の後三世代をへてやっと、ゴルツは神聖ローマ帝国のドイツ地域における修道院改革の中心となった。それはシトー修道会の生活をさらに強化したものであり、クリューニー修道院の改革事業に匹敵する。一世紀のあいだに、ゴルツから百六十もの修道院が中央ヨーロッパの北東部のいたるところに設立された。

　当時のゴルツがのちのヨーロッパ列強の帝国拡大にとって決定的だった新技術、すなわち馬をよりすぐれた牽引物に変える技術を普及させる中心地であったということは、十分にありそうなことと思われる。アジアに由来する四つの発明――馬の蹄鉄、固定した鞍とあぶみ、くつわ、肩に固定する首あて台――は、重要にして広範囲な変化を可能にした。一頭の馬が六頭の雄牛にかわることができた。同じように牽引し、しかも一層スピード化しながら、一対の牛にとって必要な土地面積で、一頭の馬を飼育することが可能になった。馬のもつスピードのおかげで、夏期の短さにもかかわらず、北部湿地を一層広範囲に耕作することが可能になった。大規模な輪作もまた可能になった。しかしもっと重要なことは、農夫が自分の住居からいままでの二倍も遠い農場へ出かけることが可能になったことである。新しい生活の型が可能となった。以前は、人々はかたまった家屋敷に住んでいた。ところが、いまや人々は、教区、のちには学校を十分に維持するに足る広さの村落を形づくることができたのだ。数十の修道院を通じて、定住形態の再組織化とともに、修道院の学問や規律がヨーロッパのこの一帯に広がっていったのである。

ゴルツ修道院は、古フランコニア語*〔フランク語〕系とロマンス語系のヴァナキュラーな言語が分かれる境界地帯に近く位置していた。クリューニー出身の修道士のなかにこの境界線をこえようとするものがでてきたのだ。こうした状況のもとで、ゴルツの修道士たちは、自分たちの領域的な主張を擁護するために、言語、すなわちヴァナキュラーなことばを問題としたのである。修道士たちは古フランコニア語で説教をはじめ、とくに古フランコニア語の価値について語った。彼らは言語そのものの重要性を強調するために、おそらくはそれを進んで教えようとするために、説教壇を公開討論の場として使いはじめた。私の少しばかりの知識によれば、彼らは足がかりに少なくとも次の二つを採用した。第一に、古フランコニア語は、男たちがすでにロマンス語系のヴァナキュラーな言語を使いはじめていた地域においてすら女性たちによって話されていたということ。第二に、それは母なる教会によって使われている言語であったということ、この二つである。

母性が十二世紀の敬虔な信仰においてどれほど神聖な意味を帯びていたかは、同時代の聖母マリアの彫像をながめたり、当時の詩といえる礼拝式での読誦によって理解できるだろう。母語という用語は、まさに最初に使われたときから、制度的な主張に役立つように日常の言語を道具化したものであった。この母語という単語は、古フランコニア語からラテン語〔ラテン語からフランク語〕へと翻訳された。その後数世紀のあいだ、珍しいラテンの用語としてあたためられていた。ルターが登場するまでの数十年のあいだに、母語は、まったく突然にそして劇的に、ある力づよい意味を獲得した。それは、ルターがヘブライ語の聖書を翻訳するためにつくった言語を意味するようになり、学校教師がその本を読むために教える言語を意味するようになり、それからまた国民国家の存在を正当化する言語を意味するようになった。

今日では、「母語」はいくつかの意味をもっている〔すくなくとも二つのことを意味している〕。すなわち、子供が学ぶ最初の言語という意味、また国家の当局者が人間の〔市民の〕最初の言語であるべきだと決定した言語という意味である。こういうわけで母語は、手あたり次第に習い覚えた最初の言語を意味するのであり、一般に、支払いをうける教師や、あたかもそうした教師であるかのようにふるまう両親によって教えられたものとは非常に異なる話しことばを意味するのである。それからまた周知のとおり現代世界では、人間は「通信し伝達する」ために正しく話をするように教えられる必要のある被造物と考えられている。それはちょうど人間が、現代の風景のなかを移動するためにモーター化された乗物で乗り回す必要があり、自分の足はもはや役立たなくなっているというのと同じである。教えられる母語への依存というものは、商品で定義されたニーズの時代の人間に典型的な、すべて他に依存するというパラダイムとみなすことができる。そして、この依存のイデオロギーを定式化したのはネブリハであった。人間の移動とは、足と開かれた辺境とに依存するものではなく「輸送」の利用〔輸送機関の調達〕に依存すると主張するあのイデオロギーはまだやっと百年をこえたばかりである。だが、言語を教えることは大むかしに雇用というものをつくりだしたのだ。これにたいし、舗装道路と地面の上を走る馬車によって人々の輸送が大事業となったのは、ようやく十八世紀半ばになってからである。

言語を教えることがひとつの就職口となってゆくにつれて、それにはたくさんの金《カネ》がかかりはじめた。いまや言葉(words)は、国民総生産(GNP)を構成する市場的価値の最大二部門のひとつである。何が言われるとよいか、誰にそれを言わせるか、いつ、どんな種類の人々を目標に情報を流すかが、金によって決定される。発せられる言葉のひとつひとつの値段が高くなればなるほど、それだけ確固とした反響が要求される。学校で人々はあるべき話し方を教わる。貧乏な人々に金持と同じような話し方をさせるために、また病人に健康な人間と同じような話し方をさせるために、そして少数者に多数者と同じような話し方をさせるために、金がつかわれる。子供の言葉を、また子供たちの教師の言葉を、よりよいものに、正しいものに、豊かなものに、最新のものにするために、金が支払われる。われわれは、大学で教えられるむずかしい専門用語に多くの金をつかい、さらに高校で十代の少年たちにこれらの専門語をなまかじりさせるのにますます多くの金をつかっている。しかしその結果は、ただある特殊な英語にたんのうな心理学者、薬剤師、図書館専門員に子供たちを依存させるだけである。事態はさらに悪化している。われわれはまず、標準語による民族語*、黒人の言語、南部未開地の言語〔人種的、民衆的、地方的表現」の衰退を放置する。そしてそれから、これらの言語の擬似物を大学の科目として教えるために金をつかう。行政官とエンタテイナー、広告マンと報道マン、民族的政治家と「急進的」専門家たちが強力な利害集団を形成している。そしてその各々が言語というパイの一層大きな分け前をもとめて争っている。

いったい言葉を発するために、アメリカではどのくらいの金が費やされているか、本当のところ私にはわからないが、しかし誰かが必要な統計表をまもなくわれわれに提供することだろう。十年前にはエネルギー計算はほとんど考えられなかった。いまではそれは確立された慣行となっている。今日一カロリーのパンについて、小麦の栽培、収穫から始まって、包装し、輸送し、商品として売られるまでに、どれだけの「エネルギー単位」が投入されるかは、容易に調べることができる。ギリシアの村でつくられ食べられるパンと、アメリカのスーパーマーケットで見出されるパンとの相違は、莫大なものである。後者の一カロリーのパンのひとつひとつには約五十倍のエネルギー単位が含まれている。都市の自転車交通は、徒歩の四分の一のエネルギー消費で、四倍の速さの移動を可能にする。ところが、自動車は同じだけ進むために、一人一マイルにつき百五十倍の熱量を必要とする。この種の知識は十年前に利用できた。しかしそれについて考えたものは誰もいなかった。今日それは記録されており、まもなく燃料の必要にかんする人々の見解を変えることになるだろう。いま言語の会計学〔量化〕*がどんなものであるかがわかれば、興味深いことだろう。というのは、話し手のそれぞれの集団にかんして、平均的な人間のことばを形づくることに費やされた金額がわからなければ、現代の言葉の言語学的分析はたしかに完全なものとはいえないからである。社会のエネルギー計算は近似的なものにすぎないが、せいぜい大きさの等級を認めて、その内部で相対的な価値を見つけることを可能にしてくれる。ちょうどそれと同じように、言語の会計学は、住民のあいだで標準化され、教えられた言語が相対的に優位であるという資料を提供してくれるであろう。だが、私が提起したい議論にはこれで十分なのである。

しかし、ひとつの集団の話し手の言語を形づくるために使われる一人当りの支出だけでは十分なことはわからない。なるほど、貧乏な人々にむかって話される言葉よりも、金持にむかって話される言葉のほうに、一人当りずっとたくさんのコストがかかっているということはわかるだろう。ワットという電力量は、事実、言葉よりも民主的である。しかし教えられた言語は広範囲の性質をまとって現われる。たとえば、貧乏な人々は金持よりもはるかに攻撃にさらされることが多い。それというのも、金持は個人教授を受けることができ、さらにもっと高価なことには、沈黙を買うことによって、自分自身の優越した独自の世界に閉じこもることができるからだ。いまや教育者や政治家やエンタテイナーは拡声機をもって、オアハカ、トラヴァンコール、また中国のコミューンにまでやってくる。貧乏な人々はただちに、沈黙というあの不可欠なぜいたくにたいする権利を失う。だが沈黙から、ヴァナキュラーな言語は生まれるものなのだ。

しかし、沈黙に値段をつけなくても、また私が参考にしたいより詳細な言語の経済学がなくても、なおつぎのように見積ってまちがいない。すなわち、どんな国でもその国のモーター用動力に費やされる金は、給料取りの話し手たちの口から発せられることばの売春に現在支出されている金と比べると、顔色のないほど小さいだろうということである。富裕な国々では、言語は、巨大な投資を吸収して、信じがたいほどスポンジ状になっている。高官、著述家、俳優、または人を魅する者の言語を洗練するための豊富な支出は、つねに文明の高さのしるしであった。だが、これらはエリートに特別の記号体《コード》系を教える努力であったのだ。伝統的な社会においてある人たちに秘密の言語を習わせる費用でさえ、産業社会における言語の資本化と比べると比較にならないほど低い。

今日の貧しい国々では、民衆は依然として言語の資本化を経験することなしに、互いに話をかわしている。もっとも、そのような国にもつねに少数のエリートがいて、国の収入の相当な部分を、自分たちの権威づけのための言語へと配分することに成功してはいるけれども。ここでは私は次のことを問いたい。その言語に巨大な投資を受け入れてしまった集団――あるいは、こうもいうべきだろうか、巨大な投資を吸収した集団、それに抵抗した集団、そのあとも生き残っている集団、それに苦しんだ集団、それを享受した集団――の日々の話しことばと、市場の外にその言語が存続している人々の話しことばとの相違はどこにあるのだろうかと。この二つの世界の言語を比較しながら、こうした文脈で生じるただひとつの論点に私の関心をしぼりたいと思う。言語そのものの構造と機能は投資率によって変化するだろうか。これは、資金を吸収するすべての言語が同じ方向に変化するような変動だろうか。この序論的考察では、これが真実であることを実証することはできない。しかし、私の議論によって、二つの命題は大いにありうるものだということがわかり、また構造的にとらえる言語経済学は探究に値いするものであることが示されたと思っている。

教えられた日常の言語というのは、産業化以前の文化にはかつて先例のなかったものである。今日のように、日常の話しことばを学ぶためにそのお手本や教師に金を払うといったことは、地下燃料への依存とまさしく同様に、産業化した経済の独自の性格のひとつである。母語を教えるという必要《ニーズ》が発見されたのは四世紀前のことである。しかし、言語とエネルギーの両者が現実に全世界的なニーズとして扱われ、計画化されプログラム化された生産と分配によって、すべての人々を満足させるものとなったのは、ようやくわれわれの世代になってからのことであった。というのは、ヴァナキュラーなものと異なり、資本化された言語については、それは生産に由来するものといっても無理ではないからである。

伝統的な諸文化は太陽の光の恵みをうけて存続した。それはおもに農業をとおして取りいれられた。鍬、灌漑用水路、くびきは、太陽を利用する基本的な手段だった。大きな帆や水車は知られてはいたが、まれであった。主として太陽に依存して生きていたこれらの諸文化は、基本的にヴァナキュラーな価値にもとづいて存続していたものである。そのような社会では、道具は本質的に腕、指、そして足の延長であった。集中された工場で動力を生産し、それを遠方の顧客に分配する必要はなかった。同様に、この本質的に太陽から動力をえている文化には、言語の生産の必要はなかった。言語は各人によって文化的環境から引き出されたのであり、それはまた、学ぶ者が、匂いをかいだり触れたり、愛したり憎んだりしうる人々との出会いをとおして学ばれた。ヴァナキュラーなものは、事物やサーヴィスの大部分がそうであるように、共有されることによって広まった。すなわち、任命された教師や専門家に従属するのではなく、むしろ相互的な互酬のさまざまな形態によって広まったのである。ちょうど燃料が配達されなかったように、ヴァナキュラーなものは教えられるものではけっしてなかった。なるほど、教えられたことばは存在した。しかし、それは風車の翼板や風車小屋と同じくらいに珍しいものだった。たいていの文化では、話しことばは日常生活に埋めこまれている会話から、すなわち喧嘩と子守歌、うわさ話、物語、夢に耳を傾けることから生じたことが知られている。今日ですら貧しい国々では、大部分の人々は金を払って教師につくことなしに、彼らの言語技術を身につける。彼らに話し方を教えようとする試みも存在しない。そこで彼らは話すようになるけれども、それは自己意識的にもったいをつけて、もぐもぐと生気のない声をあげる方法とは似ても似つかないものだ。南アメリカや東南アジアの村に長く滞在したあとアメリカの大学を訪れると、私はいつもこの生気のない声にショックを感じる。教育のせいで話し方に鈍感になった学生たちを気の毒に思う。彼らは、テレビの標準英語の生彩を欠く発音と学校に行かなかった人々の生き生きした話しぶりとの相違を聞きわける能力を失っている。もっとも、母親の母乳ではなく人工栄養で育てられた人たちに、いったい他に何を期待することができようか。貧困な家庭の出身なら缶入ミルクであろうし、開明的な階層に生まれたならば、ラルフ・ネーダー〔アメリカの市民運動家、消費者運動の指導者〕の目の前で用意された調合ミルクであるだろう。包装された人工栄養を選択するように訓練された人々にとっては、母乳はたんにもうひとつの選択物としてしか現われない。これと同様に、話したり聞いたりすることを意図的に教えられた人々にとって、教師から教わることのないヴァナキュラーなことばは、数多くのお手本のなかで、あまり開発されていないもうひとつのお手本のようにみえる。

しかし、これは誤った考えである。合理的教育からまぬがれている言語は、意図的に教えられた言語とは種類の異なる社会的現象である。教師につくことなしにおぼえた言語がすべてを分かちあうような世界の主要な目じるしである場合には、この集団の内部にはある意味での力づよさというものが存在する。この意識は、教えられる言語によって複製されるというようなものではない。見方によればこの相違の示すことは、言語そのものあるいは言語の獲得にたいする力という意識である。今日でさえ、世界中の非工業国の貧しい人々は数カ国語に通じている。ティンブクトゥに住む私の友人の鍛冶屋は、家ではソングヘイ語を話し、ラジオのバンバラ語を聞く。また日に五度、献身的にある程度の理解力をもってアラビア語で祈りをささげ、市場ではもう*一つの交易語〔サビール語〕をつかってどうにかやっていく。そして軍隊で習いおぼえたフランス語でまずまずの会話を行なう。これらの言語はどれひとつとして正式に教えられたものではない。彼らはこれらの言語を学ぼうとしたのではなかった。それぞれの言語は、その言語の枠組みに適合した、一連の特有な経験を記憶しているひとつの様式なのである。単一の言語しか話さない人々が優位をしめている社会は、つぎの三通りの環境にある場合をのぞいてはめずらしい。すなわち、後期新石器時代から抜け出ていない部族社会、長いあいだ例外的な差別形態を生きぬいた社会、そして数世代にわたって義務教育の恩恵を享受した国民国家の市民のあいだにみられる。大部分の人々が単一の言語を話すことを当然と考えるのは中流階級の成員に典型的なものである。複数のヴァナキュラーな言語に通じていることを賞讃すれば、まちがいなく立身出世を目ざす野心的な人間ということになる。

教師につくことなしにおぼえる言語は、歴史を通じて優位をしめていたものだ。しかしそれは、ただ一種の知られた言語ではけっしてなかったのである。伝統的な文化では、ある種のエネルギーが風車や運河によってつくられていて、大きな船をもっていたり、流れのおあつらえむきの場所を確保していたりする者は、動力の直接的な移送のための道具を自分たちの利益になるように利用できた。ちょうどこれと同じように、ある特権を自分のものにするために、教えられた言語を利用する者がつねにいた。しかし、そのような追加的な記号体系は、特別でまれなものか、非常に限られた目的にしか役立たないものかのどちらかにとどまった。ネブリハの出現までは、日常の言語はおもにヴァナキュラーなものだったのである。このヴァナキュラーな言語は、それが日常の口語、交易語、祈りの言葉、職人の仲間用語、基本的な計算語、狩猟用語ないし年齢に特有の言葉(たとえば幼児語)であろうと、これらは日常の意味ある生活の一部として余分に習得された。もちろん、ラテン語やサンスクリット語は正式に僧侶にたいして教えられた。古フランコニア語、ペルシア語、トルコ語のような宮廷語は、将来書記になろうとする者に教えられた。天文学、錬金術、あるいは近時のフリーメーソンについてその言語の初歩が初心者にたいして正式に手ほどきされた。そこで、そのような正式に教えられた言語を知っていると、その人は明らかに他の人々よりも上におしあげられる。それは自由民を歩兵の農奴よりも高く引き上げる鞍にいくらか似ている。あるいは船長を乗組員より上に立たせるブリッジにいくらか似ている。しかし、あるエリート言語に近づく機会が正式の加入儀式によって開かれたときでさえ、言語が教えられているということを意味するものでは必ずしもなかった。よくあることだが、正式の加入儀式の過程は新規加入者に新しい言語技術を伝達するものではなく、ただある言葉を使用したり、ある機会に口外したりすることを他の人々に禁じているタブーを、それ以後免除するだけのことである。おそらく、狩猟ないし性の言語体系に男性《メール》が加入する儀式は、このように選択的な言語のタブーを儀式的に解除するもっとも広範な事例のひとつであろう。

しかし伝統的な社会では、教えられた言語は、それが多く教えられようと少なく教えられようと、ヴァナキュラーな話しことばに痕跡を残すことはめったになかった。いつの時代にもある言語が教えられるということがあったり、専門職の説教師やコメディアンによってある言語が普及されるということがあっても、私の論点は弱められるものではないのである。われわれが今日、近代ヨーロッパと呼んでいる社会の外の世界では、給与を支払われる教師やアナウンサーの統制に服するような日常言語を全住民に押しつけるような試みはかつてなされなかった。日常言語は最近まで、どこでも計画の産物ではなかったのだ。それはどこでも、商品のように金を支払ったり、配達されるものではなかったのである。国民国家の起源を論じるすべての歴史家は国語の強制に注意をはらっている。ところが経済学者は、この教えられる母語が特殊近代的な商品の最初のもの、すなわちその後のあらゆる「基本的必要」の原型であるという事実を一般に看過している。

教えられた口語的話し方とヴァナキュラーな話し方、また金《カネ》のかかる言語と費用なしに生まれる言語とを対照させて議論を進めるまえに、もうひとつの区別を明らかにしておく必要がある。それは、教えられた母語とヴァナキュラーなものとのあいだに私が引いている境界線は、言語学者がエリートの高級言語と下層階級の方言とを区別する場合とはどこか異なるものであり、また地域の言語と地域をこえた言語とを分ける辺境ともどこか別のものであり、さらにまた制限された記号体系《コード》と修正された記号体系《コード》の区別ともどこか異なり、読み書きできる人とそうでない人の言語を区別する境界線ともどこか異なったものだということである。言語とは、それがどんなに地理的境界に限定されていようと、どんなに社会的地位に特徴的なるものであろうと、どんなに性《セックス》の役割やカーストに特有なものであろうと、私がここで使っている意味でヴァナキュラーなものか、それとも教えられたものの変種かのどちらかである。エリート言語、交易語、第二言語、地方語は少しも新しいものではない。しかし、これらの言語は、どれも公式に教えることができるものであって、教えられたヴァナキュラー語というにせ物が商品となる。これこそまったく新しいものなのである。

この新しくないものと新しいものという二つの補足的な形態の対照は、教えられた日常の言語において、つまり、教えられた口語や、教えられ標準化された日常の言語において、もっともいちじるしく、かつ重要である。だが、ここでもう一度混乱を避けておく必要がある。すべての標準的言語は、文法に支配されたり、教育にもとづいたりするものではない。すべての歴史を通じて、相互に理解しうるひとつの方言は、一定の地域で優位を占める傾向がある。この種の主要な方言はしばしば標準的な形態として承認される。なるほど、それは他の方言よりも書かれることが多い。しかし、だからといって、それが教えられるということはなかったのである。むしろ、はるかに複雑で微妙な過程を通して普及したのである。たとえば、イングランドの中部方言は、イングランドのどんな方言で生まれ育ったひとも話すことのできる第二の共通な表現形式として登場した。ムガール族の言語(ウルドゥ語)はまったく突然に北インドに現われた。二世代をへて、それはヒンドスタンの標準語となった。すなわち、広大な地域の交易用語となり、サンスクリットやアラビア文字で書かれた美事な詩を伝える媒介者となった。この言語は数世代のあいだ教えられなかったばかりではない。*言語能力〔彼らの芸〕を完全なものにすることを望んだ詩人たちは、明らかにヒンドゥ‐ウルドゥ語の勉強を避けていた。彼らは起源的にウルドゥ語誕生の一因となったペルシア語、アラビア語、サンスクリット語の資料を探究した。インドネシアでは、日本軍やオランダ軍にたいする約十五年の抵抗のなかで、軍隊の統一と闘いを訴えるスローガンやポスター、また解放闘争の秘密放送はマレー語の言語能力をあらゆる村に広めた。のちに、独立後つくられた言語統制局の努力よりもはるかに効果的に広まった。

　たしかに、エリート言語または標準語の支配的地位は、書くという技術によってつねに強められた。印刷によって、エリート言語の植民地化能力は途方もなく高められた。しかし、印刷が発明されたためにエリート言語がヴァナキュラーな多様性にとって代わるものとなったのだというのは、衰弱した想像力の所産というほかはない。あたかも原爆の発明以後は、超大国だけを主権国としようというようなものである。歴史上、教育の官僚体制によって印刷機を支配的に独占する事例が見られたが、このことは、文章表現に新しい生命を与えたり、無数のヴァナキュラーな形態に新しい文学的機会を与えるために、印刷技術を利用することはありえない、といった論拠となるものではないのである。印刷機によって、かえって支配しがたいヴァナキュラーな読書の力と範囲が増大するという事実こそが、ネブリハの大きな心配の原因であり、彼がヴァナキュラーなものに反対する議論を行なった原因であった。印刷が――最初の四十年はそうではなかったが――十六世紀初め以来標準国語の強制のために主として利用されたという事実は、印刷された言語がつねに教えられた形態でなければならないことを意味するものではない。国語と呼ばれようと、標準文語とかテレビ語と呼ばれようと、教えられる母語の商業的地位は、主としてまだ検証されたことのない諸公理にもとづいていて、そのいくつかについてはすでに言及したところである。たとえば、印刷は標準化した文章を含むものだ。標準語で書かれた書物は、その語を学校で教わらなかった人々にとって、読もうと思っても容易に読むことができないものだ。読書とはまさにその性質から沈黙の行為であり、ふつうはこっそりと行なわれるべきものだ。多少の文章を読んで、それを書き写すという普遍的な能力を強化すれば、人々が図書の中味へと近づく機会がふえる、といったあれこれの幻想がある。こうした幻想こそ、教師の地位を高めるために、輪転機の売り上げをますために、人々をその言語コードによって段階づけることを強化するために、さらにまた現在までＧＮＰを増加させるために、利用されたものなのである。

ヴァナキュラーなことばは実際に使われることで広まってくる。それは、日々の生活のなかで語りかける人に向けて、伝えたいことをいい、いいたいことを伝える人々によって学ばれるものである。教えられる言語の場合はそうでない。ここでは、自分が学ぶ相手は、自分にとって好き嫌いの対象となるようなひとではなく、話すことの専門家である。教えられる口語にとっての手本となるのは、自分の思っていることをいわないで、他人の考えだしたものを復唱するようなひとである。この意味で、自分の商品を型どおりのことばで告げ知らせる往来の物売りは、話すことの専門家ではない。一方、王の伝令官やテレビの道化師はプロトタイプだ。教えられる口語は、放送台本にしたがっているアナウンサーの言語である。その台本は政治記者が編集者に語ったものであり、その内容は重役会で決定されたものである。教えられる口語は、他人のつくったテキストをいつわりの確信をもって朗読することで金を払われている人々の死んだ非個性的修辞法である。また当のテキストをつくった人たち自身もふつうそれを考案するだけで金を支払われている。教えられた言語を話す人々が模倣するのは、たとえばつぎのような人たちである。ニュースのアナウンサー、ギャグ作りのコメディアン、教科書解説の教師用手引にしたがう教師、機械的な韻をふんで歌う歌手、代作してもらった大統領。これは、人前でなにかを言おうとするときに、暗黙に存在する言語である。つまり、舞台をながめる観客に向けられる言葉である。それは演劇の言葉ではなく、道化芝居の言葉であり、真の演技者の言葉ではなく、大根役者の言葉である。マス・メディアの言語は、スポンサーが何度も強く印象づける適切な聴視者像をつねにもとめている。ヴァナキュラーな言語は互いに会話に組みこまれた完全な人格間の交渉によって生みだされるのにたいして、教えられる言語は、あたかもおしゃべりという仕事を割り当てられたラウドスピーカーと同調であるといえる。

ヴァナキュラーなことばと教えられる母語とは、口語*〔通常の話しことば〕というスペクトルの両極端に位置している。言語は、そのすべてが教えられたものであるなら、まったく非人間的なものとなるだろう。これはフンボルトが、真の言語とはもっぱら育むことのできる話しことばであって、けっして数学のように教えられるものではないと述べたとき、言おうとしたことである。話しことばは通信・伝達以上のものである。ヴァナキュラーな基礎とは関係なしに通信できるのは、機械だけである。現在、ニューヨークでは、電話会社が人々の利用権を保証した免許のもとで営業しているにもかかわらず、電話回線の約四分の三は機械相互のおしゃべりが占めている。これこそ、政治が肥大化し、ヴァナキュラーな世界が二流の商品へと退化したことから生じた法律的特権の悪用であることは明白だ。しかし、こうした自動機械による自由な言論の場の濫用よりも一層やっかいで意気消沈させるのは、人々が自動機械の言うような決まり文句を話していることの影響である。これは人々が互いにおそらく「話をしている」はずの残りの電話回線を破滅的なものにしているのだ。話しことばのなかに内容、形式ともたんなる決まり文句にすぎない部分がしだいにふえてきた。このようにして口語*〔通常の話しことば〕は、言語のスペクトルの上を、ますますヴァナキュラーな「通信・伝達」から資本集約的な「通信・伝達」へと移動している。それはちょうど蜜蜂、鯨、またはコンピュータどうしでも行なっている交換《やりとり》を人間がさまざまに行なっているにすぎないかのようである。なるほど、ヴァナキュラーな要素や性質にはつねに生き残るものがある。――が、これはコンピュータのプログラムの大部分についてさえいえることである。私は、ヴァナキュラーなものが死に絶えたと主張しているのではない。ただ衰えていると主張しているだけである。アメリカ英語、フランス語、あるいはドイツ語の口語は、二種類の言語から構成されている合成語である。すなわち、あたかも商品のような教えられる擬似言語と、生き残ろうともがいている、不自由な足を引きずったとぎれとぎれのみすぼらしいヴァナキュラーな言語である。教えられる母語は話しことばにたいする徹底的な独占を確立した。ちょうど輸送が移動にたいして徹底的な独占を確立したのと同じように。あるいはもっと一般的にいえば、ちょうど商品がヴァナキュラーな価値にたいする徹底的独占を確立したのと同じように。

時として神聖なタブーと同じくらいに強力な抵抗があるために、産業社会の生活で形成された人間には、ここで論じているような相違、すなわち資本化された言語と、経済的に費用の測定できないヴァナキュラーな言語との相違がわからなくなる。これと同じ種類の禁制によって、産業化された制度のなかで育てられている人々は、たとえば母乳による養育と哺乳ビンによる哺育、文学作品と教科書、自分自身で移動する一マイルと乗客としての一マイル、といったことの根本的区別を感じとることが困難になっている。これは私が過去何年にもわたって、その問題点を論じた領域である。

おそらく大多数の人が、家庭で調理される食事と、テレビ視聴者向けに産業的につくられた食事とのあいだには、味覚、意味合い、満足の点でたいへん大きな相違のあることを認めるであろう。しかし、この相違を検討し理解しようとすると、ただちに障害にぶつかる。とりわけ貧しい人々への平等な諸権利、公正、奉仕事業などにたずさわっている人々のあいだでそうである。この人たちは、何人の母親に母乳が出ないか、ニューヨーク市のサウスブロンクス地区で何人の子供が蛋白欠乏症にかかっているか、どれだけ多くのメキシコ人が果樹に囲まれながらヴィタミンの欠乏で不自由な足を引きずっているか、を知っている。私がヴァナキュラーな価値と、経済的に計算でき、それゆえに管理される価値との相違を持ち出すや否や、いわゆるプロレタリアートの教師を自任する人たちは、私が非経済的なすばらしさをもったものに重要性をあたえて、批判的な論点を避けていると非難することだろう。なによりもまず、基本的ニーズにかかわる商品の公正な配分を探求すべきではないか。つぎには、あまり思案したり努力したりしないで詩をつくり、魚釣りに出かけるとよい。そうして、マルクスを読み、解放神学によって解釈されたマタイ伝を読む、ということになるわけだ。

ここには、なるほど見上げた意図からではあるが、十九世紀において非論理的とみなされるべきだった議論や、この二十世紀に無数の経験によって誤りが示された議論が試みられている。いままでのところ、ヴァナキュラーな価値を普遍的な商品で置きかえようとするすべての試みは、平等とは反対に貧困の階層化として現代化されてきている。この新しいやり方*〔配分方式〕のもとでは、貧しい人々は、市場に近づく機会がほとんどないか、またまったくないからといって、ヴァナキュラーな諸活動によって生き残る人々であるとはもはやいえない。いや、現代化された貧困者層は、会話や行為においてヴァナキュラーな世界がもっとも制限されている人々なのである。いいかえると、ごくわずかのヴァナキュラーな活動になおも従事することができたとしても、それから最小の満足しかひきだせない人々なのである。

私が挑戦しようとしている第二のレヴェルのタブーは、ヴァナキュラーな言語と教えられる母語との区別から構成されるものでもなければ、教えられる母語による話しことばの徹底的な独占の結果としてヴァナキュラーな言語が破壊されたということから構成されるものでもない。またこのヴァナキュラーな言語の麻痺を階級的偏見によって強調することによって構成されるものでさえない。これら三つのことは、今日はっきりと理解されてはいないけれども、近年ひろく議論されてきているものである。ここで念入りにも看過されている論点は、まったく別のことである。それは、母語が金を支払われる代理人たちによってではなく、支払われることのない両親たちによって、ますます教えられるようになってきていることである。こうした両親たちは、子供たちから互いに語りあう大人の話に耳を傾ける最後の機会を奪っている。二、三十年前に私が非常によく知っていた地域のサウスブロンクスにこのあいだ戻ってきたとき、このことがはっきりと感じられた。私は、同僚と結婚している若い大学教師のもとめで、そこに出かけたのだ。半分こわれた高層アパートの建っているスラム街の住民のために、この教師は、幼稚園以前の言語訓練を無償で行ないたいとの嘆願書に、私が署名することを望んだ。これまで私はすでに二度も、まったく断固として、しかも深く困惑しながらこれを拒否していたのだ。この教育の事業《サーヴィス》の拡大にたいする私の反対に打ちかつために、彼は、褐色、白人、黒人のたいていは片親*の家庭〔いわゆる「一家の主人」のいない「家庭」〕の訪問へと私を連れていった。人の住めないセメントの通路をすばやく駆けぬけていく数十人の子供たちがいた。彼らは一日中、英語やスペイン語、さらにはイディシュ語をがなりたてるテレビとラジオの騒音のなかにいた。言語と環境の両方ですっかり当惑しているようにみえた。この友人がさらに署名をせまったとき、私はつとめて、これらの子供たちがこれ以上去勢されることのないように、また教育の世界にこれ以上まきこまれることのないようにと、子供を守るために反論した。われわれの話は食い違い、けっして歩みよることはなかった。そのあと夕方になって、友人の家での夕食のときに、はたと理由がわかった。私はこの男を、この地獄のなかに住むことを選んだということで畏敬の念をもって眺めていたのだが、しかし、実は彼は親であることをやめ、まったくの教師になっていたのである。自分自身の子供を前にして、この夫婦は教師という立場に立っていた。彼らの子供たちは両親なしで成長しなければならなかったのだ。というのも、この二人の大人は、二人の息子と一人の娘にひとこと話しかけるたびに、子供たちを

「教育」しようとしていたからである。この夫婦は夕食のとき、たえず意識的に自分たちの子供の話しことばを型にはめようとしていた。そして私にも同じことをすることをもとめたのである。

専門家的に愛する者として子供を育てている専門家的な親にとって、また近隣の組織のために半ば専門家的なカウンセルの技術を自主的に提供しているそうした親にとって、管理された社会にたいする自分の無償の貢献と、それと対照的な、ヴァナキュラーな世界の回復となりうるものとを区別することは、依然として無意味なものにとどまっている。こういうひとは、拡大する影の経済を計画し組織するという、新しいタイプの成長指向のイデオロギーにとってのかっこうの餌食である。それは経済人《ホモ・エコノミクス》が直面する、倨《きょ》傲《ごう》にみちた最後のフロンティアである。

5　生き生きとした共生を求めて

――民衆による探究行為――

「民衆によるサイエンス」という用語は一九七〇年代に新しく登場したが、いまでは一般にゆきわたって、耳慣れたことばになっている。この用語は、ある種の文献にたいてい出てくることばだが、それらの文献への手引書としてはボレマンスの読書案内が最良である。それらの文献の著者たちは、権力分散的な多面的な方向性をもった一種の共同体のなかで、現代的なさまざまの手続きを踏んで自分たちを消費から切り離《アンプラグ》し、簡素で、ごたごたと入り組んでいない、自律的な生活をおくっている。*〔これはアンドレ・ゴルツがコンヴィヴィアリティの列島と呼んだものの内部で営まれている探究であり、この図書目録はその最初の航海地図を描き出している。〕私は、彼らが自分たちの探究活動をさし示すのに使っている用語を、私自身がどのように理解しているかを明確にするように、問われてきた。それは最初、つかみどころのない、イデオロギー的なものに見える新しい用語であった。しかも近い過去には、この用語に先行する用例はない。この用語を使う人たちはこの語によって、ベーコン以来の科学、いやさらにさかのぼって十三世紀以来の科学のもっていた意味とはまるで逆の意味合いを表わそうとしている、という印象を私はうける。

ボレマンスによる読書案内を検討してみると、「民衆によるサイエンス」と「民衆のためのサイエンス」とが正反対の使われ方をしているということがわかる。後者はよく研究・開発(Research and Development)と呼ばれ、第二次大戦以降は、たんにＲ＆Ｄの略称でもよばれている。Ｒ＆Ｄは通常、政府・企業・大学・病院・軍隊・財団などの巨大な制度によって実施される。それはまた、自分たちの調査研究の成果をいろいろの団体や機関に売り込みたいと考える人々が小チームをつくって、事業として行なう活動でもある。Ｒ＆Ｄは高い威信のある研究活動で、人類共通の福利のためになされる――とその後援者たちと研究担当者たちは主張するわけだが――と同時にたいへんな費用がかかり、また免税措置の講ぜられている活動でもある。そのために、それは高い学位をもつ学者にとっては、定収入かつ高収入を約束されたよい仕事となる。Ｒ＆Ｄは、社会科学的と自然科学的、原理的と応用的、個別専門的と学際的の、いずれでもありうる。「民衆のためのサイエンス」という用語がＲ＆Ｄにたいして適用される場合に、この語の用法に通常非難めいた意味合いがついてまわるわけではない。むしろ原則としてこのことばは、Ｒ＆Ｄの行為を否認する意味など、まったくもちあわせていないのだ。この用語はただたんに、研究成果がその研究を行なった人々の日々の活動になんら直接の関係をもっていないということを物語っているだけだ。Ｒ＆Ｄは、それが実施されると、中性子爆弾、筋ジストロフィー症、太陽電池、養魚池など、何でもつくりだしてしまうが、要するにそれは、つねに他の人々用のサーヴィスをつくりだすのだ。明らかに「民衆によるサイエンス」はこうしたものではない。

まず最初に、「民衆によるサイエンス」ということばは、負け惜しみで使っている、と解されるかもしれない。実際のところ、この探究行為《リサーチ》は、資金がほとんどないかあるいはまったくなく、スポンサーもなく、権威ある雑誌に成果が掲載される当てもなく、その成果はスーパーマーケットでなんの利益も産むことがないからである。だが、これに従事している人たちはいっこうに、恋人に振られた失意の人のようにも、またがつつ恋の相手を探している者のようにも、見えないのである。彼らは、注意深く、入念に、錬磨された手段で探究行為を行なう。関連する領域ではR＆Dについても知悉しており、応用可能ならその成果を使うことをためらわない。しかも、彼らはこのわずか十年のあいだに、自分たちの成果を普及し批判しあえる公開討論の場となる、オルタナティヴな研究発表のネットワークをつくりあげてきた。彼らは単独で学問をするか、あるいは小チームで学問をする場合もあるが、主としてそのために、彼らは自分たちの生き方の様式《モード》やスタイルを直接つくりだすことになる。もとより特許などに関心はなく、また売る目的で見栄えのよい産物を生産することもほとんどない。こうして彼らは、R＆Dで働いている者たちの貧しい弟分といった印象はまったくあたえないのである。

こうした探究行為とR&Dとの違いは、容易に直観的に見分けることができる。前者においては、人々は自分たちに直接役立つ道具や身近な環境をつくり、それらを改善し、美しくすることにもっぱら意をそそぐのであって、真似したり応用したりすることは他の人々に任せるのである。探究行為とR&Dとは、実際に行なわれる場合にその違いがはっきりする。だが、この違いをめぐってなされる論議はこれまでのところ漠然としていて、感情に走り、イデオロギー色が濃く、的はずれである。両者の違いについての最良の定義づけでさえ、消極的なものにとどまっている。そのできの良い例がボレマンス自身による定義だ。彼女はつぎのようないい方をしている。「民衆によるサイエンスは……人々が市場や専門家への依存を増すことなく、日々の諸活動の利用上の価値を高めるためになされる探究行為である」と。

「民衆による探究行為《リサーチ》」は、実際に広く行なわれているにしても、二十世紀の言語では何とも名づけがたいものについての探索といった意味合いをつたえてくれる。その活動はまさに探り究める行為なのであって、ただたんに、あたった実験・はずれた実験を分類整理することではない。* それは、図書館での文献調査にささえられ、世界中の仲間によって批判的に評価される〔ボレマンスがふれている数十にのぼる国際的定期刊行物は、専門の研究者たちを結びつけている」。それはまた探究行為の遂行者が自己自身を市場から切り離そうとする努力をもあらわしている。それは自律性を求める探索である。だがそれは新しい綜合における自律性の探索であって、「旧き良き日々」への回帰でも、またアーミシュの信仰共同体の生活形態を真似することでもない。こうした探究行為は趣味ではないし、宗教的事業でもない。しかもそれは、何をさておいても、実際にそれをする人々の生活上の快適さや美しさをよりよいものに改善することを追求しようとするし、その上、探究の成果を批判的にテストするのであるから、民衆による探究行為というのは、いかなる意味に受けとられようと、断じてユートピア的と呼ぶことはできない。こうした基準に適合する意図と活動とのセットは、掛け値なしに新しいことであって、それだけに、それを一語でうまく表現できることばはない。となれば、いたし方なし、「民衆による……」という用語を放棄することなく、最後までつきあおうではないか。

*ところで歴史家として、私は、何であろうとまったく新しいものという見せかけをとるものには大いに疑いをいだくものだ。もし、ある考えに前例を見出すことができないなら、ただちに私はそれがきっと馬鹿げたことであるにちがいないと思ってしまう。もしも過去の歴史のなかに、私が知っている人で、私が驚きを覚える事柄について空想の

なかで議論できるような人が見つからないならば、非常に淋しい気持になるだろうし、他に誰もいない私だけの現在という偏狭な地平の囚人のように感じてしまうことだろう。そこで、私は、民衆による探究行為の意味を明白にすることを問われたときに、捜し歩いてついに十二世紀の思想家であるユーグ・ド・サン・ヴィクトール〔聖ヴィクトールのフーゴ、ラテン名＝フゴ・ア・サン・ヴィクトル、英訳名ヒュー〕（一〇九六―一一四一）に出会った。彼はなんと素晴らしい連れあいになってくれたことか。この人は、十三世紀より前に、だが古典古代より後の時代に生きた人なので、私たちが科学と呼び慣わしているものに汚染されていないのである。

〔私は歴史家なので、いわゆるまったく新しいものには、いつも非常な警戒心をいだいている。前例をみつけることができないような思想に出くわすと、私はすぐに、これはおかしいのではないだろうかと疑ってかかる。そして、自分の驚きについて頭のなかで想像しながら、ともに語り合う知人を、過去の知人を、過去の時代のなかに誰かみつけることができない場合、自分が生きているこの時代と、限られた視界とにとじこめられた囚われ人であるような気がして、私は非常な孤独感をあじわう。だからといって、なにも私は、今の時代の新しいものを、昔の人にほめてもらいに図書館に出かけるといってているのではない。またその新しいものが、かつてあったものの生まれかわりだといっているわけでもない。ただ、いまの時代に生まれた新しいものについて、アリストテレスや、アベラールや、テレーズ・ダヴィラたちと語り合おうとするならば、どうしても私は、根気よく、厳密に、地道な研究をなさざるをえなくなるのである。

生き生きとして《コンヴィヴィアル》共生的な探究について寄稿しないかというさそいは、ドイツに滞在中、私のところに届いた。ちょうどドイツの大学で中世史の講義の準備をしていたときのことである。私は一一一五年から一一三〇年にかけてのテキストを十二冊ばかり学生たちのためにえらんだ。われわれは、これらのテキストを授業で読み、注釈をつけるのだが、その研究の目的は、そのようにして昔の人々のことをよく知るためというよりも、もっとずっとささやかなものである。われわれは、その時代が残してくれたテキストを読み、今日あるそれらのテキストの翻訳や注釈研究を検討批判する。そして、中世に表現されたものが持っているさまざまな意味を一九八〇年代の若者が理解できない場合、彼らの精神構造のなかで彼らの理解をさまたげている典型的な障害は何かをみつけることが、われわれの研究の目的なのである。

私が「民衆による探究行為」の意味を明らかにしようと苦心していたとき、十二世紀の一人の思想家がふと思い出された。ユーグといって、つき合ってみるとなかなかすばらしい人物である。彼は古典古代以後十三世紀以前に生きていたので、通常われわれが

「科学」とよんでいるものにふれたことはない。一九八〇年に生まれた概念を明らかにするために、八世紀も昔の思想家を手がかりにするとは、と驚かれる人が多いことはよくわかる。聖ヴィクトール修道院の繁栄時代を訪れてみるということは、知的観光旅行にすぎない、という人もいようし、私がユーグを今世紀にひき入れるとはけしからん失礼なことだ、という人もいよう。ところが私は誰にでも、次のような同じ答をすることにしている。――今日セヌーフォ〔コートディヴォワール、マリ、ブルキナファソ地域にまたがるアフリカ黒人をさす。定住の農耕民族で、非常にオリジナルなマスク芸術をもっている〕や、マヤの国々を、多くははだしで、実に簡単な恰好をして、歩きまわっている無数の若者たちがいる。そして彼らは、こういった国の人々を理解していると思いこんでいる。……そういう若者にとって、ユーグ・ド・サン・ヴィクトールのほうがずっと身近な人間である――時代的には確かにかけ離れてはいるが――ということがわかるならば、この発見は、彼らが風俗習慣のまったく異なる「エキゾチック」な同時代人と接した時、もっとも鋭い人間観察の能力を養うのに役立つに違いない、と。」

聖ヴィクトールのユーグは一〇九六年頃、おそらくイープルというフランドルの町に生まれ、ザクセンで育った。彼が生きた時代には、彼は聖ヴィクトール〔このパリの修道院で彼は教えていた）のユーグ、師フゴ、尊者フゴ、偉大なユーグなどとして知られていた。彼はまたザクセンのユーグともよばれたが、それは青年時代をハメルスレーベンの修道院で過ごしたからであり、また後世の人が、ユーグをブランケンブルクの権勢家の高貴な生まれとしたためである。彼はテクノロジーの哲学において重要な位置を占めている。それというのも彼は、私の知っている他のいかなる著作家ともまったく異なる、独創的なやり方でその課題にとりくんだからである。しかしながら、R&Dへのオルタナティヴつまり代替策をはっきりつかもうとする今日行なわれている試みにたいして、彼の考えがどれほど貢献しうるものかという点について、今日にいたるまで吟味されたことがないのである。このことに眼をとめると、彼が科学とテクノロジーの歴史の主潮流のなかで論じられていないことの意味の重大さに私は気づくのである。せいぜいよくても、彼の名は、粗雑な科学者人名リストのなかで他の無数の名といっしょに時たま見つかるていどである。だから私は、彼の思想を論じるまえに、まず彼をここによみがえらせる必要がある。

青年時代に、彼は「聖堂参事会」と呼ばれた新しい宗教団に加わった。それは通常の修道院ではなく、当時のヨーロッパにおける社会人口学的変動——主として自由都市の興隆——がもたらした男の共同体である。ふつう、修道士たちの場合は、その規則と務めとが小さな田園共同体での生活を細かく規定していて、しばしば周囲からまったく隔絶していたのであった。だから、修道士たちがよく暮らしたのは、自給自足的な囲い地であって、それは周りを新開地で囲まれていた。彼らの活動はといえば、自分たちの修道院と農園を経営することがおもな仕事であって、したがって礼拝を始めとする儀式と肉体労働にほぼ限られるのが普通であった。ところが、それと異なって、新しい宗教団は都市に居を構えるのが普通で、美徳を規範とする生活を送って、キリスト教徒たちの徳化につとめたのであった。

青年ユーグは、叔父といっしょにザクセンからパリへと旅をし、パリにある聖ヴィクトールの聖アウグスティヌス会修道院――その当時それはまだ市の廓壁の外にあったが――に住みついた。パリは知的な活気にみちあふれていた。知識をしこたまつめこんだ者たちが、自分たちの信念を深い情熱でみたし、臆面もない単純さをもって信念を行動にあらわし、かつ語り、公衆の前で激しい論争を交わしていた。こうしたあらゆる精神的発酵の中心は、その当時はまだカトリックの大聖堂の付属学校であって、そこから十七年後に大学が出現することになる。ピエール・アベラール(一〇七九―一一四二)が校長であった。彼はしんらつで鋭いウィットに富む、頭の切れる聖職者で、西欧の生んだ偉大な教師の一人であり、学生たちによって偶像視されていた。しかし、その学校で教師をしていたアベラールの同僚たちのうちで一人ならず、彼の嘲りを浴びて去った者たちがいた。ユーグ自身の師であったギヨーム・ド・シャンポーはそうした人であった。アベラールの教え方は、思考における批判の手続きや思考方法の刷新において決定的な役割を果たした。いまだに信仰と服従に支配されていた時代の只中にあって、彼は、方法的に疑うことの大切さを説いたのである。彼は懐疑が必要であることを説くにあたって、畏敬されている神学の権威者たちの相対立する意見を互いに並置してみせたり、伝統的な考えと著作家たちとのあいだの対立が解決されねばならないときに理性の果たす役割を強調したのである。倫理学において、彼は類推原理を用いて、しきたりと律法主義のはびこる時代に良心と意図とを強調した。彼には多くの手強い論敵がいた。偉大なる神秘主義者クレルヴォーのベルナール(一〇九〇―一一五三)は、高貴かつ謹厳な人物で、ベネディクト派の修道院を暴力的に改革した修道院改革運動の唱道者であるが、アベラールを黙らせるために終生にわたって飽くことなく中傷と攻撃を加えることに熱意を燃やした人であった。ベルナールにとっては、はたして哲学と人文学(つまりギリシア・ローマの古典研究)が修道士や学者の生活に似つかわしいものかどうかは、もっぱら聖書をよりよく理解するのにそれがどのていど必要か、ということにかかっていたのだった。

アベラールの敵はともかくもさしあたりの勝利を手にした。彼の弟子のなかで最もきらめく才能の持ち主エロイーズとの悪名高い出来事のために、彼はその座を追われ、去勢され、名誉を剝奪された。おそらくこの〔アベラールとエロイーズの事件の〕頃、ユーグはパリに着いており、人間の生活において探究行為の占める位置について教え始めていた。ユーグという人物が確かに存在していたことを証明する最初の記録文書は、まさにこうしたときに現われたことがわかる。その当時、彼はすでに聖ヴィクトールの師と認められていたが、それは二重の意味においてであって、一つには学芸の指導者であったからであるが、もう一つには、いずれ彼自身の生涯をこえて広がっていくことになる強力な知的影響力を発揮するにいたっていたからでもある。二世代にわたっての、聖ヴィクトール寺院の、穏やかでありしかもユーモアを含んで批判的な、あの実際的な神秘主義の風変りな混合物は、ユーグに負うところが大きい。

われわれは彼の生涯についてほとんど知るところがない。彼について語られた逸話もほとんどない。彼は多分一度ローマへ旅したと思われる。だが、彼の著作を読む者は、彼の考えが独創的でユニークなものであることを容易に認めるはずである。彼の思想は、強い個性的なスタイルが刻印されていて、印象深い。彼が学生たちにむかってくりかえし助言したのは、すべてを学びとれ、時がたてば学んだことの一つとして無駄なことはなかったと知るときがくるだろう、ということだった。E・R・クルティウスは、初期の神学者のなかで、キリスト教信者たちに笑いを推奨したような者はひとりとしていない、と述べている。ところがユーグときたら、学生たちのあいだに笑いのムードをかもしだすように教師たちを力づけさえしている。それというのも、真面目な事柄はユーモアを混ぜることによって容易にしかも楽しく吸収されるからだ。肉欲を断つどころか、肉欲の誘い水になるかもしれない笑いをも避けるべし、とする、少なくとも七百年にわたって学生たちに説かれてきたキリスト教の訓戒をものともしなかったそうしたユーモアのすすめは、学生たちの胸にじかに響くものがあった。ユーグはその活気に充ちた魂を死ぬまで失うことがなかったと、彼を最後まで看護した信徒オスベルグは記している。この修道院の門番が述べることには、ユーグの墓に詣でる人の列は途切れることがなかったが、同時にパリによからぬ噂が広まりはじめていた。その噂とはつまり、シトー修道会の修道士たちと思われる、技術の進歩ということをおよそ信じようとしない学生たちが、ユーグの幽霊が夜毎彼らのところに現われて彼らを悩ませると述べ立てたというのである。ユーグの幽霊はお祈りをしてくれるよう頼みに来た。ユーグは煉獄で、学術と機械のことに生前あまりに好奇心をもちすぎた罪の償いをしているのだが、その煉獄の責苦から解き放たれるためには祈りが必要だ、というわけである。

ユーグの死後、その影響力は、彼自身の修道院を超えて、したがってその修道院の忠実だが概して鈍重な弟子たちをはるかに超えて、ひろがった。彼は、著名なドミニコ会の偉大なアルベール〔ラテン名＝アルベルトゥス・マグヌス〕およびその弟子トマス・アクイナス、またフランシスコ会のハーレスのアレクサンダー〔ラテン名＝アレクサンデル・ハレシウス〕、およびボナヴェントゥラに影響をあたえた。彼の思想とことばは時を経て、『キリストに倣《なら》いて』を通して広く読まれるようになった。ユーグはまた、キェルケゴールが眼にとめ、引用した、数少ない中世の思想家の一人でもある。しかしながら、ユーグがもっとも明白に、もっとも広く影響力を及ぼしたのは、その著書『学芸論＝ディダスカリコン(Didascalicon)』を通してであって、この本は教科書として使われた。

十二世紀の中頃という時代は、過去の著作のもつ支配力が自然に終わりになりつつあることに学者たちが確信をもてた、歴史上まれにみる重要な時期であった。ギリシア、ローマ、教父の思想は、それらを吸収して、自分の思想にすることができるように思えた。思想家たちは、過去の思想的達成を自分たちが意のままにできることを快適なことと感じはじめていた。聖ベルナール、アベラール、および聖ヴィクトールのユーグはそろって、一一一〇年から一一五〇年にいたる短い期間に活躍したまったく新しい種類の時代精神を代表していた。彼らは、完全に伝統を消化して、今や新しい綜合を自由に創造できるようになったと感じていた思想家たちであった。アリストテレスの学術的・形而上学的著作はいまだ知られておらず、したがってパリを動転させることもなかった。つまり、アリストテレスはまだアラビア語から翻訳されておらず、アラブのアリストテレス注釈者たちも知られていなかった。この創造的ないわば凪のあいだに、いくつかの西欧の偉大な教科書が書かれた。ペトルス・ロンバルドゥスの『文章術』(一一五〇年)、グラティアヌスの『教令集』(一一四〇年)、そしてなかんずくユーグの『学芸論』(一一二七年頃)である。これらの書物は永く使われ続けて、実に十七世紀にいたり、自由七科を基礎とする教育を求めた人々にとって必須の教本となった。それらは、聖職者養成の一環として、またあらゆる学者の育成に、欠かせないものとして使われた。文法書を別として、これらの書物は、学校の教本として、実に永い寿命を保ったのである。いずれ、これらの書物が疑うことなく受け容れられていた状態が終わりになるときがやってくる。そのときこそが、ルネサンスや宗教改革にもまして、もっと決定的に中世という時代の終末を告げることになる。

この永く続き、広く知られた名声ということを考えると、機械論的なサイエンスに関するユーグのきわめて独創的な思想がその後忘れ去られてゆき、人の目に触れなくなってしまったことには重大な意味がある。彼は機械論的なサイエンスを、身体の弱さを癒す方法を追究する哲学の一部として定義した。そのような身体の弱さは、人間がひきおこした環境の破壊に起因しているから、したがってサイエンスとは、エコロジーにおける混乱を改める手段ということになる。民衆による探究行為のさまざまな「運動」の底流にあるまさにサイエンスの新しい概念を明らかにするためには、私は、聖ヴィクトールのユーグの思想と真正面から取り組むこと以上によりよいアプローチがあるとは思えないのだ。

ユーグの主要な関心事であるメタファー、比喩、神秘知、および愛について読者に紹介することはこのエッセイの守備範囲を超えてしまうだろう。それで私は、救済や治癒や回復行為としての探究行為、および機械論的な技術の探究的側面にかんする彼の省察を、右のようなユーグの関心事の文脈からひき抜いてみることにしよう。だが、彼の思想を理解するためには、ユーグが人間の条件をどう認知していたか、ちょっと説明しておかねばならない。彼は人間の起源についての物語を創世記に関連させて受けとめていた。神は最初にアダムを創り、そしてアダムからイブを創った。そして神は、彼ら人間が神の他の創造物と調和して生きるようにした。神が彼らをエデンの園の庭番にしたとき、神はなるほど厳しい仕事を彼らに与えはしたけれども、それはけっして苛酷な労役などではなかった。

ユーグは、神がそれぞれの物をそれが本来もつ美に即応して造ったと固く信じていた。このように、美を強調し、現実を視覚的にとらえる見方を強調するのが、ユーグの特徴だといえる。彼はアダムとイブそれぞれに、三対の眼をあたえた。第一に、日常のものを見る身体の眼、第二に、見る人にとっての永遠の美の意味を深く考える理性の眼、そして第三に創造主自身の意図におのずと一致する眼である。この最後の、目をくらます光を透視する一対の眼は、見えないものを見るように造形されている。「彼がそうではないところのものに、彼はけっしてなることがない。」これら三対の眼は、創造主が人類にさずけた、基礎的な天賦の才の一部である。ユーグにとって、これらの三対の眼に赤々と火をともしたのは神聖な光であって、この光は自然のなかに映し出される。つまり鏡に映し出された魂と天との関係であって、この鏡が人間だということになる。

聖書の物語を受け入れることによって、彼はこの人類最初のカップルに創造主である神が一定の制約を課したと信じた。彼らは自由にエデンの園を用い、楽しく暮らした。しかし、ただ一本の木からは、その木の実をとってはならなかった。ヘブライ語でそれはjadahの木と呼ばれ、知識・侵犯・権力・所有などの意味を含んでいる。ところで、堕ちた天使である蛇は、彼らカップルの宇宙のなかでの高貴な位置をねたんでいた。そこで蛇はイブを唆《そそのか》してその一本の木の枝を折らせ、木の実を取らせたのである。ユーグが主張するには、アダムは、好奇心にかられたのではなく、イブを想う深い愛(affectus dilectionis)から、彼女のさしだした実を食べたのだという。その結果、人間の世界はすっかりかき乱されてしまった。まず人間の眼の鏡がくもって、彼らは恥を感じるようになった。同時にまた彼らは、自然を怒らせながらも暮らしの支えを自然から獲得せざるを得なかったわけだが、この自然も呪われ、荒廃した。かつてエデンの園の庭番として神によって創られた者たちは、今や子宮で育まれて生まれ落ち、アザミの生い茂った畑から必要な生活の糧を得なければならなくなった。楽園の庭番として創られ、悠久の生を楽しんでいた彼らであったが、今や初源の自然の規則を犯した彼ら自身の罪によって、汗と涙のうちになんとか乏しい生計を立てていかざるをえない境遇におちいったのである。

ユーグは、右に見たようなエコロジーの歴史的理解を彼のサイエンスの一般理論の出発点に据えた。人間は、彼ら自身が犯した罪によって弱きものとされ、したがって環境に依存して生き延びねばならなくなったが、その環境たるや人間がみずから破壊の手を加えたものなのである。そこでサイエンスは、この苦痛に充ちた状態を癒そうとする探究行為となる。かくして、サイエンスについて第一に強調されねばならないことは、人間の弱さへの救済の試みということであって、自然を統御し、支配し、征服して、それをにせの楽園に変えてしまうことではない。

ユーグのメタファーは、信仰の時代にこそ似つかわしいのであって、すべてを量と考える時代のものではない。また彼が身を置いているのは創造が行なわれている世界の空間であって、でき上がってしまった星の空間に在るわけではない。彼にとって歴史とは救済の歴史であって、進化の歴史ではない。しかしながら、ユーグとわれわれとを隔てる時代の距離の遠さにもかかわらず、エコロジーにたいする接近方法について、彼我を比較し対照してみることは可能である。ユーグにとってエコロジーは、一つの前提であって、探究行為の必要性はまさにこの前提に由来するのである。ところがR＆Dにとっては、エコロジーは逆に科学的仮説に基礎を置いている。この点をしっかり把握するためには、われわれは彼が述べたことばに注意深く耳を傾けなければならない。

ユーグはまるで動く焔のようだった。ドイツ語のなかに生まれ育ち、パリに住みながら、身についた彼の言語といったらラテン語だった。このラテン語は、今日英語をしゃべる者にとってまことに理解することが困難な言語なのである。そもそもラテン語を生まれつきのことばとした者など誰もいはしなかった。学者たちは古典時代からのラテン語の変化した形をわざわざ学んだのである。だがやがて、学者、文筆家、宗教家、法律家たちにとって、ラテン語は日々の交わりに用いられる主要なことばとなった。そのために、彼らは自分たちの必要性やフィーリングや気まぐれに合わせてこの言語を造型する権利と資格があると感じ始めた。それはもはや死んだ言語ではなかったし、ごく限られた者だけが生まれつき持つエリートの言語でもなかった。それは学術関係者の共同体で使われる生きている言語であった。この共同体でラテン語を用いる者は誰もが人生の比較的遅い時期にこの言語を習得したのである。このような種類の言語をわれわれの時代はすでに失ってしまっているわけだが、この事実からして、中世ラテン語から翻訳する場合には、つねに解釈の危険がついてまわるのである。たとえばユーグがフィロゾフィア(philosophia)について語る場合には、現代英語でその意味をあらわすとすれば、「哲学」(philosophy)よりも「サイエンス」のほうがずっと近いのではないだろうか。

〔彼の文体についていえば、彼の書いたもののすべてには、みずみずしい調子、ひそかに心をうつ語りくち、軽妙な表現といった特徴があって、それはとくに、ユーグが心の中の状態をあれこれ表現しようとするときに発揮される。こういったことで、彼の文章は、聖ヴィクトール修道院付属学校のありきたりの文学的文章とはまったく異なるものになっている。彼は好んで対話形式を用いている。そしていたるところに、彼の魂の率直さと平静さとがあらわれている。この魂のおかげで、彼の学問研究は、真、善、美を深く追求することと結びつき、また彼の瞑想の対象は、人間的知識のすべてに及ぶのである。」

ユーグは彼の哲学――あるいはサイエンスといったほうがよいかもしれないが――の一般理論を二つの作品で展開した。一つは程度の高い研究への序論めいた予備的解説の役目を果たすテキストブックとしての『学芸論』であり、もう一つは『哲学についてのディンディムス(Dindimus)の対話』である。『対話』のほうはおそらくテキストブックの数年後に書かれたものと思われる。その『対話』において、東方の異教徒出の聖職者でありバラモンの王であるディンディムスの背後にユーグは姿を隠している。ユーグはこの人物をアレキサンダー大王物語から拾い出したのだが、この小説は伝カリステネスの物語(Pseudo-Callisthenes)のラテン語訳として彼の手に届いたものであった。ディンディムスにたいする対話者としてユーグが配した人物は、南スペイン(ユーグの時代にはこの地域は四百年以上も前からイスラム教徒の支配下にあった)の改宗にたずさわった伝説に名を残す使徒インダレトゥス、および使徒行伝(一八・一七)にその名をとどめるユダヤ人の会堂司ソステネス(新共同訳ではソステネ)である。このどう見ても奇妙な対話の手続きに、実は巧妙な方法が仕掛けられている。ユーグがその正しさを立証したいと望んでいた彼の主張は、多くの人々を傷つけずにはすまないものだった。彼は、信仰のドグマに訴えることなく、彼のサイエンスのエコロジー的な基礎に論理的な一貫性を与えたかったのである。そこで彼は、自分の代わりに一人の有徳の異教徒、バラモンを選んで、この人物に議論を挑ませた。このバラモンはまさにバラモンであるがゆえに、キリスト教徒よりもずっと自由に、科学的な探究は人間の生得の権利の一部であり、聖典の助けを借りなくても探究を行なうことができる、と主張できた。つまり、ユーグの選択肢はあらかじめ厳しく限定されていたのだ。かりに、ユーグが、バラモン王でなくキリスト教以前の古代ギリシア人を選んだならば、ユーグの読者たちは、キリスト出現以降にサイエンスの状況が変わったと論じることもできたはずである。またイスラム教徒を選んだ場合には、彼の読者たちはイスラム教徒を信仰の光をつっぱねる頑迷な異教徒だと決めつけてしまうことになりかねなかったろう。そこで彼は一人の禁欲主義的な異教徒を選んだわけだが、その当時の考え方では、この人物は無意識のうちにすでにキリスト教徒だと考えられたのである。ディンディムスという人物にユーグが課した役割は、哲学ないしサイエンスを統合する基準を説明させること、および、その内部に機械論的な技術を位置づけさせることであった。

地上の最初のカップルが自然の秩序を犯したとき、そのために調和の破綻が生じて、彼らの視界は曇らされてしまった。だが、そのことによって永遠の真理の火がまったく消えてしまったわけではない。この火は、外的にはいろいろな感覚のうちで、内的には想像力のうちで燃え続けていた。この火は、好奇心、驚き、感嘆といったサイエンスの出発点にあるものを途絶えることなく燃え立たせてきた。サイエンスは、地上の歴史の開始を告げることともなった初源のエコロジカルな大破局が生じた際に失われた人間の能力を、たとえどれほど部分的にすぎなかろうとも、回復し癒そうとする試みである。サイエンスは三つの主要な目標をもっている。この点について直接ユーグに聞くことにしよう。

……英知、美徳、そして必要性への対応能力の三つである。英知とは、物事をあるがままに理解する力のことである。美徳とは、心の習慣、つまり自然の導くままに理性とのあいだに調和をつくりだす習慣である。ネケシタス（Necessitas）とは必要性に直面する能力のことだが、この能力は、それなしにはわれわれは生きることができず、しかも、それがなければわれわれはもっと幸福に生きることができるかもしれないといった能力なのである。これら三つのものは、人間の生活を支配している三つの悪にたいする三つの治療法となっている。すなわち、無知にたいする英知、悪徳にたいする美徳、そして身体の弱さにたいする強さという能力である。この三つの悪を追い払うために、人間はこれら三つの治療法を追究してきたのであり、治療法を手に入れるために芸術と学問とが発見されたのである。英知にたいしては理論的な学芸・技術が、美徳にたいしては実践的な学芸・技術が、そして必要性にたいしては機械論的な学芸・技術がそれぞれ発見された。

このテキストで、ユーグは無知(ignorantia)すなわち心の眼の虚弱さ、いいかえればもはや神の明晰な意志を映さなくなってしまった人間の状態から始めている。そうした無知からの救済手段として、心は、理論的なサイエンス、別の言い方をすれば物事をあるがままに映し出すヴィジョンを必要とする。そのようなサイエンスは英知へと人を導く。さらにユーグは道徳の弛緩(vitium)ということをとりあげるが、このことは魂の持続的な習慣(habitus animi)、エーリッヒ・フロムのことばで性格と訳すことができるものの助けを必要とする。こうしたものを人は倫理学ないし社会科学、つまり人を美徳に導く実践の学(practica)という形で手に入れることになる。最後にユーグは、われわれが自然との調和から外れて生きていることをとりあげる。われわれが自然を侵害することにたいして一種の仕返しが行なわれ、生きるのに必要なものがわれわれに課せられる。生きるためにはわれわれはこれらの必要なものに面と向かい合い、それらを克服していかねばならない。このことは、ユーグが最初機械論的サイエンスと呼んだものを頼りに遂行することができる。すなわち、理論(theorica)、実践論(practica)、機械論(mechanica)の三者が、人間の脆弱さを治癒・救済する方法なのである。

すべてのサイエンスに共通する要素は、そのサイエンスが人間の弱さをささえる杖となっている事実にほかならない、とディンディムスは論じている。われわれの知る限り、ユーグは技芸(arts)とサイエンスの発明を、人間というものにおけるある種の欠如と結びつけた最初の人であった。もとより、この欠如への還元がユーグ自身による発明であるかどうかは定かでない。だが、サイエンスをそれにかかわる人々の弱さを治癒する方法と定義し、人間の行為によって初源に損なわれた環境のなかでなお人間が生存し続けるためにはこのサイエンスにかかわっていかねばならない、と述べたのはまぎれもなくユーグひとりの独自の発想である。この思想は、聖ヴィクトールの修道士リシャールが――彼の『抗弁書』(一一五九年頃)において――とり上げるところとなった。なお、この思想が最後に人の口の端に上ったのは、ユーグの死(一一四一年)から八十年後である。それは、十三世紀にアリストテレスが再発見された時代に形をとりはじめて今なお西欧で支配的な科学観とは正反対の、相対立するサイエンスの捉え方である。ユーグのサイエンスとわれわれのいわゆる科学とのあいだの対立点をもっと明確にするためには、おそらくわれわれはユーグの使った用語にこだわるべきであろうし、したがってディンディムスとともに、サイエンスをフィロゾフィアとして語るべきであろう。哲学として語るということは、とりもなおさず、ディンディムスのいうように、「すでに知られつくしていることをいつくしむ愛によって動機づけられるのでなく、おいしさを味わい、楽しいとわかってきたことのさらにその先を追究しようとする欲求によって動機づけられた、治癒への関心に支えられた真理の探求」として語ることを意味する。そうである以上は、これはR＆Dのあり方とまったく異なる。それはまた自然を征服しようとするベーコン流のやり方とも両立しえない。さらにこれはもっと重要なことだが、ユーグのサイエンスは、真理を発見してそれを公刊する目的でなされる純粋な血の通わぬ探究ではない。この「おいしさを味わい、楽しいとわかってきたこと……によって動機づけられた、治癒への関心に支えられた真理の探求」は、今日適切な名称をもっていない。「民*衆によるサイエンス」〔コンヴィヴィアリティの探究〕が唯一の名称であろうか。今日、自分たちの活動を「民衆によるサイエンス」と名づける者たちは、ユーグがサイエンス、哲学、英知への愛という呼び名によって考えていたものと類似したものを追究するのである。ユーグはその場合に、これらの呼び名によって考えていたものを、人間が破損した環境に永久にとどまり続ける運命を担った人間が、みずから招いた弱さを癒し回復するための批判的な探究行為と定義している。

われわれが「民*衆による探究行為」〔コンヴィヴィアリティの探究〕を省察するにあた

って、修道院長ユーグは第二の重要な貢献をわれわれに行なっている。彼は治療法としてのサイエンスを考えた点で独創的であっただけでなく、機械論的サイエンス(scientiae mechanicae)を哲学のなかに位置づけた点でも独自であった。〔このことを彼は、人間のための科学が大学のプログラムのなかにまず医学、ついで建築、最近では工学という三つの形で入ってくる数世紀前に書いていたのである。しかしながら彼は、今日求められていることをすでに要求していた。すなわち、「機械論的サイエンス」という規範形態のもとにコンヴィヴィアリティの探究を認めるということである。〕この機械論的サイエンスは、人間の身体の弱点を具体的に治療する仕方への方法論的省察から構成されていた。すなわち、機織《はたおり》(lanificium)、金工(armatura)、交易と輸送(navigatio)、農業(agricultura)、交通(venatio——第一次部門の諸活動はおそらく意味のある移動といえる——)、医療(medicina)、および演芸(theatrica)である。ディンディムスの主張するところでは、これらの技芸のそれぞれに、英知が隠されている。そのためにこうした技芸への省察行為は、哲学の一分野として扱われるべきなのである。

あらゆる生き物は、それぞれにうまく合った鎧を身につけて生まれてきた。ただ人間だけが無防備で、裸のままこの世に生まれる。他の生き物が生まれながらにしてもっているものを、人間はことさらに発明しなければならない。自然を模倣し、理性をとおしてみずからの身を鎧《よろ》うことによってかえって人間は、環境を切り抜ける装備を身につけて生まれる以上に、輝かしい前途を切り拓くことになるのだ。

ユーグは、人間の本性について、底抜けの陽気さと知的な楽観主義とを表明している。このことは中世のキリスト教信仰という彼の時代背景に対立させて考えることによって初めてよく理解できることである。彼の神学上の著作には、いかに彼が人間の罪深さの感覚と贖罪観とに色濃く染まっていたかがあらわれている。彼はまた、自然にたいして人間が不服従であり攻撃的であるということが、人間の欲求やニーズへの奉仕を自然が拒むこと、つまり自然の反逆ということのうちに永遠に影を映し続けるのだ、と確信していた。だからといって彼は、運命を甘受せよと説くこともなかったし、自然を人間の支配下に組み敷けと檄をとばすこともなかった。むしろ彼は、人間と環境とのあいだの人間に起因する不調和に、人間にたいする生死を分かつ挑戦を見ていた。この挑戦とは、自然を模写した人工物を創ってみよという呼びかけにほかならない。この人工物はいわば松葉杖として人に仕えるが、この杖を支えに人は、楽園に暮らし続けた場合にありえたかもしれない状態を乗り越えて先に行くことができるのだ。そうした支えを建造する作業におのずと含まれる英知を研究する行為を、ユーグは機械論的サイエンスと呼ぶ。そしてこのサイエンスをユーグは哲学に含める。

今日の民衆*によるサイエンス〔コンヴィヴィアリティの探究〕の提唱者たちで同様の立場を取っている者たちがいる。彼らは民衆のためのサイエンスが生む諸結果を用いることを別にためらうこともない。ただ彼らがそれを用いるのは彼ら独自の目的のためだと主張する。多くの人々には、この主張はセンチメンタルに、あるいはあいまいなものに聞こえる。しかも民衆によるサイエンスをつくり出そうとしている人々は、頼ることのできるサイエンスの思想の伝統を持ち合わせていない。そこでユーグ・ド・サン・ヴィクトールについて省察をめぐらすことによって、おそらく彼らの主張をもっと明確・厳密なものにするのを助けることができるはずである。

機械論的な技芸を扱う場合のユーグのやり方の独自性は、この用語の十一世紀末までの進化を追うことによってよりよく理解されるだろう。「機械論的」(mechanical)ということばの語源はギリシア語で mēchanē である。古典時代のギリシア人にとって、機械論的な技芸とは、奇跡・魔術・詐術によって、すなわち水時計や放物鏡のような技術的な仕掛けによって、自然を出し抜く手続きのことであった。同じような機械力は、神・魔女・役者・職人をとおして目に見えるものとなった。後にギリシア語が地中海圏の交易に用いられる言語となったとき、ギリシア語の mēchanē は人を驚かすもの、fabrica はまっすぐなもの、つまり見た目どおりの普通の手細工や建造物を意味した。ラテン語はけっしてこの用語を採用しなかったし、それと同等の語をつくり出すこともなかった。ローマ人の天才は自然を出し抜く必要などなかった。ローマの建設者たちはみずからの力を確信していた。われわれが技術《テクニック》と呼ぶものにたいしてすら、ローマ人たちは何でもつめこめる合切袋的な用語さえ新造しようとはしなかったのである。彼らは、農業について、また戦争の技術について――それが彼ら自身のものであろうと、他の民族のものであろうと、さらには彼らがローマに持ち込んだものであろうと――明確に書き記すことができた。ローマ人の軍隊は、パンテオンの神々をかき集めたのと同じ要領で、技術を集めたことは集めた。だが彼らがまさに神学を必要としなかったことと同じく、彼らはテクノロジーを何ら必要としなかったのである。

古典古代の後期には、mēchanē という用語はほとんど用いられなかった。ムーア人がスペインを席巻する前に、セビリアのイシドルス(五六〇/七〇―六三六)は、他の厖大な数の古典時代のことばとともにこの用語が保存され、中世に受け継がれていくことを助けたのである。イシドルスにとって機械学とは、みずから利用するためにまたは市場向けに「ものを作ること」における思考媒介的な過程を意味した。次いでシャルルマーニュ大帝の時代に、機械論的な技芸は、新たな多義的な意味を獲得した。ここではじめて学者たちはこの用語を、自然の模倣物を人工的に創り出す人間活動を指すものとして、明示的に用いたのである。オーリヤックのジェルベール（九四〇頃—一〇〇三）は、法王シルヴェステル二世になった風変りな天才であるが、機械論的な技芸とは、天球全体の複雑な運動を説明する公式を表わしたものだ、と唱えた。同時に石工たちは、機械論的な技芸を用いて、ロマネスク様式の石造りの円柱の柱頭に使徒や竜や花をあしらい、そのことによって見える世界と見えない世界とをつなぐように命じられた。紀元一〇〇〇年前後には、機械学は、僧や騎士に固有の力を超えた不可解な力を指すエリートの用語になった。このことは、名のわかっていない一人の若い修道僧が、コンピエーニュ修道院で彼の師であったE先生（その名は判読できない）にあてて書いた八三〇年頃の手紙にはっきりとあらわれている。

……私があなたさまの所に居りましたときに、マンノ先生が、機械学とは一体何であり、機械論的な技芸をどのように考えるかを私に話して下さいました。ところが残念なことに、私はそのお話をすっかり忘れてしまいました。機械的な力とは何であるのか？——私のこの疑問を氷解するおことばを賜わりますよう。とりわけメカニカ（mechanica 魔術）はマテーシス（mathesis 占星術）とどこが異なっているのでしょうか？

ギリシア人にとって、この用語は自然を出し抜くことを意味した。ヘレニズム文明にとってはそれは何かをするのに必要な能力というほどの意味であった。暗黒の中世にはそれは占星術の片割れのようなものになった。ユーグの時代にスコラ風の学問的な用法では、それは自然を模倣した人工物を作ることという意味であった。ユーグが「機械論的」ということばを用いたのはまさにこうした意味においてである。彼はいわば実用的な技芸と英知との関係を探査することになる。

ユーグ以前の中世にこの「機械論的」という用語を用いた者は、きまってこの語を技芸と結びつけて機械論的技芸と記したものである。ひとりユーグのみがこの用語をサイエンスと結びつけた。彼は機械論的サイエンス(scientiae mechanicae)について語った最初の人である。彼は毛織物の製造自体にでなく、その技芸と英知との関係に関心をもった。彼は紡績と機織《はたおり》を論じたけれども、そのものの遠近法的見方はマハトマ・ガンジーのそれと似ていないこともなかった。彼は機織や交易や医療や上演についての探究行為が、その探究者の英知を錬磨するのに寄与するところがあること、言いかえれば、探究者がみずからの存在の弱さを癒し自己回復するのに貢献することを望んでいた。ユーグは実用的な技術に真理を映し出す鏡を求めていたのであったが、テキストの他の箇所では天地の万物と人間の魂とを他の二つの偉大な鏡として述べている。彼は、サイエンスにみちびかれた技芸の実践をとおして自分の鏡を磨くことを望んでいた。

ユーグは、真理を映す鏡として技芸を分析することをとおして、技芸に映し出されているものと天地の万物および人間の魂に映し出されているものとのあいだに、本質的な差異を設けた。自然と魂とは神が創造した媒体に真理の光を映し出している。もっともそれは人間が曇らしてしまったのだが。アダムとイブの最初のカップルがエコロジーを侵害したために鏡像が歪められはしたものの、神の造った鏡自体を破壊するにはいたらなかった。機械論的なサイエンスは、神の本性をまねて芸術家がつくった媒体、それゆえに一部自然で一部人間の業《わざ》でもある鏡の中に、神のと同じ光の反射を求める。機械論的なサイエンスは、人間の弱さを実際に癒す治療法として貢献できる研究である限りは、それは神の創造について研究するのではなくて、やはり人間の業を研究するのである。

ディンディムスによると、自然や人間を研究するのとは違って、人間が作った人工物を研究することは、自然の働きの扉を開く合い鍵を人間に提供することだという。半分は人間の創案であり半分は自然の模倣であるという、技芸のこの二面性をもついわば庶出の質を説明するために、ディンディムスはいささか非常識な語源学を援用する。すなわち、mēchanē はギリシア語の moichos(姦通者)に由来するという。彼にとって、技術は真理を映すとともに真理を歪めるものでもある。したがって技術の科学的研究は、いかに真に哲学的であろうとも、「機械論的」であるか、あるいは庶出のサイエンスなのである。

治療法としてのサイエンスというユーグの着想も、サイエンスの一部としての機械学という彼の考え方も、ユーグより長生きすることはなかった。これは驚くべきことである。というのは、この二つの考え方は、彼のもっともポピュラーな作品で入門テキストに使われて、ルネサンスにも読み継がれていったあの『学芸論＝ディダスカリコン』にはっきりと述べられているからだ。ユーグの読者たちがこの考え方を取り上げなかったのはなぜであるか。その理由を説明する一端として、ユーグの四十五年の生涯と軌を一にしてテクノロジーの発達が急速に進められたことがあげられよう。一世紀と経たないうちに、北西ヨーロッパの鉄の消費量は倍以上になった。鉄は、馬の蹄鉄、重い犂、大鎌など、三世紀ほど前に発明され、当時ようやく広く使われ始めていた道具に必要であった。またこの時期に十字軍が開始され、大量の武器が要求された。ユーグの存命中に水車の数は倍になり、その水車が動力源となった新しい機械の数も種類も、それに輪をかけて急速にふえた。修道院は機械の園に宗旨替えしたかのようだった。こうした水車製粉や採鉱の装置を築き、それを維持し、修繕する人々の数もふえた。彼らは新しい種類の職人や熟練工であって、以前の型には当てはまらない鋳掛け屋のような旅職人、採鉱専門家などであった。いまや機械論的な技芸と呼ばれるようになったものが彼らの職であった。人々はこの新奇な技芸の実務家たちを新種の庶民として見下すようになった。ユーグの死後二世代もたつと、風車と大学がヨーロッパ中にひろまっていたが、その頃には教育を受けた者たちは庶民の職や機械学を学問的な主題として取り上げ、語ることはなくなった。機械学を業《わざ》とすること、つまり機械を動かす仕事に任ぜられた者たちは新しい種類の賃金労働者と見なされ――賃金労働者は十二世紀フランスではまれであったが――大量生産の最初の現代的な形態に関係していったのである。「機械学」という用語はこの頃までにはもう自然を出し抜くことではなくなり、まして自然を模倣することからは縁遠いものとなっていた。そのことばの意味は今や自然を開発＝搾取することに近付き、すでに自然を支配する方向へ徐々に進んでいた。手の熟練を要する専攻分野を大学のカリキュラムに組み入れようとする努力が真剣になされるまでには、さらに何世紀も要した。医学でさえ、それが教科に入ったとき、外科を除かねばならなかった。五百年後の十八世紀になって、ついに道具を組み立てるサイエンスが大学のカリキュラムに加えられるようになったとき、それはユーグの機械論的なサイエンス、つまり民衆によるサイエンスとはまるで正反対のものとして概念構築がなされたのである。ユーグのそれは自然の模倣においてはたらく英知の追究であったが、新しい学科は明らかにエンジニアリング(工学)の科学、すなわち民衆のための生産に関わる科学であった。

道具としての道具のサイエンスは英語に固有の名称を持っていない。「テクノロジー」ということばはそれを示すのにふさわしくない。今日、テクノロジーという用語は英語では、道具それ自体を指すのにもっぱら用いられている。たとえば、コンピュータ、バイオ・ガス・ダイジェスター、機械の集積場、ある文化の道具一式、といった類いである。さらに英語では、テクノロジーは、専門技術化された役割を示すために使われている。土木技師・電気技師・海洋技師はすでに技術工学《テクノロジカル》的に編成され終わっているといってよい。この用語の英語の意味は、いまや世界中に流布している。しかし、ごく最近にいたるまで、ドイツ語やフランス語ではそうではなかったのだ。ジャック・エリュールはきわめて正当にテクニックス(それは、今日では英語のテクノロジーの意味だが)とテクノロジー(la technologie)とを区別している。つまり、フランス語のテクノロジーとは、人間と道具とのあいだの関係を批判的に分析することである。これと同じことをきちんと語るために、私は「批判的テクノロジー」という言い方を提案したい。

　民衆によるサイエンスについて語るように求められたとき、私は十二世紀の第二四半期にまでさかのぼった。なぜならそこに、私の知る限り、批判的テクノロジーが初めて出現したからである。聖ヴィクトールのユーグは、民衆と道具との関係について、語るべきことをもっていたその時代の唯一の人物というわけではない。アウグスブルクのホノリウスや司祭テオフィルスもこの論点について同等の重要な貢献を行なっている。そこで私は、彼らひとりひとりについて、ユーグを主として論じた本稿と並ぶようなエッセイを書く予定である。疑いもなく、古代以来、どの文化でも、人々は道具を使用し、その使用法について報告し、他の道具と比較してその効果を考えてきた。そしてハウツーの手引書は共通だった。インドのバラモン教徒たちは、ギリシアの哲学者たちに負けないほど、論理学と文法に使われた思考の道具を批判的に分析した。だが、彼らの誰ひとりとして、手労働で用いる道具を、理論的に重要な問題として、明示的かつ体系的に考える者はいなかった。やっと一一二〇年頃になって、物理的な性質をもつ道具が、社会的または哲学的な主題として初めて認められた。

ユーグとともに、テクニックスについて批判的な問いかけをはじめた者たちは、彼ら自身の道具をあたりまえのこととみなす文化に、いまだ根をおいていた。これらの文化のひとつひとつについて見れば、道具一式には限界があった。だが、ある文化から別の文化に眼を移せば、道具一式は、言語と同じく実に多様なのだ。そればかりではない。時折新しい道具があらわれて生活様式を変えた。たとえば、馬蹄、くつわ、首当て、大犂といった道具の組合せが馬の馬力を途方もなく増した結果、中央ヨーロッパの風景は一変していたのである。この間、他の道具は、しだいに使われなくなっていった。しかし、たとえ道具が変化しようとも、その変容の具合や社会的な衝撃は研究の課題にならなかった。

それゆえ、ユーグの時代に、バラモン教徒であるディンディムスがキリスト教の神秘家の声で世界の英知について語ることが許されたのは、やはりまことに似つかわしいことであった。キリスト教徒たちは、道教の信徒やユダヤ教徒やヒンドゥ教徒と会話する場合に、共通の前提から始めたわけだが、依然としてそれと同様の仕方で、人間と環境との関係を知覚した。環境にたいする人間の影響力がいかに効果的に働こうとまた破壊的であろうと、農業は――いかに雑草や昆虫や悪天候に脅かされていたにしても――ひたすら掘り取る生物学的な鉱山といった形態でなく、昔ながらの田園を維持することとみなされていた。道具を改善したり、あるいは新しい道具を採用したことは、市場化されるほどの剰余を産み出すよりもむしろ、もともと収穫高を上げたり生活をらくにするものだったのである。

一方、ユーグの時代には、深い変化の兆しがあらわれつつあった。たとえば、犂と水車・製粉は、人間生活の自立と自存のための必要を超えるような収穫高の増大をあらわすようになり、新しい都市はその剰余を取引きする市場を構成することとなった。激しい技術革新とエコロジー的侵害の時代が始まったのである。この状態のなかでユーグの機械論的サイエンスについての発想があらわれたのだ。すなわち、人間生活の自立と自存の基礎を支えるように道具を革新する可能性があるという理論的な主張と、それがサイエンスの目的たるべしという道徳的な主張とである。

十二世紀が終わるまでには、ヨーロッパの思潮は、機械論的な技芸においても知的な接近方法にかんしても、変貌をとげていた。十二世紀初期の偉大な思想家と十三世紀初期の偉大な思想家との差異は、両者が単純に「スコラ学者」として一括して考えられることになると、あいまいにされてしまう場合が多い。だが、この二つの思想家グループのあいだの時期に、スペインのユダヤ人とベネディクト派の修道士がアラビア語の写本からギリシアの哲学者たちの文章を翻訳した。ギリシアの哲学者たちはアラビア語の稿本のなかに実に四百年間生きのびてきたわけである。こうして、まったく新しいサイエンスの考え方が一般化した。かつてサイエンスは、ユーグにとってまさしくそうであったように、科学者の弱さを癒すことに力を入れる取り組みであり、しかもそれが科学者にとって楽しいものとして享受されていたのであったが、もはやそういうものとしては考えられなくなった。むしろサイエンスは、物事の動因を探究することと見なされるようになったのである。サイエンスにたいするこの新しい接近方法にひきつづいて、技術的な手段にたいする新しい態度もまた芽生えてきた。新しい製粉機は自然にたいする人間の支配的な力のシンボルになり、新しい時計は時間にたいする人間の支配的な力のシンボルとなった。実際、C・S・ルイスが指摘しているように、この関係は、ある者たちが自然を道具として他の者たちを支配する権力の関係になった。ユーグがいう意味での批判的テクノロジーは、時代の情熱や利益に逆行するものになり、やがて忘れ去られてしまった。

一一三〇年の時点でも、今日でも、批判的テクノロジストが舞台の瀬戸ぎわに立っていることに変りはないが、しかしその立ち方は非常に異なっている。つまりユーグは、伝統的なナイーヴさに向き合っていたが、今日われわれは、ベーコン的なものの見方に直面しているのだ。ユーグの世界では、その地域に固有の鍬と槌とが当り前のものとしてあった。それはその地の生活に固有の言語と衣服とが当り前のものと見なされていたのと同様である。ユーグはいわゆる技術革新を観察してひとつの理論を提示したわけだが、その理論によれば、機械論的サイエンスとは、技芸を発展させることによって、また技芸に隠されている英知を理解することをとおして、人間のもつ弱さを癒す方法を改良していくものなのである。ところが今日の世界では、批判的テクノロジストは、フランシス・ベーコンの定式化したところに源泉をもつ、ユーグのとはいささか異なった形式のナイーヴさに直面している。

ベーコンもまた神学に関心をもち、ユーグ以上に教えを説いた。ベーコンは「人間が楽園で最初に創造されたときにもっていた尊厳と力とを人間に取り戻し再授与すること」に関心をいだいていた。彼にとっては、「技芸とサイエンスの進歩は自然への支配を達成することを意味する。」すなわち、科学者はあなたのところへやって来て、「実際のところ、自然の女神とそのすべての子供たちをあなたのもとに連れてきて、あなたが自然のサーヴィスを受けられるようにし、自然をあなたの奴隷に仕立ててくれるのだ。」彼は「人間が自然を支配する権利――それはもともと人間のものとして神の遺贈した権利だが――の正当性を主張する。そして、人間の不自由な暮らし向きから人間を解放することを約束する。」ベーコンは、「近年の機械の発明はたんに自然の歩むべき行程を優しく示してやる道案内の役目を果たすだけではない。それは自然を征服し、服従させ、根こそぎ揺り動かす力を持っている」と信じていた。

ベーコンは、自然を拷問台の上に引き据え、実験によって責めつけ、こうして力ずくで自然の秘密をあばくことを提案した。ところが一九七〇年代の今日では、ベーコンは身代わりでむち打たれる者になってしまった。実際、ベーコンのスタイルは時代遅れになってしまったとはいえ、彼の全般的な楽観主義のほうは変わることなく生き残っている。このことは、今日のエコロジー志向のR&Dのあり方が十分に実証しているところである。R&Dのような試みは、拷問の責め苦によって自然を支配するやり方に代わるもうひとつのアプローチ、すなわち媚びによる自然の誘惑をめざしている。もとより実際のところは、この新しい「もうひとつの」サイエンスは非常にしばしばナイーヴなままにとどまっている。それは一般に、他の人々、もっといえば全人類を、不便な暮らしから解放しようとする企てである。それは他の人々のために科学者が請け負ったひとつの企画である。ところが、いまやだんだんと、新しいエコロジー志向のR&Dは、より多くの人々のために財やサーヴィスの生産を推進しようとは考えなくなっている。むしろ、新しいR&Dのリサーチは、人々が自分自身のために強いてみずから何をなさねばならないかということを定めようとしている。しかもその間R&Dは、人々が自分自身のためになるからそれをやっているのだ、と信じているというわけである。こうしてR&Dは、外的な自然を制御しようとするサイエンスから、人々に対して自己規制を巧妙かつ効果的に押しつけうる方法の探究へと転じてきたのである。

それゆえ、民衆によるサイエンスがもしも批判的テクノロジーに基礎を置かないならば、容易ならぬ困難が生じるだろう。民衆によるサイエンスは、あらかじめ決められた形式の自助を人々に押しつけることに関心をもつR&Dによって吸収される直接の危険にさらされている。ユーグの批判的テクノロジーは忘れられてしまい、彼の著作は後のスコラ哲学のたんなる基礎づけに役立てられることになるわけだが、それと同じように、民衆によるサイエンスも、進んだエコロジー志向をもつR＆Dの説教用の道具へと転じてしまう危険がたえずある。人間とはまずもって労働者と消費者であり、彼らのためにに専門家は専門的な調査研究を行なわねばならない、とするイメージを逆転させるところから出発する場合にのみ、民衆によるサイエンスは、本来の課題と目標とに忠実でありつづけるのだ。私たちがこのことを明確に認識しない限り、民衆によるサイエンスの堕落は必至である。

6　シャドウ・ワーク

　このテーマにかんする試論の下書をはじめたとき、私の机の上に、ナディン・ゴーディマーの小説『バーガーの娘』があった。彼女はまれにみる抑制のきいた文体で、自分の故郷南アフリカの警察国家という恥しらずで底ぬけに明るい鏡のなかに、われわれの時代の自由な傲慢さを映しだしている。この小説の主人公はある「病い」に苦しんでいる――それは、「健康で人並みの生活を送るための条件、すなわち、他の人々の苦しみに眼をつぶることができない」あの「病い」である。アン・ダグラスは『アメリカの女性化』で同じような点を指摘している。彼女にとって病いとは感傷性の喪失である。その感傷性とは、産業社会によって破壊される価値はまさしくその社会が大事に育てている価値にほかならないということを表明するような感傷性である。産業社会のこのごまかしほどひどいものはほかにない。感傷性の喪失という病いに冒された者たちは「アパルトヘイト（人種差別・隔離体制）」に気づくようになる。このアパルトヘイトこそ、いまも現にあり、また革命の後にも現われるものであろう。

　この試論のなかで私は、なぜ産業社会においてはこうした隔離体制が避けられようもないのか、という理由を探究したい。いいかえると、稀少性〔人々の必要性を満たすだけの財・サービスが不足している状態）の仮定の上につくられる社会は、なぜセックスや肌の色、資格や人種、あるいは党派性にもとづく隔離体制なしには存在しえないものか、という理由を探究したい。まだ検討されていない隔離体制の諸形態を具体的にとりあげてゆくために、私は、根本的に分岐している労働の二つの類型について論じることにしよう。これは、産業的生産様式のなかに暗黙に存在するものである。

私はこれまで自分のテーマに、産業経済の影の面、とくに、労働の影の面をとりあげてきた。それは支払いのよくない労働でも、失業でもない。私が考えているのは、支払われない労働のことである。産業経済にとって特有の支払われない労働が、私のテーマである。たいていの社会では、男と女は一緒に、自分たちの家庭をささえる生活の自立と自存を、支払われない労働によって維持し、よみがえらせてきた。家庭の維持それ自体が、その存在に必要とするものの大部分をつくっていたのだ。こうしたいわゆる生活の自立と自存の諸活動は、ここでの課題ではない。私の関心は、まったく異なった形の支払われない労働にある。これは、産業社会が財とサーヴィスの生産を必然的に補足するものとして要求する労働である。この種の支払われない労役は生活の自立と自存に寄与するものではない。まったく逆に、それは賃労働とともに、生活の自立と自存を奪いとるものである。賃労働を補完するこの労働を、私は〈シャドウ・ワーク〉と呼ぶ。これには、女性が家やアパートで行なう大部分の家事、買物に関係する諸活動、家で学生たちがやたらにつめこむ試験勉強、通勤に費やされる骨折りなどが含まれる。押しつけられた消費のストレス、施療医へのうんざりするほど規格化された従属、官僚への盲従、強制される仕事への準備、通常「ファミリー・ライフ」と呼ばれる多くの活動なども含まれる。

さまざまな伝統的文化では、〈シャドウ・ワーク〉は、賃労働と同じくらいに周縁的で確認しがたい場合が多い。産業社会では、〈シャドウ・ワーク〉は、日常のきまりきった仕事とみなされている。けれども、それは遠まわしの表現をまき散らしてその陰に身をひそめるものとなっている。単一の実在物として分析することに強いタブーがはたらくのだ。産業的生活は、それの必要性、規模、形を定めている。だがそれは、産業時代のイデオロギーによって隠されている。このイデオロギーによると、人々が経済のために強いられる活動のすべては、ほんらい社会的なものであるとの理由で、仕事としてよりもむしろニーズを満たすものとみなされる。

〈シャドウ・ワーク〉の本質をつかむためには、われわれは以下の二つの混同を避けねばならない。第一にそれは、人間生活の自立・自存の活動ではないということである。社会的な人間生活の自立・自存ではなく、形式的な経済をささえるものだ。第二にそれはまた、支払いのよくない賃労働でもない。〈シャドウ・ワーク〉の支払われない労働というかたちは、賃金が支払われていくための条件であるのだ。私は、〈シャドウ・ワーク〉と生活の自立・自存との違いを強調したい。同様に、組合主義者やマルクス主義者や何人かのフェミニストがいかに強く反対しようとも、〈シャドウ・ワーク〉と賃労働との違いを強調したい。私は〈シャドウ・ワーク〉を、懲役はもとより奴隷や賃労働とも異なる独自な束縛の形として検証しようと思う。

賃労働に就くためには、人は申し込み、認可を受けるわけだが、〈シャドウ・ワーク〉の場合は、人は、たとえば家庭で生まれながらにそれを行なうか、社会の診断を受けて行なう。賃労働にとって人は選択されるが、一方〈シャドウ・ワーク〉の場合は、人はそのなかに置かれる。時間、労苦、さらに尊厳の喪失が、支払われることなく強要される。けれども、よりいっそう経済成長をすすめるためには、〈シャドウ・ワーク〉の支払われることのない自己開発が、ますます賃労働よりも重要なものになってくる。

先進的な産業経済において、経済成長にたいするこれらの支払われることのない寄与は、最も一般的な、最も問題にされない、しかも最も憂うつな差別形式の、社会的軌跡となってきている。〈シャドウ・ワーク〉は、名前もなく、検証もされないまま、あらゆる産業社会で多数者を差別する主要な領域になってきている。もはやこれ以上無視できるものではない。今日、ひとりの人間が負担する〈シャドウ・ワーク〉の量は、差別を測るうえに、就職の不平等よりもはるかによい尺度となるものである。失業の増加と生産性の増加とが結びあって、いまやこれまでになく多くの人々を、〈シャドウ・ワーク〉の名で診断する必要がますます生じてきている。「レジャーの時代」「自助《セルフ・ヘルプ》の時代」「サーヴィス経済」などは、この成長する妖怪に名づけられた遠まわしの表現である。〈シャドウ・ワーク〉の本性を十分に理解するために、私はその歴史をたどってみたい。その歴史は、賃労働の歴史と並行してすすんできているのである。

仕事《ワーク》も職《ジョッブ》もともに、今日ではキーワードである。どちらも、三百年前には今日のように目立ったものではなかった。両者ともに、ヨーロッパ言語から他の多くの言語に翻訳するのはいまもむずかしい。たいていの言語が、有用と考えられるすべての諸活動をまとめて呼べるような単一の語をもたなかった。いくつかの言語には、報酬を求める諸活動にたまたま一つの語が用いられている。これは、汚職、わいろ、税、利子支払いの強要などをつねに言外に意味している。このうちのどれひとつとっても、われわれが仕事《ワーク》として理解できるようなものはない。

この三十年間に、ジャカルタの「言語開発省」は、生産的な仕事口を示すのに用いられた半ダースほどの言葉の代わりに bekerdja という一つの用語を押しつけようとした。

スカルノは、この一つの言葉を独占的に用いることがマレー社会の労働者階級を創出するために不可欠の手段であると考えたのだ。この言語省の計画者たちは、ジャーナリストや組合指導者の側からなんとか承諾を得た。しかし民衆は、報酬を得ると否とにかかわらず、楽しい活動、品位を落とす活動、疲れる活動、官僚的活動にたいして、異なった用語を使いつづけたのである。ラテン・アメリカではどこでも、人々は、ボスが trabajo という言葉で意味するものにとびつくよりも、自分たちに割りあてられた報酬のある仕事を行なうほうがらくであることを知っている。メキシコの多くの失業労働者にとっては、desempleado という言葉は、報酬のいい職の上でぶらぶらしている怠け者を意味していて、経済学者が「失業」の用語で意味しているものとはちがう。

古典古代期のギリシア人や後期ローマ人にとっては、手を使って行なう仕事、命令のもとで行なう仕事、交易による収入に関係する仕事は、卑屈なことであり、身分の低い者や奴隷にまかせておけばよいとされた。理論的にいえば、キリスト教徒は労働《レーバー》を各人の天職の一部と考えるべきであった。天幕作り職人のパウロは、ユダヤ人の労働倫理を初期キリスト教に導きいれようとしていた。それがすなわち、「働かざる者は食うべからず」である。けれども実際には、この初期キリスト教の理想は徹底的に抑圧された。西洋の修道院では改革時の短期間は例外として、修道僧たちは、聖ベネディクトゥスのモットー「祈りと労働(ora et labora)」を、助修士たちの仕事を監督し、祈りによって神の仕事をする、という神の命であると解釈した。ギリシア人も中世の人たちも、現在われわれのいう仕事や職に似た用語をもってはいなかった。

今日、仕事を代表することばである「賃労働」は、中世時代のすべてを通じて、惨めさの代名詞であった。それは少なくとも次の三つの別なタイプの骨折りと、明確に対立していた。第一は大部分の人々がその生活をささえた生産＝消費の場としての家の諸活動である。それは貨幣経済としてまったく周辺的なものだった。第二は、靴屋や床屋や石切り屋の人たちの交易である。第三は、他人から分け前をもらって生活していたさまざまな形の物乞いである。原則として中世社会は、その一員と認められるすべての者にしかるべき居場所を供していた――この構造では失業や窮乏は排除されていたのである。たまたま家族の成員のままというのではなく、一定の衣食の資をひきだすために人が賃労働に従事した場合は、彼は共同体にたいして、未亡人や孤児と同じように、居場所もなく、家族もなく、それゆえ公的な援助をうける必要があるのだということを、はっきり表明していたのである。

一三三〇年の九月に、フローレンスで富裕な毛織物商人が死んで、その遺産が貧困者のあいだに分配されることになった。オル・サン・ミケーレのギルドがこの財産を管理した。その利益をうける一万七千人が選びだされ、真夜中に所定の教会へ押しこめられた。彼らがそこから出されたとき、各自が相続の分け前をうけとっていた。では、これらの「貧困者」たちはどのようにして選ばれたのであろうか。産業化以前のフローレンスのオル・サン・ミケーレのギルドの福祉記録がここにあるので、それを知ることができる。これによると、貧困者の種類は、孤児、未亡人、最近起こった天災の犠牲者、賃労働に全面的に依存している世帯主、借家住まいを強いられている人たちである。生活必需品のすべてが賃労働をとおしてみたされる必要があるということは、貧困が経済状態としてよりもむしろ、身分的な価値づけの行なわれた時代にあっては、まったくの無能をあらわすものであった。貧窮者は「能力ある者(potens)」、つまり力のあるものに対立するものではあっても、「金持(dives)」に対立するものではなかったのだ。十二世紀末まで、貧困の用語は、犯罪や追放といった一時的な事柄からもともと引きはなされた現実の姿を示していた。賃労働によって生活する必要があるということは、落伍したり追い出されたりした印であった。彼らはあまりに悲惨であったために、貧しい者の世界を構成した中世の巨大な群集――犯罪者、流浪者、巡礼者、狂人、托鉢修道僧、移住者、家のない者たち――に単純につけくわえられるといったようなものではなかった。賃労働へ依存することは、働く者が世帯内に貢献できるような家庭をもっていない、とみなされることであった。その当時、物乞いをする権利は一種の規範的な事柄であったが、働く権利はけっしてそのようなものではなかった。

物乞いをする権利を明確にするために、ヴェロナのラトガーが行なった説教から引用させてほしい。前述のフローレンスの例に約五百年ほどさかのぼる説教である。この説教は八三四年になされ、乞食の権利と義務にたいする道徳的な訓戒をのべている。

あなた方は自分が弱いことで泣きごとをいっている。むしろ神に感謝しなさい。泣きごとをいわずに、あなたの生活をささえてくれる者たちのために祈りなさい。そこに居るあなた方は、健康であるのに、沢山のガキどもを養わねばならず大変で、などと不平をいっている。それなら、妻を遠ざけるがよい。だが彼女の同意をまず得て、自分自身と他の者を養えるように自分で働くとよい。それができない、とあなた方は言っている。よろしい、それなら、あなた方にとって厄介な自分自身の弱さを宣言するとよい。必要なものを、慎しみをもって乞い、よけいなものはすべて差し控えることだ。……病める者の友となり、死につつある者を救い、死者を清めるとよい。

ラトガーはここで、一千年にわたってけっして異議をはさまれることのなかった物乞いする権利について語っている。

賃労働にたいする嫌悪は、いまだに今日の世界の多数者がいだく考えと一致するものである。だが、経済学が日常の言語を現在支配してきているために、人々は、自分の感情を直接に表現することばを失っている。私が二十三歳のあるメキシコ人からうけとった手紙を見ると、賃労働にすっかり依存している者にたいするある種の驚きがはっきりとあらわれている。ミゲールはある未亡人の息子だ。彼女は四人の子供を育てながら、はつか大根を栽培し、それを地域の市に出して、茣蓙《ござ》を広げて売っている。子供たちのほかに、いつも他所《よそ》者が彼女の家で食事をし寝ていた。ミゲールは、ミューラー氏の招きでドイツへやってきた。ミューラー氏は、ミゲールの生まれた村の小学校教師で、五年にわたって古い家を改造し、客室をそこに設けた人である。ミゲールはライツから芸術写真の訓練をうけるために、この招きをうけたのだった。彼は、伝統的な織布技術の記録をとりたかったのだ。

ミゲールは、以前に学校教育の害をうけなかったために、かえってドイツ語をすぐ話すようになった。しかし、人間を理解することには困難を感じた。ドイツにきて六カ月後に書かれた手紙のなかで彼はこう報じている。「ミューラー氏はほんとうの紳士として振るまっています。しかし、ほとんどのドイツ人は、あまりにもたくさんのお金をもった貧しい人のように行動しているのです。誰も他の人を助けません。誰も自分の家のなかへ人をつれこまないのです。」ミゲールの見解は、過去千年間の状況と人間の態度をよく反映したものと、私は思う。賃金で生計を立てている人々とは、生活の自立と自存にささえられた家をもたず、みずからの生活自立を基礎づける諸手段を奪われており、他者になんの生活自立の助けもできないことの無能を感じている人たちのことである。ミゲールにとって、賃労働は、まだ鏡をこえて行くところまで行く状態にはいたっていない。

しかしヨーロッパと西の世界のたいていの人にとって、賃労働は、十七世紀と十九世紀のあいだで鏡をつき破って、行くところまで行った。賃金は、貧窮の証明ではなくて、代わりに有用なことの証しと認められるようになった。賃金は、自立・自存の生活を補充するものであるよりもむしろ、それを支払う者たちによって、一定数の人口にとってのくらしの本来の源泉とみなされるようになった。これらの人口層は、囲い込みの発展によって、生存手段から排除されていた。あるひとつの出来事がこの過程のはじまりをあらわしている。フランス革命のほぼ十二年前にあたる一七七七年に、フランス北東部のシャロン・シュル・マルヌ(Chalon-sur-Marne)のアカデミーは、つぎのような問題について最良の処置を求める懸賞論文を課した。それは、王権を利し、しかも貧しい者にも利益となるようなやり方で、物乞いの蔓延をいかにして回避することができるか、という問題である。この問題提起には、囲い込みの時代に急増した物乞いや産業化以前の状態、ブルジョアの価値観などが映し出されている。それにはまた、貧困の新たな経済的意味が映し出されている。すなわち、貧困は力ある者に対立するものではなく、金《カネ》をもった者に対立する状態となってあらわれている。この懸賞論文の賞は、冒頭つぎのように命題を要約した論文にあたえられた。――「数世紀にわたって、人々は知恵の石をさがしもとめてきた。それをわれわれは発見した。労働(work)である。賃労働こそは、貧しい者が豊かになるための本来の源である。」

論文の執筆者は聖職者だが、まちがいなく文士である。この人はきっと無任有給聖職にあって、聖職禄かなにか、施しものでくらしていた者と思われる。まさか彼は、このような驚くべき変容力が自分の知的労働にあるとはけっして考えなかったであろう。彼は、みずからの高級な物乞いの権利を主張したのであろう。彼はまだ、現代的な教師のように、自分のことを正当に衣食の資をかせぐホワイトカラー労働者と思いこみ、それが社会的に生産的であると考えるまでには至っていなかった。しかし、この論文の執筆者についても、また現代的教師についても、次のようにいうのが真実であろう。すなわち、十八世紀以来、労働、労働の価値、労働の尊厳、労働の歓びについて書く人たちは、他人が行なっている労働についてつねに書いているのである、と。

このテキストにはまた、社会理論にたいする錬金術の思想の影響が映し出されている。ここでは労働は、知恵の石、治療の女神パナケイア、触れると金に転じる魔法の錬金薬として提示されている。自然は、自然を変質させる労働と接触することによって値段のつく商品とサーヴィスになる。労働のほかに資本と資源が価値に寄与するということで、いくつかの譲歩がなされたけれど、右がアダム・スミス、リカードウからミル、マルクスにいたる古典派経済学者の根本的な命題である。十八世紀末の錬金術的言語がマルクスの手で、当時流行の「媚態」という化学の言語におきかえられた。価値にかんする錬金術的な知覚が、今日にいたるまで社会倫理の性格を決定しつづけている。経済学において、労働価値説が最初、効用説におきかえられ、ついでポスト・ケインズ派の思想におきかえられ、最終的に「経済学者たちは世界の本質的な性格をつかむのに失敗するような用語か、あるいはそれを誤って表現するような用語でこの世界を考えてきた」という現代的な反省をともなう完全な混乱でおきかえられたにもかかわらずである。経済学者たちは労働について、ちょうど錬金術師が金について考えてきたのと同じように考えてきたのである。

一七七七年の受賞論文は、その後の時期にも目立つ存在だった。当時フランスでは、貧民を有用な労働へと強制する政策が新奇なものとみなされていたのである。十八世紀中葉まで、フランスの救貧院は、強制された労働が道徳上の罪や犯罪にたいする刑罰であるという中世キリスト教の前提のもとで運営された。プロテスタント・ヨーロッパや、早く産業化されたイタリアのいくつかの都市では、その見解は一世紀早く棄てさられていた。オランダのカルヴィン派や北ドイツの労役場《ワークハウス》における先駆的な政策や設備が、はっきりとこれを示している。それらは、なまけ者を救済し、命じられた労働をする意志を発達させるために、組織され装備された。こうした労役場は使いものにならない乞食たちを、役に立つ労働者にかえるために設計され建てられた。そういうものとしてそれらは、中世のほどこしものをあたえる代理機関を逆転したものであった。警察につかまった乞食たちを受けいれる体制をつくって、これらの制度は処置として数日間食物を与えなかったり、毎日のむち打ちの量を注意深く計算したりして彼らの抵抗力を弱めた。そうしてさらに、つぎのような処置の必要が診断された。すなわち、踏み車またはやすりがけといった懲罰をともなう労働を、入獄者が有用な労働者へと変容するまで続けるというものである。その上、集中的な治療をほどこすことさえ思いつかれている。労働に抵抗する者たちは、たえず水が溢れている落し穴に投げ込まれた。彼らはそこで一日中、一心不乱にポンプで水を汲みだしつづけて、はじめて生きのびられた。教育学的なアプローチだけでなく自己是認の訓練方法という点からも、これらの制度は義務的学校の真の先駆者である。アムステルダム労役場の創設後わずか十七年の一六一二年に、聖職理事の一人が思い入れたっぷりで出版した報告書に、二十四の奇跡的な治療の成功が語られている。そのどれにも、成功裡に処置された(学校教育をほどこされた)患者によって、怠惰という病いを治癒されたことへの感謝の念が述べられている。たとえこれらの報告が信頼できる記述だとしても、それらが民衆の感覚を反映してはいないことは確実である。十八世紀の貧窮者は、今日まで一般に「貧しく哀れな」者といわれているが、実は彼らに労働者としての適格性をあたえようとする努力にたいして暴力的に抵抗したのである。彼らが家にかくまって守ろうとしたのは、警察によって「乞食」として分類された者であったり、また政府によって、そうした浮浪者たちから慎しみ深い貧者たちを保護する目的のもとに社会的無能を治療されようとした者であった。

どれほど苛烈な政府であっても、侵略には成功しなかったようである。群衆は依然として統治の外にあった。プロシアの内務省は、一七四七年に、貧民対策警察を妨害するものは誰であろうときびしく処罰するとおどしをかけた。

……われわれは日夜、浮浪者をなくすためにこの警察に街路のパトロールをさせている。……ところが、兵士や庶民や群衆は、乞食が捕えられて救貧院へ連行されようとしているのを察知するや、ただちに騒ぎだし、わが警官を袋だたきにし、時には痛ましいほど傷つけ、そして乞食を解放するのだ。貧民対策警察を街頭パトロールに向かわせることはほとんど不可能に近くなった……。

これと似たような宣告は、続く三十年のあいだに七回も繰り返された。

十八世紀全体をつうじて、そしてさらに十九世紀のかなりあとまで、「経済的錬金術」の事業は下からの共感を生まなかった。庶民は暴れ騒いだ。彼らは公正な穀物価格を要求しては騒ぎ、自分たちの地域からの穀物輸出に反対しては騒ぎ、負債のために囚われの身となった人々を保護しようとしては騒いだ。そして、法が彼らの自然の公正さという伝統と一致しないようにみえるときには、いつでも彼らは保護されるべきであることを膚《はだ》で感じとっていた。産業化以前の庶民の群れは、トムソンが「道徳経済」と呼んだものを守っていた。そして彼らは、この経済の社会的基盤にたいしてなされる攻撃に反対して暴動を起こしたのである。それは、羊の囲い込みに反対し、そしていまや浮浪者の囲い込みに反対してなされたものであった。ところで、これらの暴動にさいして群衆をしばしばリードしたのは、女性であった。この生活の自立と自存の権利を守るために蜂起した産業化以前の群衆は、いかにして、必死となって賃金の「権利」を守るという労働力へと変化したのであろうか。新たな救貧法と労役場《ワークハウス》〔訳注1〕の失敗したところで、この転換をなしおおせた社会的な仕掛けとはいったい何だったのであろうか。それは、家庭内への女性の囲い込みによって先鞭をつけられ、それをとおしてはじめて現実化した生産的労働と非生産的労働という経済的分業化であった。

先例のない性《セックス》の経済的分割、先例のない経済的な家庭概念、先例のない家事領域と公的領域とのあいだの対立によって、賃労働が生活に不可欠な随伴物となった。これらのすべては、働く男たちが各自の家庭の主婦の番人となり、またこの保護の役がわずらわしい義務となることによって、達成されたのである。羊や浮浪者の囲い込みに失敗していたところで、女性の囲い込みが成功したのである。

生活の自立と自存のための苦闘はどうして突如棄て去られることになったのか。この苦闘の終焉はなぜ知られることがなかったのか。この設問は、同時に起こった〈シャドウ・ワーク〉の創出と、いわゆる科学的に発見された女性本来の性質からして女性はもともと家事労働をする運命にあったという理論、この二つに光を当てることによってのみ明らかにすることができる。男性が自分たちの新たな職業に夢中になって労働者階級へと仕立て上げられていった一方で、女性は社会の、歩きまわるフルタイムの子宮として内密に再定義された。哲学者と医者は結託して、女性のからだと心の真の性質をめぐって社会を啓蒙した。この、女性の「本質」という新たな概念は、女性を現実の家庭のなかで活動するように運命づけたが、ここでいう家庭とはつぎのようなものであった。

すなわち、生活の自立と自存にささえられた世帯の維持に実質的に寄与するものをすべて締め出す一方、それと同じくらい有効に女性の賃労働を冷遇するような、家庭である。実際、労働価値説は男性の労働をいわば金精錬の触媒とするとともに、いわゆる家庭的な人を、経済的に従属した主婦、過去に例をみないほど不生産的な主婦の座へと後退させた。女性はいまや、無償のしごとをなすための家庭という避難所を必要とする、男性の美しき所有物、その忠実な支えとなった。

民衆の側における生活の自立・自存にたいしてブルジョアの仕掛けた撲滅運動は、下層の平民大衆が、経済的に別々にされた男性と女性からなる、清潔な生活をいとなむ労働者階級へと変化したときにはじめて、大衆の支持をかちとることができた。この階級の一員として、男性は自分の雇用主と共謀することになった。両者はともに経済の拡張に関心をもち、人間生活の自立・自存の抑制に関与したのだった。とはいえ、こうした撲滅運動にさいして資本と労働のあいだのこの基本的な結託関係は、階級闘争という儀式によって隠蔽された。同時に男性は、ますます賃金への依存度を高める家族の長として、社会が正当とみなす労働のすべてを負わされ、しかもそれを不生産的な女性から絶えず強要されていることをいやおうなしに感得させられた。家庭において、また家庭をとおして、産業的な労働の二つの相補的形態、すなわち賃労働と〈シャドウ・ワーク〉とが結びあうことになった。生活の自立・自存の活動から、ともに効果的に遠ざけられた男性と女性は、雇用主の利益と資本財への投資のためになされる、他者による搾取の誘因となった。しだいに、剰余はいわゆる生産手段に投資されるだけではなくなった。〈シャドウ・ワーク〉そのものが、ますます資本集約的なものになっていった。家や車庫や家庭用台所への投資は、生産＝消費の場としての家庭から人間生活の自立・自存の基盤が消滅し、〈シャドウ・ワーク〉による独占が明らかに増大してきていることを反映している。けれども、この〈シャドウ・ワーク〉はこれまで一貫して秘匿されてきた。今日でも、四種にのぼるそうした神秘化が横行している。

そのうちの第一は、生物学に訴えてなされる覆い隠しである。すなわちそれは、女性の役割を母としての主婦の座へと格下げして、男性に就職口という名の餌をあさることを可能にする普遍的で必然的な条件だと述べる。この仮説は、現代では四つの学問分野で正当化されているようにみえる。動物行動学者は、メスのサルが主婦と同じように巣を守る一方、オスのサルが樹間を狩りをして渡る、と述べている。このように家族の役割をサルの世界に投影することによって、巣づくりは女性という性《ジェンダー》に固有の役割であり、本当の労働である稀少資源の獲得は男性の役割である、という推論がなされる。かくして動物行動学者たちは、高等哺乳動物の生物学的基礎に由来するものを求めながら、異種文化をとおして変わることのないもの、人間に類似した生物の行動様式の根本原理をなすものとして、偉大なる狩人の神話をうちたてるのである。人類学者たちは、野生人のあいだに自分たち自身の父母の特徴を再発見する衝動を抑えきれず、自分たちの育てられたアパートの特色を天幕や小屋や洞窟のなかに見出そうとする。何百種というさまざまな文化のなかから、彼らは、女がその性《セックス》のゆえにつねに弱いものとされ、狩猟よりはイモ掘りに適し、家庭を守る者とされてきた例証をかき集めるのである。社会学者たちはまた、たとえばパーソンズのように、自分たちが今日の家庭のなかに明瞭に見出すと信じている諸機能から出発し、そして、この今日の家庭内にあるかぎりでの両性《ジェンダー》の役割をもって社会の他の構造に照明を与えるものとしている。最後に社会生物学者たちは、右派であれ左派であれ、この啓蒙的神話に現代的な粉飾を行なって、女性の行動は男性適合的であると説明している。

こうしたことのすべてに共通しているのは、基本的な取り違えである。つまり、それぞれの文化において独自になされる性《ジェンダー》に固有の仕事のふりわけと、いまだかつて知られたことのない両性間の隔絶《アパルトヘイト》の体制を確立するにいたった十九世紀的労働観念におけるすぐれて現代的な経済的二分岐とが混同されている。この後者の二分岐を見ると、男性はなによりもまず生産者であり、女性はなによりもまず私的な家庭内で生計をやりくりするものとされる。この性《セックス》にもとづく役割の経済的区別は、生活の自立・自存という諸条件のもとでありえないことであった。これは、女性のやることは労働ではないと定義することによって、消費と生産との区別の拡大を正当化するために神秘化された伝統を利用しているのである。

〈シャドウ・ワーク〉を覆い隠す第二は、それと「社会的再生産」との混同である。この用語は、マルクス主義者たちによって、自分たちの労働観念に合致しないような活動ではあるが、たとえば賃金労働者のために家を守るといった、必ず誰かがしなければならない種々雑多の活動を名付けるのにしばしば使われる、的確さを欠いたカテゴリーである。それは不注意にも、多数の人々が多数の社会においてほとんどつねに行なってきたこと、すなわち、生活の自立・自存の諸活動に適用されているものである。さらにまた、それは十九世紀の末でもなお「非生産的賃労働」とみなされていた活動、すなわち、教師やソーシャルワーカーの仕事のような活動を指し示すものであった。社会的再生産という語は、あらゆる人々が今日家庭の周辺ですることのほとんどを含んでいる。それゆえ、この呼び名は、女性が生活の自立・自存の経済のためになす基本的できわめて重要な貢献と、女性が産業的労働の再生産のために無報酬で徴用されること――不生産的な女性は「再-生産」ということで慰撫される――との違いを把握しようとするとき、そのすべての試みにとっての妨げとなっている。

〈シャドウ・ワーク〉を覆っている第三の仕掛けは、貨幣で測られる市場の外部にある大小さまざまの雑多な行動様式に〈影の価格〉をあてがうことである。支払われない活動はすべて、いわゆるインフォーマルな部門のなかに溶け込まされている。昔の経済学者たちは、商品の消費がどれも必要の充足を暗に意味するものであるというわかりきった結論にもとづいて理論を構築したけれども、新しい経済学者たちはさらにその道を突き進む。彼らにとって、人間の決定することはすべて満足のゆく選択の証しである。彼らは、犯罪、レジャー、学習、生殖、差別、さては選挙の行動様式に関する経済モデルを組み立てる。結婚も例外ではない。たとえば、ゲイリー・S・ベッカーは、均衡状態にある性の市場《セックス・マーケット》という仮定から出発して、「配偶者間での産出物の分配」を説明する公式を導き出している。他の者はまた、主婦がただ温めれば出来上がるテレビ食をつくるとき、それを選び、温め、食卓に出すという無償の活動をすることによって生じる付加価値を算出している。おそらくこのような考えにそって、次のように議論することもゆるされるだろう。すなわち、賃金労働者たちはもしマイホーム主義者として生活するなら、その暮らし向きはいっそうよくなることだろう。そしてまた資本の蓄積とは、女性が今日にいたるまで家庭で支払われることなくやってきたことにほかならない、と。ミルトン・フリードマンの弟子たちにとっては、女性のすることに関する経済学にパラダイムを提供するのは、性（セックス）なのである。

〈シャドウ・ワーク〉にかぶせられている第四の覆いは、家事《ハウスワーク》について執筆するフェミニスト主流派によるものである。彼女たちは家事が重労働であることを知っている。彼女たちはそれが支払われないことに腹を立てている。たいていの経済学者とは異なり、彼女たちは、その賃金が取るに足りないどころか、失われた賃金が巨額にのぼるものと考えている。さらに彼女たちのうち幾人かは、女性の仕事が「非生産的」でありながら、しかも「本源的蓄積の秘密」の主要な源泉をなしており、これこそ全知マルクスを当惑させていたひとつの矛盾であると信じこんでいる。彼女たちはマルクス主義の眼鏡にフェミニストのフィルターを取り付ける。彼女たちは、専業主婦を賃金稼得の家長に結びつけている。その際、男根よりもむしろ彼の給与《ペイ》のほうが羨望の主要な対象となっている。彼女たちは、フランス革命後になされた女性の「本質」の再定義が、男性のそれと相並んですすめられたものであったことにこれまでのところ気づいていないようである。彼女たちは、それゆえ二重に盲目である。ひとつは、成長をめざして階級敵が仕組んだ十九世紀の陰謀にたいして。そしてもうひとつは、両性間の経済的平等をはかるために彼女たちが各家庭内に持ちこむ二十世紀の争いによってその十九世紀の陰謀が強化されるのだということにたいして。この家庭内闘争の係争点は、かつて家のなかで実際にズボンを奪い合った〔訳注2〕のとは異なり、社会一般における抽象的な性《セックス》の役割をめぐるものとなってきている。このようなフェミニストによる女性中心のものの見方は、仕事のうえでの差別の事実を公けにすることに役立っているばかりか、彼女たちが支払われない労働の不名誉性を公けにすることに役立っている。けれども、彼女たちがこの運動を独自に推進することによって、かえって鍵となる問題が曇ってしまうようなことになってきている。ここで鍵となる問題とはつぎのようなことである。すなわち、現代の女性は、経済的見地からみて報酬が払われていないということに加えて、人間生活の自立・自存の見地からみても実を結ばない労働を強いられており、そのために足腰の立たない不自由な人にさせられているという事実である。

しかしながら最近では、女性の仕事を研究する何人かの歴史家たちが、伝統的な分析の枠組や接近方法を超えるような洞察を進めてきている。この新たな歴史家は使い古された専門家の眼鏡をとおして自分たちの問題をながめることを拒否し、むしろ学界のルールを破って問題を見つめることを選んでいる。この人たちは、子どもの誕生、母乳による養育、家の清掃、売春、婦女暴行、よごれものの洗濯や話し方、母の愛、幼年期、避妊、更年期を研究している。彼らは、婦人科医、建築技師、薬剤師とその仲間など、歴史の座にあった連中がいかにこの雑然とした宝さがし袋の中味に手をふれて、さまざまな症候をつくり出し、目新しい療法の数々を売りに出すようになったのかを明らかにしてきた。彼らのうちの幾人かは、新興都市スラムにおける第三世界の女性の家庭生活の様子を解明し、それを地方(campo, kampung)での暮らしと対比させている。別の人たちは、隣人や診療所、それに政治的団体のなかで、女性のために発明された「無償のしごと」について探索を行なっている。

産業社会をうす汚れた日陰の底辺から観察しようとする先導的な革新者たちは、これまでかくれていた種々の抑圧に光をあてて詳細な検討を行なっている。そこで彼らが報告しているものは、既成の「主義」や「学」にはあてはまらない。産業化の影響を上から見おろすやり方とはちがい、彼らが見出すのは、経営者たちが述べる成功の頂点や労働者たちの感じる裂け目、空論家の押しつける原則などとはまったく異なったものであることが明らかである。そして彼らは、民族人類学的な探険家のように修練を重ねて一層習熟した目で「ザンデ族」〔中央アフリカの一部族の名称。イギリスの人類学者エヴァンス・プリチャードが一九二六―三〇年に調査対象とした〕を観察したり中世プロヴァンスの村の司祭の生活を再構成したりするのとは異なった探究眼で問題を見る。こうした通念とは異なる探究は、いまや長きにわたって存続してきた学問的で政治的な二重のタブーをうち毀す。そのタブーとは、一つは産業的労働のつながっている奇型の二重体的性質を隠す〈シャドウ〉であり、もう一つはそれをいいあらわす新たな用語を捜すことへの禁制である。

社会科学の分野での婦人参政権論者たちは、囲い込みによって彼女たちが「不正に」否認されてきたということに固執しているようにみえるが、この人たちとは違って、女性を詳しく観察する歴史家たちは、家事《ハウスワーク》が独自に(sui generis)存在するものであることを認める。彼らは、一七八〇年から一八六〇年のあいだに、新たな影法師《シャドウ》の存在が異なった国々で別のリズムをもって広がったことを看破している。彼らは新しい生活について、そこでの欲求不満が、時として上手に生活が管理される場合に少なからず苦痛にみちたものである、と報告している。彼らは、この独自の労働が賃労働とともにいかにしてヨーロッパの境界をこえて輸出されたかを説明している、そして彼らは、女性が労働市場で男性に次ぐ第二の地位を得たところではどこでも、彼女たちの仕事は、それが支払われない場合は、深刻な変化を受けたことを観察している。女性のために案出された第二級の賃仕事、それは最初ミシンをかけることであり、次いでタイプライターを打つことになり、最後には電話交換手ということになったが、これと並行して新しい何かが、すなわち、制度の枠からはみ出た専業主婦《ハウスワイフ》が登場することになった。

この家事《ハウスワーク》の性格の変容は、アメリカ合衆国においてとくに明白である。ここでは変容が急激に生じたからだ。一八一〇年のニュー・イングランドでは、まだ普通の生産単位は農村における生産＝消費の場としての家であった。食料の加工と保存、ロウソクづくり、石けんづくり、糸紡ぎ、機織《はたおり》、靴づくり、羽ぶとんづくり、膝かけづくり、小動物の飼育や果樹園の手入れ、これらすべては家屋敷においてなされた。このような自家製の生産物を売りに出せば貨幣収入が得られただろうし、家族の誰かに支払われる臨時の報酬で追加的に貨幣を手にすることもできたであろうが、当時の合衆国における世帯というものは圧倒的に自己充足的であった。売買は、たとえ貨幣で支払われるような場合でも、その基礎には現物交易《バーター》の横たわることが多かった。女性は男性に劣らず、家計の自己充足性をつくりあげることに積極的に活動した。女性は男性とほぼ同一の収入を家庭にもちこんだ。女性は経済的に、まだ男性と同等の地位を占めていたのだ。加えて、財布の紐を握っていたのはたいてい女性であった。そればかりか、女性は世紀の変り目を通じて、国民に食を与え、衣を提供し、身の回りのものを整えさせることなど、男性に負けないほど積極的に従事した。一八一〇年の北アメリカでは、毛織物二十五ヤードのうち二十四ヤードまでが家でつくられたものだった。この状況はすでに一八三〇年までに変化していた。商業的農場経営が生存維持的《サブシステンス》農業にとってかわり始めた。生活給が一般的になって、臨時の賃仕事に依存するのは貧しい者の印だとみられるようになってきた。女性は、かつては家族のために生活の資を供する家の女主人であったが、いまでは就労前の子供たちが住み、夫が憩い、夫の所得が消費される場所の守り役となった。アン・ダグラスはこうした女性の状態の変化を、制度の枠外におかれた一種の職務解任と呼んでいる。事実、それはこの時代の聖職者たちの野心と不安を強く示唆することばである。ちょうど当時の国教会の牧師が厳格な教会の領域の内部に改めて隔離されていたように、女性はいまや、おだてられたり脅されたりして、彼女たちにふさわしい領域、すなわち、彼女たちの優秀なはたらきがお世辞をもって報われるような領域に押し込められた。女性は、経済的平等とともに数多くの法的権利を失ったが、それには投票権も含まれていた。女性は伝統的な交易の場から姿を消し、産院では男性の産科医にとってかわられ、新しい職業へと通じる道が閉ざされていることを知った。女性が経済的に職務解任された結果、家庭の基本的必要の充足は、生存維持の場としての家からはなれた賃労働のつくりだす生産物でもって行なわれる、という社会の介入が生じた。生活の自立と自存の基盤を奪いとられ、労働市場では限界的地位にあって欲求不満をおこしかねない家庭主婦の役割は、市場の強制された消費を組織化することになった。一九八〇年代にはいって男と子供にいちじるしく目立ってきつつあるライフスタイルは、すでに一八五〇年代に、多くの女性にとってしだいに広く知られていたものなのである。

女性の感受性と考え方を研究する新たな歴史家たちは、表面的には女性の「仕事」に注意を集中してはいる。けれども実は、彼らは、民衆の生活自立をこわす戦争での敗者として語る熟練した歴史家の手になる首尾一貫した報告を、初めてわれわれに提供したのである。彼らは、経済の明りに照らし出されない影の部分で遂行された「仕事」の歴史、その「仕事」をすることを余儀なくされた者によって書かれた歴史を、われわれに提供する。この影法師は、もちろん、母や妻の役目ばかりか、それ以上のものをもだめにしてしまう。影法師は間違いなく進歩とともに大きくなり、経済領域の発展とともに広がり、さらに男と女の人生を一日とても晴れわたった日のない暗いものにしてしまうのである。主婦はおそらく永遠に、この影法師的存在の偶像として残るであろう。それはちょうど、オーバーオールの仕事着をつけた男がマイクロプロセッサー導入後も「産業労働者」の偶像として残るだろうというのと同じである。しかし、こうした産業的存在の一半を女性の「仕事」のなかに持ち込めば、それはそのまま第五番目の最終的な神秘化となるにちがいない。それは、経済的管理のために発明されたひとつの性《セックス》を用いて、人間としての女性の真実の姿を永久によごすものとなるであろう。このような理由から、私は〈シャドウ・ワーク〉を、現代の家事をひな型とする社会的現実を指し示す用語として提案したい。増大する失業者数を、ただ忙しくさせられているだけの職にある人々の増加数に加えてみるとよい。そうすると〈シャドウ・ワーク〉は、わが晩期産業時代においては賃労働よりもはるかに一般化しているということが明らかになる。今世紀の終わりには、生産的労働者のほうが例外的な存在になるであろう。

〈シャドウ・ワーク〉と賃労働とはともに連れだって歴史の舞台に登場した。両者はともに遠ざけ合っているが、そのやり方は根本的に違う。〈シャドウ・ワーク〉への繋縛は、なによりも性《セックス》で結ばれた経済的なつがいをとおして、はじめて達成された。賃金を稼ぐ者とそれに依存する者より構成される十九世紀の市民的家庭が、生活の自立・自存を中心とする生産＝消費の場としての家にとってかわった。そうした市民的家庭は、専業主婦(femina domestica)と労働する男(vir laborans)とを、双方が補完し合うことでともに不能になってしまうような、「ホモ・エコノミクス」に典型的ともいえる束縛のなかで結びつけた。〈シャドウ・ワーク〉への繋縛というこの粗野なモデルは、経済的な拡大には十分に応じることができなかった。すなわち資本家の利潤は、ちょうど専門家や官僚の権力が訓育された民衆に由来するのと同じように、強制された消費者に由来するものである。資本家も人民委員《コミッサール》も、ともに賃労働よりも〈シャドウ・ワーク〉からより大きい利益をひき出す。性《セックス》で結ばれた家族が彼らに提供した青写真は、〈シャドウ・ワーク〉への繋縛をいっそう複雑で巧妙な無能力の形に仕上げようとするものである。この繋縛は今日、診断する権限をあたえられた社会の管理者をとおして基本的に効果をあげている。診断という用語は文字どおりには識別、弁別を意味する。それは今日、たとえば専門医が人を患者として定義するときの行為を指すのに用いられる。専門的職業はつねにそのサーヴィスへの依存の必要を前提するものだが、そうした必要を専門的職業に可能にさせるものはすべて、対応する〈シャドウ・ワーク〉を顧客にたいしてきわめて効果的に押しつけることになる。こうした無能力化を推進する専門的職業の典型例は、医療科学者と教育者である。彼らはその顧客にサーヴィスの消費という〈シャドウ・ワーク〉を押しつけ、直接にまたは税金をとおして顧客の収入からの支払いを受ける。こうしたやり方によって、世話や看護を生む現代の専門家たちは、〈シャドウ・ワーク〉に縛りつけられている現代家族のパターンを一歩先に押し出す。すなわち、世話や看護といったケアに関連する職に就いている人々はいまや、賃労働をとおして、もともと十九世紀の家庭において女性が一銭も支払われることなしに行なったり作ったりすることを強いられたあの徒労に終わるほかないものをまさしく生み出している。専門的に管理されるものとなった〈シャドウ・ワーク〉の創出は、社会の中心的な仕事《ビジネス》になってきている。賃金を支払われて〈シャドウ・ワーク〉の創出に従事しているのは、今日のエリートたちである。家事が〈影の労働〉のいちばん目につきやすい先端であるのと同じように、主婦相手の婦人科医の巧みな処置は、社会的規模の症候群をなによりも無遠慮に蔽いかくすものにほかならない。たとえば、教育制度からの落伍者の等級を定める十六段階の相対的格付けは、社会の底辺にいる多数の「歩兵」たちに過度の〈シャドウ・ワーク〉の負担を割り当てる。それは、性《セックス》や人種がかつてなしえたよりもはるかに効果的なやり方である。

〈シャドウ・ワーク〉の発見は、歴史家にとっては、一世代前に民衆文化と農民《ペザント》とが歴史の主題として発見されたのと同じくらい重要なことであるといえよう。当時、カール・ポランニーと『アナール』誌に集うすぐれたフランスの論客たちは、貧民とその生活様式、貧民たちのものの考え方や世界観を研究する新しい分野を開拓した。彼らは、弱者と無学の者の生活の自立と自存を歴史的研究の領域のなかに持ちこんだ。産業化の衝撃をこうむった女性の研究は、前人未踏のもうひとつの歴史に向かう橋頭堡として理解することができる。というのは、産業社会にのみ典型的にみられる生活の諸形態は、この社会がこれまで分泌してきた稀少性、欲望、性《セックス》、あるいは労働についての諸仮定のもとで研究されるかぎり、いっこうに目に見える姿となってあらわれないからである。自己の生存を基本とする民衆の文化の発見とも異なれば、政治的社会的な経済の発見とも異なるこうした影の領域の発見は、アンドレ・ゴルツが「ポスト・プロレタリア」と呼んでいるものを歴史の主題とすることになろう。当初、女性を男性に対立させて職務解任にした診断の手続きによって、やがてすべての人がさまざまなやり方で職務解任となってきているという事実を、おそらく歴史家は見てとることができるだろう。この視座のもとにおくとき、産業時代の歴史は、根本的に新たな種類の差別化の歴史となってあらわれるのである。

民衆の文化とヴァナキュラーな価値にたいして仕向けられた「市民」戦争が首尾よく成功するためには、生活の自立と自存の基盤を剝奪されてゆく人たちが、まず別々の領域に囲い込まれることを容認し、それによってわけ隔てられてしまうということが必要であった。専業主婦の創出は、前例のない性的な隔離体制《アパルトヘイト》の証しである。だがそれはまた、欲望が結局は見せかけのものでしかありえなかったことを感知するような意識の例証でもある。多くのものはこの境界線を、人々から人々をいつまでも引き離してきた伝統的な境界領域の延長線上でとらえようとしているが、それはちょうど産業的労働を、人々がいつもやってきたことの延長線上でとらえようとするのと同様に、無益なことである。専業主婦と産業労働はともに同じ神秘化に貢献しているのだ。両者はともに、今日というわれわれの時代の、まだ検討されていない生活を覆いかくすタブーを守護するものである。女性が置かれている現在の状態をもって「プルダ」〔婦人を人目にふれないようにする慣習〕の現代版だと解釈しようとする人たちは、問題点をとり違えているに相違ない。それと同じく、南アフリカにおけるホームランドへの帰属政策〔訳注3〕を、昔ながらの有色人種対策にもとづいた現代の再植民だとみなす者は、白人と黒人との境界線の意味を完全に見誤っている。さらにまた、「収容所《グラーク》の囚人《ゼック》」〔訳注4〕を一種の奴隷とみなす者は誰でも、ひとりヒトラーのような徒輩でなければアウシュヴィッツの入口に大きく書こうなどとは思いもつかなかったあの標語、「労働は人間を自由にする」（“Arbeit macht frei”）の意味が理解できていないのである。収容所で強要されたユダヤ人の無償の労働は実は彼自身の滅亡への当然の寄与としてなされたのだといった社会のことを、こういう人は永久に理解することがないにちがいない。現代の囲い込みである隔離体制《アパルトヘイト》は、けっしてただ悲惨であるとか、ただ下劣であるとかというようなものではない。それはつねに悪魔的な規模をもっているのだ。人々が自分自身を破滅させる行為へと参加するように組み立てられた社会組織というものは、散文によっては正しく言い表わすことができない。その意味を把握するためには、われわれはパウル・ツェランの『死のフーガ』に耳を傾ける必要があろう。「……こうしてあなたがたは、宙に墓を掘るのだ……雲の中に墓を。そこでは人は窮屈な思いなしで眠れる。」より精妙な形態をとる隔離体制《アパルトヘイト》は、つねにそこに内在する「邪悪なる秘儀」をわれわれが洞察しようとするのを妨げるものだ。ドイツにおける過去のファシズム、あるいは南アフリカにおける現在のそれは、そのことを明示している。

産業社会とはその犠牲者なしには済まされない社会である。十九世紀の女性は、囲い込まれ、職務から解任されて、傷つけられた。必然的に彼女たちは、社会全般にわたって腐敗的な影響を与えた。彼女たちは、感傷的な憐れみの対象をこの社会に提供した。抑圧はつねに、その犠牲となる者に社会の汚れた仕事を押しつけるものだ。われわれの社会はその犠牲者に、管理をとおしての抑圧に協力する対象となることを強いる。この社会におけるあたりまえの幸福の条件は、助けられ、救済され、または解放されなければならない者にたいして感傷的な関心を持つことである。これはナディン・ゴーディマーが私にしてくれた話である。もっとも、それは女性についてでもなければ、生徒や患者、または入獄者についてでもない。実は黒人に関する物語であったが。彼女はそれを私に語るのに、「警察の暴力に慣れた人々がうぶな未経験者の前で示す、人をまんまと乗せるきまり文句」――それは、彼女がその小説の主人公、バーガーの娘に帰している態度でもある――をもって語った。彼女にとっては、あたりまえの幸福というものは存在しない。なぜなら彼女は病んでいるからだ。彼女のいう病気とは、あたりまえの幸福が今日拠りどころとしているあの感傷主義《センチメンタリズム》の喪失である。

アン・ダグラスはアメリカ人であるが、彼女はこの感傷主義をみごとに描き出した。感傷主義は、産業社会のなかでイデオロギーと信仰の基層に横たわる一種の複合現象である。それは、産業社会のさまざまな活動によって破壊される諸価値こそが、まさしく産業社会自身が大事に育てているものだということを表明する。それは、いまや人間生活の自立・自存の基盤——経済成長によっていやおうなしに破壊される生活自立の基盤——に帰されるいろいろな価値が、まさしく経済成長がつづくためになくてはならないものなのだということを表明する。それは、生活の自立・自存の基盤を経済の影法師の姿へと変化《へんげ》させる。感傷主義は、生産と消費との対立のなかで暗黙のうちに、生活の自立と自存への郷愁をあやつることによって、隔離体制を首尾よく処理する。そうして、郷愁がかきたてるこの「人間生活の自立・自存の基盤」は、ヴァナキュラーな領域の反対側にある経済の影となることがわかるのである。隔離体制の犠牲者たち——女性、患者、黒人、無学者、低開発国の人々、中毒者、敗残者、プロレタリアート——への感傷的な賛歌は、すでに人が降伏してしまった権力にたいする儀式的な抵抗への道を提供する。人間生活の自立・自存のために必要とするその環境を強奪してきた社会において、何ひとつその代わりとなるものが知られない場合には、この感傷主義はごまかしなのである。そのような社会が拠りどころとしているのは、社会が世話をし管理しなければならない者についてたえず新たな〈診断〉を行なうことである。そしてこの温情主義的ごまかしこそは、抑圧された者の代表者たちが、たえず新たな抑圧へと向かう権力を追い求めることを可能にするものなのである。

〔訳注1〕　救貧法(poor law)と労役場(workhouse)について

イギリスでは救貧院(poorhouse)は、労働能力ある貧民(able-bodied poor)を、生計を立てる仕事に就かせるために、一六〇一年の救貧法によって定められた教区(イングランド国内で約一万六千区)単位に設立された。一六六二年の定住法は救貧法を教区単位に限定している。一七七二年以降になると、各地域の救貧院とは区別された労役場が教区統合の形で設立されてくる。一七八二年のギルバート法は、いちだんとこの教区統合を促進し、労役場に引き渡される貧民とそうでない貧民を区分する方向へと向かった。ところが一七九五年のスピーナムランド法は、この傾向を逆転させた。それは院外救済(outdoor relief)を一般化することによって、貧民のさまざまなカテゴリー区分を無意味にし、労役場と救貧院の区別をなくそうとするものだった。労役場は、識別しがたい貧困大衆を教区単位で救済する救貧院へと統合された。しかしこの新法も一八三四年には最終的に廃止されて、全国的な競争的労働市場への道が開けてくる。スピーナムランド法の歴史的意義については、カール・ポランニー『新訳 大転換』(野口建彦・栖原学訳、東洋経済新報社、二〇〇九年)、第八章「スピーナムランド法以前と以後」を参照。

〔訳注2〕「ズボンの奪い合い」について

「ズボン」は、近代社会の登場によって賃労働と家事とが分離する以前の、生産＝消費の基本単位としての家の経済を管理する力を象徴するものであったらしい。そこでは女と男がそれぞれに固有の役割をもち、互いに助けあって全体としての家経済をつくりあげていた。そこで、一方がその固有の領域を越えて他方を支配しようとするとき、しばしば激しい争いが生じた。フランスでは十五世紀頃から男の支配に抵抗する女を風刺した諺がつくられ、十六世紀頃からはズボンを奪い合う夫婦の姿を描いた銅版画が出始めている。ところで、genderではなくてsexにもとづく女性像、すなわち従順で貞淑な妻、主婦、母の像は、本書の「注と文献解題」中の、たとえば〈女主人から専業主婦へ〉(三二九頁)の記述が示すような経緯でつくりだされている。そしてそれは、革命前後のフランスにおいても、女が家の経済における固有の仕事を奪われて、消費の領域へと閉じこめられるにしたがって、ブルジョア的女性像として一般化してゆくのである。今日でも、ヨーロッパでは「ズボンをはく」(wear the pants, porter la culotte, die Hosen tragen)という言い回しが、日常生活のなかで「亭主を尻に敷く」という意味で普通に用いられている。こうしたことの詳細については、Bock, G. und Duden, B., Zur Entstehung der Hausarbeit im Kapitalismus, *Frauen und Wissenschaft* (Berlin: Courage Verlag, 1977)を参照。

〔訳注3〕　ホームランドについて

ホームランドは、南アフリカ共和国のアパルトヘイト（一九九四年廃止）の基本をなす政策で、黒人を種族別にいくつもの辺境地区に囲いこみ、それを名目上の独立国「ホームランド」とすることによって彼らから南ア市民権を奪いつつ、強制的な居住管理を行なったことを指す。

〔訳注4〕　「収容所《グラーク》の囚人《ゼック》」について

グラークは、ソ連の「矯正労働所本部」(ГУЛАГ——Главное управление исправительно-трудовых лагерей)を意味し、ゼックは「囚人」(зэк, зак, з/к——заключённый)を意味する略語である。いずれもソルジェニーツィンが『収容所群島』のなかで使った用語であるが、ソ連の民衆のあいだでは、古くから隠語として使われていた。

注と文献解題

「人間生活の自立と自存にしかけられた戦争」のノート

ネブリハについての私のコメントに関連して、教えられる母語の歴史についてはさらに次の文献を調べるとよいだろう。

HEISING, Karl, Muttersprache, ein romanistischer Beitrag zur Genesis eines deutschen Wortes und zur Erstchung der deutsch-franzoesischen Sprachgrenze, *Mundartforschung,* XXIII, 3, pp. 144–74.

DAUBE, Anna, *Der Aufstieg der Muttersprache im deutschen Denken des 15. und 16. Jahrhunderts,* Deutsche Forschungen, Vol. 34, Verlag Diesterweg, 1940. 並みの学位論文だが引用の宝庫。

BOSSONG, Georg, *Probleme der Uebersetzung wissenschaftlicher Werke aus dem Arabischen in das Altspanische zur Zeit Alfonsos des Weisen*, Niemeyer Verlag, Tuebingen, 1979.

AUERBACH, Erich, *Literatursprache und Publikum in der lateinischen Spaetantike und im Mittelalter*, Francke Verlag, Berlin. Especially Chapter IV.

TANLA-KISHANI, Bongasu, African Cultural Identity through Western Philosophies and Languages, *Présence Africanie*, 98, second trimester 1967, p. 127.「アフリカの言語が方言(dialects)、ヴァナキュラー(vernacular)、土地なまり(patois)と格づけられて以来、アフリカのごく普通の人は、二つのヨーロッパ語をあやつれる人間だけが二つの言語を話せる人だというふうに考えるようになっている。」

JOSTEN, Dirk, Sprachvorbild und Sprachnorm im Urteil des 16. und 17. Jahrhunderts. Sprachlandschaftliche Prioritaeten, Sprachautoritaeten, Sprachimmanente Argumentation, *Europaeische Hochschulschriften*, R 1, 152, Bern/Frankfurt, Lang, 1976. これはドイツの思想家の現代的な意見を与えてくれる。

BAHNER, W., *Beitraege zum Sprachbewusstsein in der spanischen Literatur des 16. und 17. Jahrhunderts*, Berlin, Ruettner Verlag, 1956.

聖ヴィクトールのユーグの研究と機械論的サイエンスへの案内

この試論は、一九七九年から八〇年の冬学期にドイツのカッセル大学で行なった十二回の講義のうちの一つを基礎にしている。これらの講義の目的は、人間生活の自立・自存を目ざす文化の真の理解をほとんど不可能にさせている現代の思考と感覚の限界に、学生たちの認識を呼びさますことにあった。そのために使われた方法は、おもに十二世紀第二四半期から選び出した中世のテキストに学生たちを直面させることだった。

したがって、この試論は、ヴァレンティーナ・ボレマンスの編集した読本に見られる目的とは全く異なった目的のために書かれたものである。これはカール・ポランニー、ルイス・マンフォード、アンドレ・ゴルツなどの、すべて道具をめぐるラディカルな批判にかかわる人々の論文とともに出版されるはずである。多分、ボレマンスの『生き生きとした共生的な用具にかんする読書案内』という本の付論として出版されるだろう。なおボレマンスのこの仕事は、民衆による科学またはテクノロジーに関係する四百五十種類以上の現代の用具を参考にしている。

下記の聖ヴィクトールのユーグの研究と中世の技芸についての案内は、私の論文での叙述を裏打ちするために用意されたのではない。それはむしろ、中世史の一般的知識をもっており、しかも私の見解のうち大いに知的刺激に富むと考えるものをさらに探究しようと望んでいるまだ見ぬ読者にあてて書かれた案内書である。

伝記：J. TAYLOR, *The Origin and Early Life of Hugh of St. Victor: an evaluation of the tradition*, Notre Dame (Indiana) 1957. 70 pp. (Texts and Studies in the History of Medieval Education vol. 5).

テキスト：*Opera Omnia*. Vol. 1-3, Paris 1854-79 (Migne, Patrologia Latina vol. 175-77).

Opera propaedeutica. Practica geometriae. De grammatica, Epitome Dindimi in philosophiam, Ed. R. BARON, Notre Dame (Indiana) 1966. 247 pp. (University of Notre Dame Publications in Medieval Studies 20). 一六七―二〇七頁の注は『ディンディムスの対話』のラテン語の批判的テキスト。二〇九―四七頁は編者による五十の説明注。

Didascalicon de studio legendi. これは欠くことのできないテキストである。Ed. by C. H. BUTTIMER, Washington, 1939, 160 pp. (The Catholic University Press, Studies in Medieval and Renaissance Latin vol. 10.) このテキストの英語版は、文献上の研究資料とノートが序論につけ加わって新しいものになっている。すなわち、*The Didascalicon of Hugh of St. Victor.* 中世の技芸案内。J. TAYLOR による序論を付した、ラテン語よりの翻訳。New York, London (1961). (文明の諸記録、出典と研究。)

思想：R. BARON の一九五七年の学位論文以来の聖ヴィクトールのユーグに関する数多くの論稿は、まったく新しい方法でユーグを理解させてくれる。ユーグの知恵と科学を扱った彼の学位論文 Science et sagesse chez H. de S. V., Paris, Lethielleu 1957 (complete bibliography pp. 231-63) は最高の入門である。

M. GRABMANN, Hugo von St. Victor und Peter Abelard. Ein Gedenkblatt zum 800 jaehr. Todestag zweier Denkergestalten des Mittelalters, *Theologic und Glaube,* 34 (1942) pp. 241-9.

E. LICCARO, L'Uomo e la natura nel pensiero di Ugo di S. V. in Atti del 3. Congresso internazionale di filosofia medievale, Milano 1966 pp. 305–13. B. Lacroix, H. de S. V. et les conditions du savoir au moyenage, *An E. Gilson Tribute,* Milwaukee, 1959（Marquette University Studies）pp. 118–34.

辞典：次の両方とも初学者用として優れている。*Dictionnaire de Spiritualite,* Beauchesne Paris, 1969, *art:* H. de St. V. by R. BARON および *Dictionnaire de Theologie Catholique,* Lethouzey, 1930, *art:* H. de S.-V. by F. VERNET.

ユーグの治癒概念の独自性：L. M. DE RIJK, Some Notes on the Twelfth Century Topic of the Three（Four）Human Evils and of Science, Virtue and Techniques as their Remedies, *Vivarium*, Leiden, 5（1967）pp. 8–15. 既知の十二世紀のテキストを突き合わせてみよ。そして、これらと比較せよ。

ユーグのサイエンスの分類の独自性：Bernard BISCHOFF, Eine verschollene Einteilung der Wissenschaften, *Archives d'Histoire Doctrinale et Littéraire du Moyen Age,* 25（1959）pp. 5–20. & D. Luigi CALONGHI, La scienza e la classificazione delle scienze in Ugo di S. Vitore. Estratto della dissertazione di Laurea. Pontificium Athenaeum Salesianum. Facultas philosophica. *Theses ad Lauream* Nr 41, Torino, 1956（1957）.

中世思想における機械論的な技芸の占めた位置に関して：二つの主要な研究論文 Peter

STERNAGEL, Die artes mechanicae im Mittelalter: Begriffs-und Bedeutungsgeschichte bis zum Ende des 13. Jahrhunderts. Lassleben, Kallmuetz, 1966(*Muenchner Historische Studien*, Abteilung Mittelalterliche Geschichte, Vol. 2). ユーグに関しては、六七—七七頁。彼の影響に関しては、八五—一〇二頁。Franco ALESSIO, La filosofia e le artes mechanicae nel secolo 12, *Studi Medievali*, 3rd series v 6(1965)pp. 71-161. 奴隷労働の関連についてはM. D. CHENU, Arts mecaniques et oeuvres serviles, *Revue des sciences philosophiques et theologiques*, 29(1940)pp. 313-15.

ユーグと技術のカリキュラムの歴史：WHITE, Lynn Jr, Medieval Engineering and the Sociology of knowledge, *Pacific Historical Review*, 44(1975)pp. 1-21. この論文によって私は、主として神秘的経験の分析者としてよく知っていたユーグを読むようにみちびかれ、また機械論的サイエンスに関するユーグの教えについて研究するようにみちびかれた。私の知るホワイトの全論文と同様に、これもまた機械論的サイエンスに関する二次的文献への確実な案内書であった。ホワイトが強調しているのは、ユーグにつづく数世紀間は、大学のカリキュラムのなかで機械論の授業は二度とまじめに思いつかれるようなことはなかった、ということである。私はつとめて補足的な点を強調しておいた。近年にいたって初めて、機械論的サイエンスの教えは、人間の弱さの「救済 remedium」として、またそれは、学生を肉体的現実から安楽で「便利なこと comodum」へみちびくひとつの道として考えられるようになった。それはちょうど、「理論 theorica」が学生を知恵の意味でのサイエンスへとみちびき、また「実践 practica」が美徳へとみちびくようなものである。

〈シャドウ・ワーク〉にかんする読書案内

この〈シャドウ・ワーク〉の本文は、講演用に書かれたものである。幾人かの人々が研究のための要約としてそれを使い始めた。彼らの要望に答えて、私は、自分自身の仕事の文献からの抜粋をここに公けにしよう。私は講演において順次展開した議論にほぼ照応する項目のもとに私のコメントを用意した。

稀少性の歴史

経済学はつねに稀少性ということを前提に議論を立てている。入手しやすいものが経済的なコントロールに服するはずはないだろう。このことは、商品とサーヴィスについていえるが、同じく労働についてもいえる。稀少性という仮定は、現代のすべての制度に滲透しているのである。教育は、望ましい科学が稀少だという仮定のもとにつくられている。医療は健康について同じことを仮定し、交通は時間について、組合は労働について同じことを仮定している。現代の家族自体が、生産活動の稀少という仮定のもとに成り立っている。夫婦単位の核家族の組織よりもむしろ、この稀少性の仮定こそが、現代の家族を、他の時代の家族と区別しているのである。望ましいことと稀少であることとの同一化は、現実それ自体についての、われわれの思考、感覚、知覚を深く形づくってきた。たとえば、収穫前(春)や戦時中の食糧、耕地、こしょうまたは奴隷のような、他の社会においてよく定義された価値をゆがめた稀少性は、今日ではすべての公的な利害関係における価値に影響を与えているようにみえる。このようにして、稀少性に浸ることでわれわれは、GNPの上昇とともに稀少性の世界が増大してゆくという逆説にたいして盲目になってきている。われわれが当然のこととみなしているこの種の稀少性は、商品集中社会の知られざる外界であった。そしていまも多くは、そうである。けれども、この意味の稀少性に関する歴史は、まだ書かれていない。

そうした歴史に向けての重要な一歩は、ポール・ドゥムーシェル(Paul Dumouchel)とジャン=ピエール・デュプイ(Jean-Pierre Dupuy)によって一九七九年に出版された『物の地獄』(*L'enfer des choses*)という共著中の二人の論文によって踏み出された。両著者ともに、彼らがルネ・ジラール(René Girard)から得たひとつの洞察をもって書き始めている。ジラールはフランス人で、十九世紀の偉大な作家たちが、社会科学者たちにとってつねに盲点であったものをときほぐしていたということを、一九六一年に明らかにした。これらの作家たちは、人間の欲望とねたみのラディカルな変異を叙述している。この変換は、すでにセルバンテスの『ドン・キホーテ』のなかにみることができるが、しかし、それが広く流布したのはドストエフスキーの時代である。ジラールの言うところでは、これらブルジョア小説家たちは、以前の文学では直接的な対象物をもっている欲望が、十九世紀になると、直接的でなく三角関係的でみせかけのものとなるという事実に気づいた。偉大な作家たちの主人公たちが住んでいる社会といえば、自分以外の他人が所有していたり欲したりして、それをうらやむことでもなければ、直接的に物への欲求がもてなくなってしまった社会である。そして、これらの主人公たちが自分の欲望をこのようなやり方で追い求めるときには、彼らは自分のねたみを美徳へと変化《へんげ》させる。彼らは自分のモデルを模倣するとき、そのモデルと自分自身とを区別するためにそうしているのだと信じている。ジラールにみちびかれてドゥムーシェルとデュプイの二人の著者は、みせかけの欲望を育て、それとともに先例のない種類の稀少性をも育てるような制度的措置のなかに近代の制度の独自性を位置づけた。ドストエフスキーを非神秘化するためにマルクス、フロイト、レヴィ゠ストロースを使う代わりに、彼らは、それぞれに異なった方法で歴史的稀少性から長い物語を編み出した偉大な政治経済学者、精神分析学者、そして構造主義者を、非神秘化するのである。彼らは、みせかけの欲望によって規定される稀少性を、商品集中経済の全機構が立脚する自明の結論として暴露するのである。〔稀少性とねたみの歴史にかんする研究を続行しようとする私の決意は、その多くをJ－P・デュプイとの会話に負っている。〕

「みせかけの欲望」にかんする参考文献――ねたみの現代化*

ルネ・ジラールの学位論文は次のものである。GIRARD, René, *Mensonge romantique*

etvérité romanesque, Paris: Grasset, 1961.(Engl. ed. *Deceit, Desire and the Novel: Self and Other in Literary Structure.* Transl. by Yvonne Freccero, Johns Hopkins, 1976.) その後の彼の本 GIRARD René, *La violence et le sacré,* Paris: Grasset, 1972(Engl. *Violence and the Sacred.* Transl. by Patrick Gregory, Johns Hopkins, 1977)は、ドゥムーシェルとデュプイの『物の地獄』(一九七九年)の理解のために重要である。読者のなかには、ジラールのこの本と一緒にドゥムーシェルの二番目の論文を初めに読んでから、デュプイの一番目の論文を読むほうがやさしいと気づく人もいるだろう。デュプイは、FOSTER, George M., The Anatomy of Envy: A Study in Symbolic Behavior, *Current Anthropology,* Vol. 13, no. 2, April 1972, pp. 165–202 にかんする論評から、彼の議論を始めている。この論文には、出版前に目を通した三十余名の社会科学者たちの短いコメントと優れた文献一覧が収められている。

古代の古典におけるねたみについての認識の歴史を知るためには、下記のものが推奨できる。

RANULF, Svend, *The Jealousy of the Gods and Criminal Law in Athens,* transl. Annie. J. Fausböll, 2 vols. Copenhagen: Levin and Munksgaard, 1933–34. 復讐の女神を呼びよせる、神々にたいする人間の思い上がりについては、以下を参照。GRENE, David, *Greek Political Theory: The Image of Man in Thucydides and Plato,* Chicago: Univ. of Chicago Press, Phoenix Books, 1965.(orig. *Man in His Pride*)および DODDS, E. R., *The Greeks and the*

Irrational, Berkeley: Univ. of California Press, 1951, especially chap. 2. ねたみの中世的理解の正しい方向づけのためには次のものを参照。

RANWEZ, Edouard, Envie, *Dictionnaire de Sprritualité,* cols. 774–85; VINCENT-CASSY, Mireille, Quelques réflexions sur I'envie et la jalousie en France au XIV° siècle, MOLLAT, *Etudes,* II, pp. 487–504(Paris, Publications de la Sorbonne, 1974); Lénvie au Moyen Age, *Annales ESC,* 35, 2, 1980, pp. 253–71; LITTLE, Lester, Pride goes Before Avarice: Social Change and the Vices in Latin Christendom, *The American Historical Review,* no. 76, 1971, pp. 16–49.

フロイトは、十六世紀から十八世紀にかけて標準英語で「the tool〔男性器〕」(OEDを参照)と呼ばれたものにたいして女性特有のねたみを仮定したが、それ以来、ねたみの議論は精神分析的なものへと転換した。KLEIN, Melanie, *Envy and Gratitude,* Delacorte Press, 1975, especially pp. 176–235. SCHOECK, Helmut, *A Theory of Social Behavior,* New York: Harcourt, Brace & World, 1970. Orig. *Der Neid und die Gesellschaft,* Freiburg: Herder, 4th ed. 1974も参照のこと。

ねたみについての中世的理解のためにはそれとは正反対のものが理解されねばならないだろう。GAUTHIER, R.-A., *Magmanimité: L'idéal de la grandeur dans la philosophie païenne et dans la théologie chrétienne,* Paris: Vrin, 1951. この本は、古典からキリスト教までの寛大さ

の変遷を詳細に研究している。また次も参照せよ。LADNER, Gerhard, Greatness in Medieval History, *The Catholic Historical Review*, Vol. L, no. 1, April 1964, pp. 1–26. McCAWLEY, J. D., Verbs of Bitching, HOCKNEY, D. ed., *Contemporary Research in Philosophical Logic and Linguistic Semantics*, pp. 313-32 は、現代言語におけるねたみの歴史について、私の意味論的研究を大いに刺激した。

「商品‐集中」対「人間生活の自立と自存」の経済にかんする参考文献

私は「商品集中社会」という用語を LEISS, William, *The Limits to Satisfaction*, London: Boyars, 1978 から採用した。この著者は、その英語版の序文のなかで、彼と同じ主題を異なった方法で扱っている以下の五人の著者の最近の著作と関連させて、自分の立場を定義づけている。「……Robert Heilbroner, *Business Civilisation in Decline*; Stuart Ewen, *Captains of Consciousness: Advertising and the Social Roots of the Consumer Culture*; Tibor Scitovsky, *The Joyless Economy: An Inquiry into Human Satisfaction and Consumer Dissatisfaction*; Fred Hirsch, *Social Limits to Growth* および Marshall Sahlins, *Culture and Practical Reason*.」LEISS, William, *The Domination of Nature*, New York: Braziller, 1972 は基本文献である。

産業社会に典型的な「離床」した経済の歴史的特性を議論するための準備としては次のものを調べるとよい。POLANYI, Karl, *The Great Transformation*, Boston: Beacon, 1957 and

Trade and Markets in the Early Empires, New York: Free Press, 1957. SMELSER, Neil J., A Comparative View of Exchange Systems, *Economic Development and Cultural Change,* 7, 1959, pp. 173–82 は、ポランニーに影響されたものとして依然すぐれた入門書であり、現在も出版されている。HUMPHREYS, S. C., History, Economics and Anthropology: The Work of Karl Polanyi, *History and Theory,* Vol. 8, pp. 165–212 に注目せよ。この本は、ポランニーの主張とは逆に稀少な手段にたいする支配が、社会の推移を測定可能なように経済を定義する場合の必要な一要素であるとしている。*Annales, Economies, Sociétés, Civilisations,* no. 6, Nov.-Dec. 1974 の特集号はポランニーを評価することにつとめている。次に、MEILLASSOUX, C., Essai d'interprétation du phénomène économique dans les sociétés traditionelles d'auto-subsistence, *Cahiers d'Etudes Africaines,* Vol. 1, no. 4, pp. 38–67 は、フランスのマルクス主義とポランニーの解釈とを結合するというむだな試みを知るために参照するとよい。

DUMONT, Louis, *Homo Equalis,* Paris: Gallimard, 1977.（Engl.: *From Mandeville to Marx: Genesis and Triumph of Economic Ideology,* Chicago: Chicago Univ. Press, 1977）は、人間の欲望の変化と並行して起こった人間性のイデオロギー的な再定義を知る上に、私の気に入った案内書である。それを補うものとしては次のものがある。MACPHERSON, C. B., *The Political Theory of Possessive Individualism,* London: Oxford Univ. Press, 1962; *Democratic*

Theory, Oxford: Clarendon Press, 1973. 功利主義に関しては HALEVY, Elie, *La Fermation du radicalisme philosophique*, 3 vol., Paris, Félix Alcan, 1900-1903. 英語版は *The Growth of Philosophic Radicalism*, Clifton: Kelley Publ. 1972(抄訳)。

貨幣化されていない社会の実体を叙述するときにいつも私の主要な問題のひとつとなったのは、標準的な形式的経済学の用語に付されねばならぬ制限や限定の用い方であった。人類学における標準的経済学の概念の応用を実際に扱っているものとしては、DALTON, G., Theoretical Issues in Economic Anthropology, *Current Anthropology*, Vol. 10, no. 7, pp. 63-102, 1969. 現代社会のインフォーマルな部門へと経済学的分析を拡大する新しい経済学者たちにたいする批判的評価については、デュプイが近刊の著書でとりあげているだろう。私の主要な関心は、たとえば「稀少性」という用語が、まずザンビアのバロツェ族における飢きん時の食糧の欠乏を述べるために用いられる場合と、ついで神経質な主婦の時間の欠乏を述べるために用いられる場合といったような、経済学の用語に付されねばならない限定の差異についてである。

「非雇用＝失業」(unemployment)についての新しい所見

完全雇用をめざす社会では、支払われない労働をするたいていの人々は、「非雇用＝失業者」には数えられない。「この非雇用の概念は、初期ヴィクトリア朝の改革者たちが主としてこの言葉をもち合わせていなかったという理由で、その当時の彼らの考えの範囲外にあったのである……」(G. M. YOUNG, Victorian England)かどうか、あるいはまた「……(ヴィクトリア期の人たちは、この用語を忌避することで、)……E・P・トムソン(*Making of the English Working Class*)が主張するように、(大衆感情についての)理解の欠如を証明したものである」かどうか、次のものを参照せよ。WILLIAMS, Raymond, *Keywords: A Vocabulary of Culture and Society*, New York: Oxford Univ. Press, 1976, pp. 273-5.

また次のものも参照せよ。GARRATY, John A., *Unemployment in History: Economic Thought and Public Policy*, New York: Harper & Row, 1978. 序のなかで著者は次のようにいう。「誰一人として今までに非雇用＝失業の全般的な歴史について書いたものはいない。……私はこの本を非雇用＝失業の歴史というかわりに、歴史における非雇用＝失業と呼んでいる。……これは、なぜ非雇用＝失業が存在するかを記述する試みではなくて、仕事なしの状態が有史以来、いろいろな社会のなかでどのように理解され、扱われてきたかを叙述しようとしたものである。……」この本は、歴史的研究にとって現代の概念の使用がいかに役に立たないものであるかを示してくれる。

家(the Household)の歴史

私が主張したいのは、ふつうの現代用語で「家事労働《ハウスワーク》」と呼ばれる活動が、産業社会の外部で、「家」という枠組の内部で行なわれているものとは実質的に異なったものとして理解されねばならないということである。家にたいするふつうのインド−ゲルマン的な対応については、次のものを参照せよ。BENVENISTE, Emile, *Le vocabulaire des institutions indo-européennes*, Vol. 1, Paris: Ed. de Minuit, 1969, pp. 295 ff. 古いヨーロッパのサブシステンスにおける家の位置づけにかんする総合的で明確な入門書としては以下のものがある。BRUNNER, Otto, Das ganze Haus und die altereuropäische Oekonomie, *Neue Wege zur Verfassungs und Sozialgeschichte*, Göttingen, 1968. FLANDRIN, Jean-Louis, *Familles: parenté, maison, sexualité dans l'ancienne société*, Paris: Hachette, 1976. 現代建築の理論的背景についての入門書として RYKWERT, Joseph, *On Adam's House in Paradise*, New York: Museum of Modern Art, 1972, and RYKWERT, Joseph, *The Idea of a Town: The Anthropology of Urban Form in Rome, Italy and the Ancient World*, Princeton Univ. Press, 1976 がある。また ELIAS, Norbert, *Die höfische Gesellschaft*, Darmstadt: Luchterhand, 1977 も参照せよ。これらの本を読んだおかげで、私はちょうど現代社会において健康が「医療化」されてきたように、空間の知覚が専門化されてきたということを確信するようになった。現代の空間は、建築家が、医療、教育、経済の専門職にある彼の同僚たちの支配下に知覚した通りに、人間に適合するように設計されている。〔*このことはまた経済の空間についても、都市空間についても真実である。DOCKES, Pierre, *L'espace dans la pensée economique du XVI*[e] au *XVIII*^{e} *siècle*, Paris, Flammarion, 1968 参照。非常に興味深いものとして次のものがある。SCHLUBOHM, Jergen, Strasse und Familie, *Zeitschrift für Pädagegik*, 25, 1979, pp. 697–726.〕

このエッセイの由来について

『脱病院化社会』(*Medical Nemesis*)の完了の後、私はこの本の主要な章についてもっと綿密に手を入れようと決心した。それは、Boyars, London, 1974 版の第三章と *Némésis médicale*, Seuil, 1975 の第三章、*Medical Nemesis*, Pantheon, New York, 1976 の第六章、それと同時に出た Boyars から出た *Limits to Medicine* の第六章、である。J－P・デュプイの示唆のもとに、私は経済分析の歴史を読み始めた。私はそこで、エコノミストたちが「インフォーマルな部門」へと帰属させる傾向のある商品－集中社会の様相にますます魅惑されるようになった。私は、経済学の光が深い影のなかに包みこんでいる視点から、まさしくこれらの様相に興味をもつようになったのである。これらの影の取引の共通の特色を、私は〈影の経済〉と呼び始めた。現象学的に、この〈影の経済〉は、形式的なふつうの経済取引はもちろん、「埋め込まれた」自立・自存の経済活動からも、それを区別する特色をあばいたのである。〔*交通機関で「時間を無駄にしている」〕学生、コンピュータ、患者といったものをほぼ十年間研究してみて、私は、彼らの行動が、〈影の経済〉における演技者として、また専門的訓練のもとでの欲求不満の協力者として、十分に比較可能なものであることがわかった。この問題を明確にするために、私は「教えられる母語」にかんする一論文を書いた。*CoEvolution Quart**〔n°26, été 1980, pp. 22–49. 短い抜粋が*Co-Evolution*, n°1, Paris, printemps 1980に収められている〕を参照せよ。それから私は、著者によると、ほんの草稿にすぎないといわれている二つの論文に出会い、私が先に進む読書の方向づけを得た。それらの論文は、まずWERLHOF, Claudia von, *Frauenarbeit: Der blinde Fleck in der Kritik der politischen Oekonomie*, Bielefeld, 1978.（英語版では*Women's Work: The Blindspot in the Critique of Political Economy.*）英語版、独語版とも下記より入手可。Universität Bielefeld, Soziologische Fakultät. Postfach 8640, 4800 Bielefeld 1. 次いでBOCK, G. und DUDEN, B., Zur Entstehung der Hausarbeit im Kapitalismus, *Frauen und Wissenschaft*, Berlin: Courage Verlag, July 1977, pp. 118–99. これには一九七五年までの、囲い込まれた女性の活動の類型にかんする最も刺激的な文献一覧がついている。これら二つの論文の研究は、現代の主婦がひな型となっている活動が産業社会の*外部で並行して生起しているものではない〔以外のところでは対応するものがない〕ということの確信へと私を導いてくれた。この活動こそは、そのような社会が現に存在するための基礎なのである。そして現代の賃労働は、この新しい種類の活動の同時的な構造化のおかげでやっと存在することが可能になっているのである。それゆえ私は、現代経済の家庭内領域で女性がしている仕事のなかに、私が研究していた学生、患者、通勤者、そしてその他とらわれた消費者による取引のひな型を発見したのである。

女性の家事労働において、私は二つの異なった頽廃の表現、すなわち女性の前例のない頽廃とその仕事の前例のない頽廃——この種の仕事が男、女、または子供や患者といった中間的存在によってなされようと——を認めるようになった。産業時代に特有な女性の頽廃ということの重要性は、労働と〈シャドウ・ワーク〉とのあいだに分岐点が第一にはっきりと確立されるのでなければ、正しく理解されることはけっしてないだろう、と私には思われる。家事労働は〈シャドウ・ワーク〉のための鍵となる例である。

もしわれわれが、現にある〈シャドウ・ワーク〉を縮小したいならば、第一にそれが何であるかを明らかにしなければならない。たとえば、影になっている現代女性の家事労働は、女性たちがいつもやっていたものではない。いま出版されたばかりの次の二冊のフランスの本は、上品で遠回しな表現でこのことを証明している。SEGALEN, Martine, *Mari et femme dans la société paysanne*, Paris: Flammarion, 1980; VERDIER, Yvonne, *Façons de dire, façons de faire : la laveuse, la courturière, la cuisinière*, Paris: Gallimard, 1979. これらの現代女性たる著者たちは、生活の痕跡をたどって、フランスの田園に残されていた前世紀のヴァナキュラーな生活を再構築することができたさいに感じた、幸福感に充ちた驚きをページ毎に表現している。＊〔というわけで、私がヴァナキュラーな労働と〈シャドウ・ワーク〉とを理論的に(理念型として)区別するためにもっとも役立ったのは、産業化の過程の中での女性の日常活動の歴史なのである。〈シャドウ・ワーク〉の支配を縮小するために、またヴァナキュラーな労働を開花させるためになされた努力に関しては、別の方向を眺めるべきであった。」しかしながら主婦は、目下のところ〈シャドウ・ワーク〉に抵抗するたったひとつのカテゴリーである。世界中いたるところにある何千もの運動は、彼・彼女らの共同体で、もうひとつの使用価値を志向するライフスタイルの選択をとおして、賃金と〈シャドウ・ワーク〉の両方からプラグを抜こうとするものである。BORREMANS, Valentina, *Reference Guide to Convivial Tools*, New York: The Library Journal, Special Report, no. 13.(1180 Avenue of the Americas, New York 10036.)これは、この巨大ではあるが、ほとんど人目につかない世界に関する、少なくとも四百の参考図書と同じであり、Michel BOSQUET, L'Archipel de la convivialité, *Le Nouvel Observateur*, 31 Dec. 1979, p. 43において次のように論評された。「コンヴィヴィアリティの群島は、周辺化されていると信じこんでいる数十万の人々に次のことをわからせてくれるだろう。すなわち、この人たちこそ巨大な群島を現実につくりあげているのであり、その群島について、初めて一冊の探究の書物が、島々を調査し、その輪郭を素描しはじめているのだ。」

〈シャドウ・ワーク〉のための支払い

現代社会での労働のいくつかの形は、最初は支払われないもののようにみえても、最終的には金銭的評価で高い報酬となる。大学の学習は往々にして良い例である。いわゆる入学許可や聴講許可の制限（numerus clausus）の制度は、学生に自分の好まない経歴を踏み出すことを義務づけ、また彼の将来に役立つようなこととはけっして関係のない能力や考えを身につけることを義務づけるものである。それは社会的に避けることのできない、欲求不満の種となる過酷な労働である。しかしながら一般には、大学卒業の人間の生涯所得のほうが、卒業しなかった彼の兄弟、姉妹たちの所得よりもはるかに高いだろう。彼の非金銭的な役得もまた、はるかに高いことだろう。試験のためにつめこむことの一時間あたりの特別な収入を会計学流に計算してみると、これらの時間は社会の給与の最良のものにあたる。落伍者にたいする生涯の社会的制裁によって義務的なものとされている学校教育の最初の十二年間とちがって、大学でなされる「労働」は、良い給与の生涯の職につくことだとみなされよう。世界中のどこでも、大学生たちが高い奨学金のために組織的に団結しているという事実は、多分彼らが自分たちをすでに「労働者」として感じている証拠と解釈することもできるだろう。

これは明らかに、専業主婦、中等学校の生徒、パートタイムの通勤者といった本物の〈シャドウ・ワーカーズ〉にあてはまるものではない。彼らの補償を求める要求は、それとは異なる種類のものである。これらの人たちが一九七〇年に支払われない〈シャドウ・ワーク〉として強要された活動を一九八〇年までに支払われた労働へと首尾よく変形させるなら、彼らはこの活動の類型を再定義したことになる。たとえば、スウェーデンでは現在、主婦の一部に賃金が支払われており、またいくつかの工場の労働者たちは、その組合を通して、通勤時間にたいする特別手当を取り決めている。彼らの雇用者たちは、彼らの労働日が、家を出るときから始まっていることを認めているのである。

だからといって、私は、将来の報償を考慮して現在なされている支払われない労働が前もって支払われない、ということを問題としているのではないし、またいくつかの〈シャドウ・ワーク〉が賃労働へと変形されていないということを問題としているのでもない。私が主張しているのは、それらとはもっと別のことである。それは新しい賃労働の創出が、新たに〈シャドウ・ワーク〉をもいやおうなしに発生させるということだ。新しい社会的なサーヴィスは、いやおうなしに顧客の抑制された従順さを増加させる。なお悪いことに、影の労働者たちは、他人の〈シャドウ・ワーク〉を創り出すものなのである。事実、スウェーデンは、社会的なサーヴィスにおける訓練された〈シャドウ・ワーカーズ（奉仕家）〉を雇用する試みに、新しい世界を導いているようだ。これは、社会的部門における〈シャドウ・ワーク〉を賃労働より一層早く増加させる計画である。博愛主義は、英国での一八一〇年における福音主義のキャンペーン以来、このように使われてきたのであった。

サブシステンス（人間生活の自立・自存）（二二八頁への注）

私はこの用語を使うべきだろうか。この言葉は数年前までは、英語では「サブシステンスの農業」という使い方によって独占されていた。これは、辛うじて生存している数十億の人々のことを意味した。開発当局はこの運命から彼らを救うべきものとしている。あるいはまたこの言葉は、一人の浮浪者がドヤ街でやっと生きてゆく最低限を意味した。また最後には、賃金とも同一視された。これらの混乱をさけるために、「公的選択の三つの次元」のなかで、私は「ヴァナキュラー」という用語の使用を提唱した。これは商品というものの反対概念としてローマの法律家によって使われた専門用語である。「Vernaculum ローマ本国産のもの。つまり何であろうと自国で産出したすべての事物。たとえば国内産の果実ないし事物をふくむ。それらはとにかく自国より生じたものであって、外地よりあがなったものではない。こうした事情のゆえに、アニアーヌスは、この用語を『テオドシウス法典』第三部にて、会計年度比較の指標としている。これはヤーコブ・ゴートフレドゥスにもみられるものである。」DU CANGE, *Glossarium Mediae et Infimae Latinitatis*, Vol. VIII, p. 283.

　私はヴァナキュラーな活動とヴァナキュラーな領域について話したい。にもかかわらず、ここでは私はこの表現をさけようとしている。なぜならこのエッセイだけで「ヴァナキュラーな価値」を読者に熟知させることを期待することはできないからだ。（しかし、この本の第二章を参照せよ。）使用価値を中心とする活動、非金銭的な取引、埋めこまれた経済活動、実体＝実在的な経済学、これらはすべて、これまで試みられてきた用語である。私はこの論文では「サブシステンス」に固執する。たとえ経済活動が支払われようと支払われまいと、私は、形式的な通常の経済の意のままになっている活動にサブシステンス志向の活動を対置させようと思う。そして、経済的活動の範囲内で、賃金と〈シャドウ・ワーク〉が照応するフォーマルな部門とインフォーマルな部門との区別をしようと思う。

SACHS, Ignacy et SCHIRAY, M., *Styles de vie et de développement dans le monde occidental : expériences et expérimentations.* Regional Seminar on Alternative Patterns of Development and Life Styles for the African Region, December 1978. CIRED, 54 Boul. Raspail, Paris 6は真の使用価値とにせの使用価値とのあいだの同様の区別を試みている。「市場の外にあるものは、国による無償サーヴィスの提供と、使用価値の自律的生産というまったく相異なる二つの現実を包含するものである。にせの使用価値は、より多くのものを所有することの満足とは異なる、必要についてのいかなる積極的満足をも生じさせるものではない。」

これに関する背景はSACHS, Ignacy, La notion du surplus et son application aux économies primitives, *L'Homme,* Vol. VI, no. 3, July–Sept. 1966, pp. 5-18; EGNER, Erich, *Hauswirtschaft und Lebenshaltung,* Berlin: Duncker & Humbolt, 1974. ビーレフェルト大学社会学部で、サブシステンスに関する興味深い国際セミナーが開かれた。

ワークの意味論（二三一頁への注）

ヨーロッパの主要な諸言語におけるキーワードである「ワーク」(work)の比較意味論については KNOBLOCH, J. et al., *Europaeische Schluesselwoerter,* Vol. II. *Kurzmonographien,*

Muenchen: Max Hueber, 1964を参考のこと。とくにKRUPP, Meta, Wortfeld 'Arbeit', pp. 253–6; GRAACH, Harmut, Labor and Work, pp. 287–316; MEURERS, Walter, Job, pp. 317–54を調べるとよい。R. Williamsは前掲書の二八二頁以降数ページにわたって、workの意味が個々人による生産努力から優勢な社会関係性へと変遷したことを鮮やかに描いている。広範囲にわたってよく論究されている研究としてはBRUNNER, O.; CONZE, W.; und KOSELLECK, R., eds. *Geschichtliche Grundbegriffe*, Vol. 1, pp. 154–243のWerner Conzeによる「労働」と「労働者」にかんする論文を参照されたい。この記念碑的レキシコン(副題にHistorisches Lexikon zur Politisch-sozialen Sprache in Deutschlandとある)は一九八〇年代の終わりに全七巻をもって完了するだろう。産業社会の到来によって主要な意味の変化をきたした約百三十のキーワードが選択されている。各々の用語について政治的、社会的に使用されてきた歴史を知ることができる。各研究論文はドイツ語の使用に焦点をあてているが、その参考文献は、他のヨーロッパ言語についてもこれと並行する重要な研究をあげている。古くなるが、主としてworkに関連した社会主義的用法の歴史的意味論についてのすぐれた入門書BESTOR, Arthur E. Jr., The Evolution of the Socialist Vocabulary, *Journal of the History of Ideas*, Vol. 9, no. 3, June 1948, pp. 259–302. またFEBVRE, Lucien, Travail, évolution d'un mot et d'une idée, *Journal de Psychologie normale et pathologique*, Vol. 41, no. 1, 1948, pp. 19–28およびTOURAINE, A., La quantification du travail: histoire d'une notion, *Le Travail, les Métiers, l'Emploi*, 特別号

の *Journal de Psychologie*, 1955, pp. 97–112 を参照されたい。中世については WILPERT, Paul, ed. *Beitraege zum Berufsbewusstsein des mittelalterlichen Menschen, Miscelanca Medievalis*, Vol. III, Berlin 1964 ; DELARUELLE, Etienne, Le travail dans les règles monastiques occidentales du IV° au IX° siècles, *Journal de Psychologie normale et pathologique*, Vol. XVI, no. 1, 1948, pp. 51–62; STAHLEDER, Helmuth, *Arbeit in der mittelalterlichen Gesellschaft*, Muenchen: Neue Schriftenreihe des Stadtarchivs Muenchen, 1972 がある。中世における work の意味と技術との関係については WHITE, Lynn, Jr., Medieval Engineering and the Sociology of Knowledge, *Pacific Historical Review*, no. 44, 1975, pp. 1–21 がある。GEIST, Hildburg, Arbeit: die Entscheidung eines Wortwertes durch Luther, *Luther Jahrbuch*, 1931, pp. 83–113 は、ルターがもたらした work の意味の影響について論じている。MENCKEN, H. L., *A Mencken Chrestomancy*, New York 1953, p. 107 には「異教徒マルティン・ルターに残されているのは、物はそれ自体賞讃するに足るものだということである。ルターは、労働には本来的に威厳があり、賞讃に値いする何ものかがあるという、つまり日中で難儀に耐える人間のほうが木陰で楽をする人間よりも神のおぼし召しに預かるという現代的教養の真の発見者であった」とある。十九世紀については AMBROS, D. und SPECHT, K. G., Zur Ideologisierung der Arbeit, *Studium Generale*, Heft 4, 14. Jahrgang, 1961, pp. 199–207 をも参照せよ。

言語学上の植民地化

LECLERC, J., Vocabulaire social et répression politique: un exemple indonésien, *Annales ESC.*, no. 28, 1973, pp. 407–82を参照。背景についてはANDERSON, Ben, The language of Indonesian Politics, *Indonesia*, Cornell Univ., April 1966, pp. 89–116; HINLOOPEN-LABBERTON, D. van, *Dictionnaire de termes de droit coutumier indonésien*, Nijhof, Den Haag, 1934参照。〔*言語の輸入による精神的植民地化という概念については〕ILLICH, Ivan, El derecho al desempleo creador, *Tecno-Politica*, Doc. 78/11, Cuernavacaをも参照のこと。

奴隷労働とハンナ・アレント

ARENDT, Hannah, *The Human Condition*, New York: Anchor Book, 1959にはレーバー(labor)とワーク(work)についてよく言及したすばらしい章がある。これは、必然の王国と自由の王国との違い、つまりプラトンからマルクスまで何度もくりかえされたこの違いにたいする西側の、文明化された合意を集約していて、そのかぎりで価値あるものだ。しかし、アレントの哲学的解釈をワークの歴史として検証することなく認めてしまうと、産業社会への移行期間にワークの地位の不連続性があったことが隠されてしまう。私は、ハンナ・アレントの言う古典的意味でのレーバーとワーク両方の社会的諸状況は崩壊しつつあると主張する。奴隷労働についてはVERNANT, J. P., Travail et nature dans la Grèce ancienne, *Journal de*

Psychologie normale et pathologique, Vol. 52, no. 1, 1955, pp. 18-38; NEURATH, Otto, Beitraege zur Geschichte der Opera Servilia, *Archiv fuer Sozialwissenschaften und Sozialpolitik*, Vol. 51, no. 2, 1915, pp. 438-65; BRAUN, Pierre, Le tabou des Feriae, *L'Année sociologique*, 3rd series, 1959, pp. 49-125をも参照。

ワークと教会(二三二―二三三頁への注)

カトリック思想におけるキーワードとしてworkがどのような地位を占めていたかは次の観察から判断されうる。カトリック教にかんする唯一最高の百科辞典的文献は二十五巻の*Dictionnaire de Théologie Catholique*である。出版四十年後の一九七一年に刊行された最後の索引分冊に、編者は事項索引のまん中に「この種の神学の百科辞典ではこのような項目は、もれてしまうおそれがある……」という文で始まるtravailにふれる六千ワードの小論をつけ加えた。私は〈シャドウ・ワーク〉の進化――主として社会的な形式と家事労働の形式のもとでの――およびそれに並行して賃労働を尊厳あるものにした「キリスト教」のイデオロギーの進化に貢献した十九世紀の主要な教会への研究案内を用意したいと思う。

参考文献をさぐるうえで最もすぐれたものは、*Theologische Realenzyklopädie*における一連のArbeitにかんする論文であると思われる。十九世紀中期に国教制を廃されたアメリカの宗教によってジェンダー(性)の名において行なわれた暴力について、私はDOUGLAS,

Ann, *The Feminization of American Culture*, New York: Avon Books, 1978 の分析が印象深かった。

HALL, Catherine, The Early Formation of Victorian Domestic Ideology, BURMAN, S., *Fit Work for Women*, London: Croom Helm, 1979, pp. 15-32 をも参照。生産労働が家庭から工場へと移行するにつれて、福音伝道運動（一七八〇―一八二〇年）は、アメリカ合衆国におけるウェズレーのメソジスト教派に並んで、男性が外で「働いている（work）」あいだ、女性は家庭内で義務（duties）を果たすことを強化させていった。働きに出ないということが女性にとって唯一のふさわしい生きる道となったのである。Elie HALEVY（前掲書）が最初に指摘したように十八世紀後期に、信仰家たちは家庭内のことに関連づけられるようになり、道徳性の私的世界は非道徳なもの、つまり経済学という非神学的世界に対立させられるようになった。

SCHUMPETER, Joseph A., *History of Economic Analysis*, London: Allen & Unwin, 1954, p. 270.「原則として中世社会は、メンバーと認められる者すべてに寝床を提供した。つまりその社会の構造が失業と貧困とを除外するようにできていたのである。」

HOBSBAWM, E. J., Poverty, *Encyclopedia of Social Science* によると、「貧困は歴史的に第一次社会集団が機能している境界を越えたところで起こった……ある男の妻と子供たちは事実、乞食ではないが、寡婦と孤児は寝床を失う危険にさらされているゆえに、公的な援助を必要としているとみなされたおそらく最初の明確な定義をうけた範疇に属する人々であった。」

貧困とワークにたいする中世の社会的対応

弱者、飢えている者、病人、家のない者、土地のない者、狂人、投獄された者、奴隷となった者、放浪者、孤児、亡命者、障害者、乞食、修験者、路上の物売り、兵士、捨て子、その他相対的に収奪された者にたいする社会的対応は歴史を通じて変化した。どの時代にも、これらの人たちひとりひとりにたいする特有の対応には独特なものがある。経済史は、貧困を研究するにあたって、これらの対応を無視しがちであった。経済史は、平均で中位のカロリー摂取の測定、特定集団の死亡率の測定、資源使用の両極化の測定などに焦点をおく傾向がある。

ここ十年間、貧困にたいする社会的対応の歴史的研究はかなり進歩してきた。古代後期と中世についてはMOLLAT, Michel, *Etudes sur l'histoire de la pauvreté*, Série 'Etudes,' Vol. 8, Publications de la Sorbonne, Paris(これは彼のセミナーに提出された三十六の研究を集めている). POLICA, Gabriella Severina, Storia della poverta e storia dei poveri, *Studi Medievali*, Vol. 17, 1976, pp. 363-91は最近の文献の概観である。中世における周期的貧困の経験についてはDUBY, Georges, Les pauvres des campagnes dans l'Occident médiéval jusqu'au XIIIe siècle, *Revue d'Histoire de l'Eglise de France*, Vol. 52, 1966, pp. 25–33 を参照。最も価値ある貢献のいくつかは次のポーランドの歴史家によってなされている。GEREMEK, Bronislav, Criminalité, vagabondage, pauperisme: la marginalité à l'aube des temps modernes, *Revue d'Histoire moderne et contemporaine*, Vol. 21, 1974, pp. 337–75. 同じ著者による *Les marginaux parisiens aux XIV° et XV° siècles*, Paris: Flammarion, 1976. ロシア語からの翻訳ですばらしい本 BAKHTINE, Mikkaïl, *Rabelais and his World*, Transl. by Hélène Iswolsky, M. I. T. Press, 1971 がある。フランス語版 *L'oeuvre de François Rabelais et la culture populaire au Moyen Age et sous la Renaissance*, transl. by Andrée Robel, Gallimard, 1970. 彼は、貧しい人が自分たちのイメージをカーニバル、フェスティバルや道化芝居のなかにどのように投影していたかを描いている。

GEREMEK, B., *Le salariat dans l'artisanat parisien au XII° siècle*, Paris, Mouton, 1968 は、正当と認められる賃金雇用者とは、その雇い主の家に参加することによってみずからの生計の資のほとんどを満たしていた人々のみであったことを、はっきりと示している。STAHLEDER, Helmuth（前掲書）も参照。

貧困についての非経済的な知覚

東洋と西洋の中世における貧困にたいする対応の比較研究は、この点に光を投じている。

PATLAGEAN, Evelyne, La pauvreté à Byzance au temps de Justinien: les origines d'un modèle politique, MOLLAT, M., *op. cit.*, Vol. 1, pp. 59-81 は次のように論じている。都市化されたビザンチンでは、法律が貧困をなによりも経済的状況として認めたが、これはそのようなことが大陸ヨーロッパで広く認められるようになるずっと前のことだった。

BOSL, Karl, "Potens" und "Pauper": Begriffsgeschichtliche Studien zur Gesellschaftlichen Differenzierung im fruehen Mittelalter und zum Pauperismus des Hochmittelalters, *Festschrift O. Brunner,* Göttingen, 1963, pp. 601-87.

二三四―二三五頁への注

LADNER, G., Homo Viator: Medieval Ideas on Alienation and Order, *Speculum,* Vol. 42, 1967, pp. 233-59 は貧困にたいする対応を堂々とした筆致で描いている。つまり ordo と abalienatio のあいだに位置する巡礼者、homo viator は中世の根本的理想であったのだ。

Convengni Del Centro Di Studi Sulla Spiritualita Medievale, Vol. III, *Poverta e richezza nella spiritualitá del secolo XI° e XII°*, Italia, Todi, 1969 は「貧困」にたいする対応についての十二の論文を集めている。それは Michel Mollat の資料収集を完成するものである。

COUVREUR, G., *Les pauvres ont-ils des droits? Récherches sur le vol en cas d'extrème nécessité depuis la 'Concordia' de Gratien, 1140, jusqu'á Guillaume d'Auxerre, mort en*

1231, Rome-Paris: Thèse, 1961 は中世全盛期において、貧困に由来する諸権利の法的承認をよく研究している。これらの権利に与えられた法的、教会法的表現については、つぎのものを参照せよ。TIERNEY, B., *Medieval Poor Law: A Sketch of Canonical Theory and its Applications in England*, Berkeley: Univ. of California Press, 1959.

ラトガー（Ratger）については、ADAM, August, *Arbeit und Besitz nach Ratherus von Verona*, Freiburg, 1927 を見よ。

二三七―二三八頁への注

「囲い込み」というのは、地域の民衆文化が生活の自立・自存の手段を奪われていく過程を説明する1つのやり方である。POLANYI, Karl, *The Great Transformation*, Boston, Beacon Paperback, 1957, especially chap. 7 'Speenhamland 1795' and chap. 8 'Antecedences and Consequences', pp. 77–102 を参照のこと。私は GUITTON, Jean Pierre, *La société et les pauvres: l'exemple de lagénéralité de Lyon, 1534–1789*. Bibliothèque de la Faculté des Lettres, Lyon. No. 26, 1971 のなかに、貧民たちが変容していく過程を主題にした非常に感度の高い論文を発見した。「十八世紀の社会というのは貧困についての自分の責任を再確認するために、乞食や浮浪者を社会的〈秩序〉として絶滅しようとする。この社会は、貧困を選ばれた者の印とお布施の印……組織された連帯の印としていた中世社会の本質を周辺的なものにするのである。」

HALEVY, Elie(前掲書)は貧民にたいする対応を叙述している。イギリスの貧民にかんして書いた人たちのなかにこの対応が反映されているからである。イギリスでは、プロテスタンティズムの出現が修道院の消滅をひき起こして以来、法律は困窮者、体の弱った者、乞食の権利を認めた。それだけでなく賃金が足りなくて国の提供する援助を必要とした労働者の権利を認めた。生存維持の権利は一五六二、一五七二、一六〇一年制定の法律に記述されている。すべての教区で、治安判事は住民にたいして救貧税を課する権限を付与された。十八世紀初期においてはじめて納税者は、この課税にたいし効力ある反対の異議を唱えるようになった。そして一七二二年までに労役場は法的保証を受けた。労働にたいする権利の新しい方式が、伝統的に保証された生存にたいする権利にとって代わったのである。

ヨーロッパの民衆文化の破壊にかんする報告

現代は、生活の自立と自存にとっての環境を破壊し、それを新しい国民国家という枠組内で生産される商品におきかえるように仕掛けられた過酷な五百年戦争の時代であると解釈しうる。この民衆文化とその文化の枠組にむけて仕掛けられた戦争において、まず国家に助力したのはさまざまな教会の聖職者たちであり、のちには専門家とその制度的処置が助力した。この戦争のあいだ、地域の民衆文化と〈ヴァナキュラーな領域〉——つまり生活の自立・自存の存在する領域――はすべての面で荒廃させられた。この戦争における敗北者の観点からなる現代の歴史はまだ書かれていない。この戦争にかんする報告はいままでそれが「貧困者」を進歩にむけて援助したという信仰を反映している。それは勝利者の観点から書かれていた。マルクス主義の歴史家たちもふつう、ブルジョア、リベラル、キリスト教の歴史家に劣らず、この破壊された価値に目を向けていない。経済史家たちは、みせかけの欲望によって定義されている稀少性がすぐれて人間的な条件だというわかりきった結論を反映する範疇から研究を始めようとする。

こうした歴史研究の伝統にたいする唯一の例外としてわれわれをなにより勇気づけるのは、雑誌 *Les Annales, Economies, Sociétés, Civilisations*, Editorial Office: 54 Boulevard Raspail, Paris 6. Subscriptions: Libraririe Armand Colin, 103 Boulevard Saint Michel, Paris 5 とその周辺に形成されたフランス歴史家グループである。一世代以上かけて彼らは、民衆の生活の自立と自存の文化についての歴史研究が可能になるような方法と仮説を洗練し、検証した。彼らは、貧民についていまだ朽ちていないいくつかの考古学的残存物を解釈するために使用できるような、読み書きができない者の実際のことばを保持している資料をさがした。墓石、歌、街の物売りの呼び声、笑劇《ファルス》や謎かけ等々において、とりわけ浮浪者、姦通者、魔女たちによる法廷で記録された証言において、彼らは、大多数が読み書きのできない――それは正確には、記録の助力を奪われているという意味であるが――過去の各時代における多数者の精神、感覚、神話の軌跡をかすかに見出したのである。

生活の自立・自存にたいして仕掛けられた戦争としての現代史を読むには、MUCHEMBLED, Robert, *Culture populaire et culture des élites dans la France moderne du XVe au XVIIIe siècles*, Paris: Flammarion, 1978 が案内書として好ましい。それは CASTAN, Y., *Honnêteté et relations sociales en Languedoc, 1715–1780*, Paris: Plon, 1974 および LE ROY LADURIE, Emmanuel, *Montaillou, village occitan de 1294 à 1324*, Paris: Gallimard, 1975 によって実りゆたかに補足される。これは、中世の村の生活が一人の master によっていかに再建されるかを示している。私は DELUMEAU, Jean, *La peur en Occident, XIVe–XVIIe siècles*, Paris: Fayard, 1978 を読まれることを強くすすめたい。それは中世および中世以来の恐れの経験と、その恐れがとってきたさまざまな形についての主要な歴史である。現代人は、生存は生活の自立・自存にもとづいて可能であるという考え方に不安を覚えている。代替的な技術の使用によって生活の自立・自存の現代的な形態が一般的な関心の中心となるような世界があるが、そうした世界のことを、現代人はほとんど考えつくことができない。こうした障害のひとつが個人的な恐怖であるといってよい。こういう恐れに伴い、死と幼時にたいする態度もまた大きく変化した。ARIES, Philippe, *L'homme devant la mort*, Paris: Seuil, 1977; *L'enfant et la vie familiale sous l'ancien régime*, Paris: Plon, 1960. また GINZBURG, C., *Il formaggio e i vermi*, Turin: Einaudi Paperbacks 65, 1976 は、地域における生活自立の組織とその崩壊にかんするイタリアの研究を紹介している。「国家のために犠牲に供された方言」については、CERTEAU, Michel を参照のこと。

ADAMS, Thomas M., Mendicity and Moral Alchemy: Work as Rehabilitation, *Studies on Voltaire and the XVIII° century*, Vol. 151, 1976.

Bertrand RUSSEL が *Praise of Ideleness*, London: George Allen, 1960, p. 17 で地主について述べていることは、学識者についてもまさしくいえる。「……労働の福音は……富裕な人々に労働の尊厳を説かせる一方で、彼ら自身、この労働という点において尊厳にあずからない様子でとどまっていようと気を配ってきた。」

FERBER, Christian von, *Arbeitsfreude: Wirklichkeit und die Ideologie. Ein Beitrag zur Soziologie der Arbeit in der industriellen Gesellschaft*, Stuttgart: Enke, 1959.

二三九頁への注

マルクスがいつも使うメタファーは単純なメタファーからはほど遠い。実体的労働（Substance Labor）は生産物のなかに結晶化されている。つまり、それは生産物のなかに沈殿し、凝結される。それは形のないゼラチンのように存在する。それはある生産物から別の生産物へと移されてゆく。エンゲルスは、*化学の弁証法を明白に提示している〔化学の弁証法に明白に依拠している〕が、しかし、頁を追ってゆくにつれて、社会的・歴史的なものを生理学へ、またその逆へと「還元する」錬金術の学となっている。マルクスにとって、価値の顕現とは、もともと人間のなかに眠っていて、ただ産業的生産者へと変容することをとおしてはじめて喚起される能力の物質化にある。CASTORIADIS, Cornelius, Valeur, Egalité Justice, Politique. De Marx à Aristote et d'Aristote à nous, *Le Carrefours du labyrinthe,* Paris: Seuil, 1978, pp. 249–316.

HEILBRONER, R. L., *Business Civilization in Decline,* New York: Norton; London: Marion Boyars.

HUFTON, O., *The poor in XVIII° century France,* Oxford: Clarendon Press, 1974.

TAWNEY, R. H., *Religion and the Rise of Capitalism,* 1926, pp. 254 ff は、イギリスでは貧困がはじめて悪徳と同一視された十七世紀末に、貧者への対応の硬化がみられる、と論じている。MARSHALL, Dorothy, *The English Poor in the XVIII° Century: A Study in Social and Administrative History,* London: 1926, p. 20 は、この対応の硬化が十八世紀初めにのみみられるとしているが、R・H・トーニーよりも早くではない。また MARSHALL, Dorothy, The Old Poor Law, 1662–1795, CARUS-WILSON, E. M., *Essays in Economic History,* Vol. 1, pp. 295–305 をも参照。

GEREMEK, B., Renfermement des pauvres en Italie, XIV–XVII° siècles, *Mélanges en l'honneur de F. Braudel,* I, Toulouse, 1973.

二四一—二四二頁への注

KRUEGER, Horst, *Zur Geschichte der Manufakturen und Manufakturarbeiter in Preussen*, Berlin, DBR: Ruetten und Loening, 1958, p. 598.

道徳経済

産業化以前の群衆については THOMPSON, Edward P., *The Making of the English Working Class*, New York, Random House, 1966 が古典となっている。BREWER, John, and STYLES, John, *An Ungovernable People: the English and their Law in the XVII° and XVIII° centuries*, Rutgers Univ. Press, 1979 は、トムソンに対する最初の主要な事実批判となる材料を集めている。イギリスでは少なくとも、民法よりもむしろ刑法を、群衆をおさえるためにエリートは使ったのである。道徳経済の存在についてのトムソンの基本的省察は、新しい研究によって確認されている。MEDICK, Hans, The proto-industrial Family Economy: the Structural Functions of Household and Family during the transition from Peasant Society to Industrial Capitalism, *Social History*, 1, 1976, pp. 291-315 をも参照。これは、私がみてきた限りで、この移行にかんする最も明確な叙述である。とくに新しい文献一覧によりこれを補足するものとして、MEDICK, Hans and SABEAN, David, Family and Kinship:

Material Interest and Emotion, *Peasant Studies*, Vol. 8, no. 2, 1979, pp. 139–60.

混同してはならない、労働の分割＝分業にかんする四つの問題点

以下の四つの問題点は、緊密に関係しあっているが、別々に論じられないかぎり明白なものになりえない。

一　特化された機能のための教育と、その機能を遂行するための技術的能力とのあいだに相関が立証されないということがますます明白となってきている。さらに、資本主義的な分業にたいする社会主義的批判がよってたつ基本的な前提が成りたたなくなっている。GORZ, André, *Critique de la division du travail,* Paris: Seuil, 1973 の序論を参照。ドイツ語版は Kritik der Arbeitsteilung, *Technologie und Politik*, n° 8, pp. 137–47. また GORZ, André, *Adieux au prolétariat: au delà du socialism,* Paris: Galilée, 1980 によれば、「資本主義によって発展させられた生産力は非常に強大なので、社会主義的合理性にのっとってそれを管理運用することができないほどである。……資本主義は労働者階級をうみだした。この労働者の有用性、能力、資格は、彼らが持っている生産力によって規定されるのだが、この生産力そのものがまた、資本主義的合理性にだけ支配されて機能しているのである。こうなると、資本主義をのりこえる可能性は、労働者階級をもふくめてあらゆる階級を解体させてしまった土台、または解体の可能性を示している土台からしか生まれてこない。……資本主義的分業は、「科学的社会主義」のよって立つ基盤を二重に破壊してしまった――労働者の労働はもはや能力を持っていることにはならなくなり、労働者固有の活動はなくなってしまった。従来の伝統的な労働者は、いまや特権的な少数派でしかない。そして人口の大部分は、脱産業社会の新しい労働者、つまりスティタスも階級もなく、それでいてさまざまな資格は有しているネオ・プロレタリアに属している。彼らは、「労働者」という名を聞いても、反対に「失業者」という名を聞いても、それが自分たちのことだとは気づきもしない。……社会は仕事をつくるために生産をする。……労働は不必要な強制となるのだが、それに気づかれないよう、社会は個人にたいして彼らの失業を蔽いかくそうとする。……労働者は自分たちの変転に遭遇していても、まるで自分とは関係のない人の転変を見ているような、芝居でも見ているような感じなのである。」

二　テクノロジーの歴史における新しい流れは、以下の書に代表される。KUBY, Thomas, Ueber den Gesellschaftlichen Ursprung der Maschine, *Technologie und Politik*, n° 16, 1980, pp. 71-103. その英訳は、*The Convivial Archipelago*, edited by Valentina BORREMANS, 1981. リチャード・アークライト卿にかんする重要な研究である。彼は、木綿糸をタテ糸にふさわしいようにする最初の紡績機を一七六七年につくった人で、床屋兼かつらづくりである。彼の発明は、当時すでに動力で動いていたハーグリーヴズのジェニー紡績機――それは、紡ぎ糸をヨコ糸用にのみつくった――を乗りこえた直線的な進歩であると通常考えられている。分業は、生産を増加するために必要とされた技術的改善にとって必ずしも必要なものではなかった。生産性の増加は労働者からもたらされたものではない。技術的過程が組織され、労働者を機械に付属する訓練された歯車にしてしまうやり方でもたらされたのだ。自由と技術の関係性にかんする思想の歴史をすばらしく紹介しているのが ULRICH, Otto, *Technik und Herrschaft*, Frankfurt: Suhrkamp, 1977 である。また MARGLIN, Stephen, What do bosses do?, *Review of Radical Political Economics*, VI, Summer 1974, pp. 60-112; VII, Spring 1975, pp. 20-37 は、十九世紀の工場システムが発展したのは、手工業にたいしてそれが技術的優位にたったからではなく、それが雇用主に労働力をいちだんと効果的にコントロールできるようにしたためである、と論じている。

三　分業が現在論じられている第三の局面は、男性・女性というセックスのあいだの文化特有のふりわけである。*〔このテーマの序論としては以下のものを参照せよ。Barbara DUDEN and Karin HAUSEN, Gesellschaftliche Arbeit—Gesellschaftsspezifische Arbeitsleistung, A. KUHN and G. SCHNEIDER (ed.), *Frauen in der Geschichte*, Dussendorf, Schwarn, 1980.〕これについては次の注を参照。

四　生産的なものと不生産的なものへの経済的分業が第四の問題点で、これは、以上三つのどれとも混同してはならない。BAULANT, M., La famille en miettes, *Annales*, no. X, 1972, p. 960 ff. その過程については、前注にある MEDICK, Hans の著書を参照。それは、十九世紀における両性の経済的再定義にふれている。私は、このセックスとしての性格が、十九世紀にベールをかけられたことを明らかにするであろう。

性《セックス》による分業(二四三―二四四頁への注)

MEAD, Margaret, *Male and Female: A Study of the Sexes in a Changing World*, New York: Dell Publ., 1968. とくに一七八頁以降は、二つの非産業社会において男性と女性が同じ仕方で仕事をふりわけられていないことを示している。この点にかんし、明瞭な内容で、かつ優れた文献一覧を掲げているのは ROBERTS, Michael, Sickles and Scythes: Women's Work and Men's Work at Harvest Time, *History Workshop*, 7, 1979, pp. 3–28, and BROWN, Judith, A Note on the Division of Labor by Sex, *American Anthropologist*, 72, 1970, pp. 1073–8 である。〔同*じく、興味深い概観が次にみられる。GUYER, Jane I., Food, coca and the division of labour in two West African societies, *Comparative Studies in Society and History* 22. 3, 1980, pp. 355–73. WIEGELMANN, Gunther, Erste Ergebnisse der ADV Umfrage zur alten bäuerlichen Arbeit, *Rheinische Vierteljahresblätter* 33, 1969, pp. 208–62; Zum Problem bäuerlicher Arbeitsteilung in Mitteleuropa, *Aus Geschichte und Landeskunde Festschrift für Franz Steinbach*, Bonn, 1960. 中世の歴史については MIDDLETON, Christopher, The sexual division of labour in feudal England, *New Left Review*, 113/114, 1979, pp.

147–68; MITTERAUER, Michael, Zur familiengeschichtlichen Struktur im zünftigen Handwerk, *Festschrift für Adolf Hoffmann*, Münden, 1979, pp. 190–219.〕このことは、イギリスの最近の歴史から実例をひろうことができる。KITTERINGHAM, Jennie, Country Work Girls in XIXe century England, SAMUEL, Raphael, ed., *Village Life and Labor*, London-Boston: Routledge and Kegan Paul, 1975, pp. 73–138を参照。また、概説書としてはWHITE, Martin K., *The Status of Women in Pre-Industrial Societies*, Princeton Univ. Press, 1976がある。参考文献はMILDEN, James, *The Family in Past Time: A Guide to Literature*, Garland, 1977およびROGERS, S. C., Woman's Place: A Critical Review of Anthropological Theory, *Comparative Studies of Society and History*, 20, 1978, pp. 123–67をみるとよい。セックスによるこの文化的な分業を、十九世紀に出現した経済的分業、すなわち男はほんらい生産的、女はほんらい、あるいは自然に再生産的であるとされた経済的分業と混同してはならない。

現代の夫婦と核家族

核家族は新しいものとはいえない。先例のないものといえば、それは、生活の自立・自存を欠いた家族を規範に仕立てようとする社会であり、またこの新しい家族をモデルにすることを拒む、二人の人間のあいだの結びつきのあらゆるタイプを差別視する社会である。この新しい実体は、十九世紀の賃金稼得者の家族として存在するようになった。その目的は、ひとりの中心になる賃金稼得者とその影法師を夫婦として結びつけるものであった。世帯は、賃金の消費が行なわれる場となった。HAUSEN, Karin, Die Polarisierung des Geschlechtscharakters: eine Spiegelung der Dissoziation von Erwerbs und Familienleben, *Sozialgeschichte der Familie in der Neuzeit Europas, Neue Forschung*. Edited by W. CONZE, Stuttgart, 1976, pp. 367-93. これは多くの場合、世帯のすべての成員が賃金稼得者であるとともに、活動的な家庭人である今日でもなお真実である。それは、「ひとり暮らしのアイス・ボックス」で装備された単身者の家庭にさえもあてはまる。

家族のこの新しい経済的機能は、「核家族」にかんする議論によって隠されている。核家族、つまり夫婦二人で組織された世帯というものは、存在しうるし、さまざまな社会での規範として歴史上存在してきた。だがそのような社会では、生活の自立・自存の基盤のない人々の夫婦的結びつきは、考えられなかったであろう。VEYNE, Paul, La famille et l'amour sous le Haut-Empire romain, *Annales*, 33rd year, no. 1, Jan.-Feb. 1978, pp. 35-63 は、ローマではアウグストゥスとアントニヌス朝とのあいだに、キリスト教による影響とは別に核家族の、夫婦二人の家族の理想が存在していたと論じている。この種の家族に奴隷としての義務を負わせることが所有者の利益になった。それは、その貴族的形式においてキリスト教徒たちに引きつがれた。DUBY, Georges, *La société aux XIe et XIIe siècles dans la région macon-*

naise, Paris, 1953 および HERLIHY, David, Family Solidarity in Medieval Italian History, *Economy, Society and Government in Medieval Italy*, Kent State Univ. Press, 1969, pp. 173-9 をみると、初期のヨーロッパの家族が典型的に夫婦細胞になったのは、十二世紀に入ってからであるのがわかる。そして、それが強化されていく過程は、主として土地保有にかかわってはじまっている。教会法はそれにほとんど影響をあたえていない。また PELLEGRINI, Giovan Battista, Terminologia matrimoniale, *Settimane di Studio del Centro Italiano per l'Alto Medioevo di Spoleto*, 1977, pp. 43-102 も参照のこと。この論文は、中世の結婚を理解するのに必要な複雑な用語あるいは一連の用語を紹介している。また METRAL, M. O., *Le mariage: les hésitations de l'Occident*. Foreword by Philippe Ariès, Paris: Aubier, 1977 を参照。十七世紀、十八世紀については、ARIES, Philippe, *L'enfant et la vie familiale sous l'ancien régime*, Plon, 1960 および LEBRUN, Francois, *La vie conjugale, sous l'ancien régime*, Paris: Colin, 1975 が役に立つと思った。LASLETT, Peter, *Un monde que nous avons perdu: les structures sociales pré-industrielles*, Flammarion, 1969. Engl.: *The World we have lost* は、夫婦二人の家族が産業革命よりずっと以前にイギリスでは一般的であったことを示している。BERKNER and SHORTER, Edward, La vie intime: Beitraege zur Geschichte am Beispiel des kulturellen Wandels in der Bayrischen Unterschichte im 19. Jh., *Koelner Zeitschrift fuer Soziologie und Sozialpsychologie*, special number 16, 1972 は、核家族が、南ドイツの農民のあいだでは老

人が死を迎えようとするライフサイクルの段階において典型的だったことを見出している。おそらく拡大した家族はそもそも「現代社会学者のノスタルジア」なのである。

現代家族の独自性とは、それが「社会的な」領域に存在していることである。ＯＥＤは、familyということばの九つの意味のなかの第三番目に、十九世紀に出現した意味として、「実際に一緒に住んでいようといまいと、両親とその子供たちからなる人間集団」と述べている。家族の争いということばは一八〇一年、家族生活は一八四五年、家族の読み物にふさわしくないものは一八五三年、半額認めてもらう家族チケットは一八五九年、家族雑誌は一八七四年にあらわれている。

HERLIHY, David, Land, Family and Women in Continental Europe, 701–1200, *Traditio*, 18, 1962, pp. 89–120（Fordham Univ. N. Y.）.

Police の制度としての家族

生活の自立・自存を中心とする家族では、成員は自分たちの生計を立てる必要によって互いに結びつけられていた。現代の夫婦中心の家族では、その成員は、自分たちを周辺的なものにしている経済のためにつながっている。DONZELOT, Jacques, *La police des familles*, Paris: Ed. de Minuit, 1977. Engl.: *The Policing of Families*, transl. by Robert Hurley, New York: Pantheon, 1979は、つぎの本にそいながらより詳しく考察している。FOUCAULT,

Michel, *La volonté de savoir*, Paris: Gallimard, 1976. policingとこの本が捉えているのは、それによっていわゆる社会的領域が創造されることで、その領域とは「ソーシャル」ワーク、「社会的」災難、「社会的」プログラム、「社会的」前進とわれわれが言うときにかかわってくるものである。J. Donzelotによれば、この領域の歴史とそれが存在するようになった過程、すなわちpolicingは、伝統的な政治史にも民衆文化史にも見出されないのである。それはがんらい、すべてがpolicingとよばれた活動をとおして、身体、健康、生活および家庭の様式に投資するために政治的技術を使う生＝政治的次元を示すものである。Donzelotの「社会的領域」の形成を記述しようとする試みは、DUMONT, Louis, The Modern Conception of the Individual: Notes on its Genesis and that of Concomitant Institutions, *Contributions to Indian Sociology*, no. VIII, October 1965, Presses de la Fondation des Sciences Politiques (Microfiches)を読んだ後のほうがよりよく理解されるであろう。フランス語訳は、La conception moderne de l'individu: notes sur sa genèse en relation avec les conceptions de la politique et de l'Etat à partir du XIIIe siècle, *Esprit*, February, 1978. ルイ＝デュモンは、政治、経済領域が同時に出現する様子を記述している。Paul Dumouchel（前掲書）のルイ＝デュモンへのコメントも参照。

「女性」(woman)の診断

C. LASCH(*New York Review of Books*, Nov. 24, 1977, p. 16). 歴史家による「専門化」の最近の研究は、明確に定義された社会的必要に対応して専門主義が十九世紀に出現したのではないということを明らかにしている。そうではなくて、新しい専門職は、みずからがみたすと主張する数多くのニーズを発明したのである。それらは、社会的混乱や疾病の公的不安につけ込み、故意に神秘化する専門用語を用いて、民衆の伝統と自助を、後進的なもの、非科学的なものとあざけった。そしてこのようなやり方で、障害がなかったわけではないが、そのサーヴィスにたいする高まる需要を創造し、増幅したのである。BLEDSTEIN, Burton J., *The Culture of Professionalism*, New York: Norton, 1976 は、この過程をみるのにすぐれた案内書であり、よい文献一覧をのせている。EHRENREICH, Barbara and ENGLISH, Deirdre, *For Her Own Good: 150 Years of the Expert's Advice to Women*, New York: Anchor, 1978 は、女性にたいする専門的コントロールの歴史を示している。その一二七頁に「大規模な家庭内の仕事は……その世紀の半ば以後……家庭のなかですることがだんだん少なくなり、それはあたかも家庭ではやがて何もすることがなくなるかのようにみえた。教育者、民衆作家、指導的な社会科学者たちは、ヴェブレンが無駄な努力の証拠としてあげた――たとえば顕示的消費のような――家庭内に増大する空しさにいらだちを覚えていた。聖職者と医師は、自分たちの仕事が「家庭生活を文明の最も高度ですぐれた産物」にするようにサーヴィスを提供することであるということに特別の確信をもっていた。」女性の性質の医療化については、以下の本がとくに有益と思った。BARKER-BENFIELD, G. J., *The Horrors of the Half-Known Life: Male Attitudes toward Women and Sexuality in the XIX°-Century America.* New York: Harper and Row, 1976; ROSENBERG, Rosalind, In search of Woman's Nature: 1850–1920, *Feminist Studies*, 3, 1975; SMITH-ROSENBERG, Carroll, The Histerical Woman: Sex-roles in XIX° Century America, *Social Research,* 39, 1972, pp. 652–78; MCLAREN, Angus, Doctor in the House: Medicine and Private Morality in France, 1800–1850, *Feminist Studies,* 2, 1975, pp. 39–54; HALLER, John and HALLER, Robin, *The Physician and Sexuality in Victorian America,* Urbana, Ill.: Univ. of Illinois Press, 1974; VICINUS, Marta, *Suffer and be still: Women in the Victorian Age,* Bloomington: Indiana Univ. Press, 1972; LEACH, E. R., *Culture and Nature or 'La femme sauvage',* The Stevenson Lecture, November 1968, Bedford College, The University of London; KNIBIEHLER, Y., Les médecins et la "nature féminine" au temps du Code Civil, *Annales,* 31st year, 4, July–August, 1976, pp. 824–45.〔**Quaderni Storici,* n° 44, 1980 は全体が女性の知覚の医療化の問題にさかれている。特に以下の論文を参照せよ。POMATA, Gianna, Madri illegittime tra ottocento e novecento: storie cliniche e storie di vita, pp. 487–542.〕

DUDEN, Barbara, Das schoene Eigentum, *Kursbuch,* 49, 1977 はカントの女性論についての注解である。

女主人から専業主婦へ

前掲のBOCK und DUDEN, *Zur Entstehung der Hausarbeit im Kapitalismus* および DAVIS, Natalie Z., *Society and Culture in Early Modern France*, Stanford Univ. Press は、この問題に詳しくない人には良い案内書であろう。CONZE, Werner, *Sozialgeschichte der Familie in der Neuzeit Europas*, Stuttgart, 1976 も同様である。DAVIS, Natalie Z. and CONWAY, Jill K., *Society and the Sexes: A Bibliography of Women's History in Early Modern Europe, Colonial America and the United States*, Garland, 1976 は不可欠な手引書である。補足として ROE, Jill, Modernization and Sexism: Recent Writings on Victorian Women, *Victorian Studies*, 20, 1976-77, pp. 179-92, および MUCHEMBLED, Robert, Famille et histoire des mentalités, XVIe-XVIIIe siècles: état présent des recherches, *Revue des Etudes Sud-Est Européen* (Bucarest), XII, 3, 1974, pp. 349-69. ROWBOTHAM, Sheila, *Hidden from History: Rediscovering Women in History from the XVIIe Century to the Present*, New York: Vintage Books, 1976. この第二版の一七五頁以降に含まれている初期ヴィクトリア時代のイギリスの女性の役割の変化にかんする選ばれた文献一覧は価値がある。次の二つの論文は、社会変動の伝統的時代区分、分類分け、および理論がどの程度最近の女性史に適用できるかを問題としている。BRANCA, Patricia, A New Perspective of Women's Work: A Comparative Typology, *Journal of Social History*, 9, 1975, pp. 129–53 および KELLY-GADOL, Joan, The Social Relations of the Sexes: Methodical Implications of Women's History, *Signs*, 11, 1978, pp. 217–23.

TILLY, Louise and SCOTT, Joan, *Women, Work and Family*, New York: Holt, Rinehart & Winston, 1978 は今後の研究のための良い参考文献の情報を提供している。十九世紀のはじめの四半世紀にアメリカで起こった変化による女性の新しい地位については LERNER, Gerda, The Lady and the Mill Girl: Changes in the Status of Women in the Age of Jackson, *American Studies*, Vol. 10, no. 1, 1969, pp. 5–15 がよくまとまっており、わかりやすい。オックスフォード大学女性研究委員会は研究会で発表された諸論文を二つの選集にして出版している。それらは家事の歴史を知るのに有益である。ARDENER, Shirley, Editor *Defining Females: The Nature of Women in Society*, London: Croom Helm, 1978; and BURMAN, Sandra, Editor *Fit Work for Women*, London: Croom Helm, 1979. 各論文とも良い注釈がついている。〔*この論集のなかでは HALL, Catherine, The early formation of Victorian domestic ideology (pp. 15–32)をも参照せよ。生産労働が家庭から工場へ移行していくにつれて、アメリカ合衆国においてウェズレーのメソジスト教と並行して福音伝道運動(一七八〇—一八二〇年)が行なわれた結果、家庭の領域が強化され、女性はそのなかで(義務とみなされる)自分の仕事をなし、他方男性は外へ行って自分の労働をするようになった。女性にとっては働かないということが唯一の「ふさわしい」生き方となった。エリー・アレヴィーが初めて指摘したように、十八世紀末頃、宗教的な領域が家庭的な領域に結びついた。その結果、道徳性の私的領域は経済の非道徳的、非神学的領域と対立しうるようになったのである。」

家庭内だけでなく、女性による労働は、男性がするものとはちがう独自なあり方として区別されるようになった。また女性が賃金で雇われたところでは、新しい種類の労働がつくり出され、おもに女性のために用意された。HAUSEN, Karin, Technischer Fortschritt und Frauenarbeit im 19. Jh.: zur Sozialgeschichte der Naehmaschine, *Geschichte und Gesellschaft*, Year 4, No. 4, 1978, pp. 148–69 は、家庭を市場から独立させることができたミシンが、実はいかに女性労働として規定された搾取的賃労働を増加させるのに使われたかを示している。DAVIES, M., Woman's place is at the Typewriter: The feminization of the Clerical Labor Force, *Radical America*, Vol. 8, no. 4, July–Aug. 1974, pp. 1–28 は、タイプライターの使用が、それをめぐって先例のない秘書軍団を組織したという同様の分析を行なっている。医療と警察のサーヴィスをめぐっての売春の再組織化についてはCORBIN, Alain, *Les filles de noce: misère sexuelle et prostitution aux XIXe et XXe siècles*, Paris: Aubier Coll. Historique, 1978を参照されたい。主婦の理想像が定着する以前の歴史についてはHOOD, Sarah Jane R., *The Impact of Protestantism on the Renaissance Ideal of Women in Tudor England*, PhD Thesis, Lincoln, 1977を参照のこと。以下はその要約である。「女性的な妻と母親

の理想像はルネサンス期における北方のフマニストたちにはじめて現われる。studia humanitis は、教養豊かな妻として夫の伴侶となり、子供たちを教育する知的な案内人として家庭内の役割を首尾よく遂行するための秘訣集であった。この上流階級の理想は、処女あるいは奥ゆかしい貴婦人という中世的理想にとってかわった。職業というプロテスタントの理想は、チューダー王朝のイギリスにおいて、家庭内の理想を全女性の天職としてしまった。いまや女性はすべて既婚者となることを要請され、子供を生むこと以上にすばらしい貢献はありえないものとなった。家庭制作者がルネサンス期の伴侶にとってかわった。最底辺階層の家は信仰厚い社会への価値ある貢献ということに悩まされている。しかし、すべて結婚と母性を要請されるとき、女性は他のなにをも要請されなかった。他のものを選択することは、彼女たちの神聖な職業を否定することだった。このようにして、家庭的という理想は教義化されていった。

社会は、その代理機関つまり世話をする専門職を通じて、ごく最近定義された労働を女性に押しつけたが、その場合の主要な手段のひとつは、「母親らしい」世話という理想である。母親として世話することが、いかにして賃金の支払われない、専門的に管理されるような〈シャドウ・ワーク〉となったかは、以下の文献で理解しうる。LOUX, Francoise, *Le jeune enfant et son corps dans la médecine traditionnelle*, Paris: Flammarion, 1978; BARDET, J. P., Enfants abandonnés et enfants assistés à Rouen dans la seconde moitié du XVIIIe siècle,

Hommage à Racel Reinhard, Paris 1973, pp. 19-48. Flandrinは「家族の子供のために雇われた授乳する人の危険性についての度合いを実証した唯一の研究」とコメントしている。GELIS, J., LAGET, M. and MOREL, M. F., *Entrer dans la vie: naissances et enfances dans la France traditionnelle*, Paris, 1978; OTTMUELLER, Uta, "Mutterpflichten": Die Wandlungen ihrer inhaltlichen Ausformung durch die akademische Medizin, pp. 1-47, MS 1979は非常にすぐれた精選された文献一覧も付されている。LALLEMENT, Suzanne and DELAISI DE PARSEVAL, Geneviève, Les joies du maternage de 1950 à 1978, ou Les vicissitudes des brochures officielles de puériculture, *Les Temps Modernes*, Oct. 1978, pp. 497-550; BADINTER, Élisabeth, *L'amour en plus*, Paris: Flammarion, 1980.

POULOT, Denis, *Le sublime ou le travailleur comme il est en 1870, et ce qu'il peut être*, Introduction by Alain Cottereau, Paris: Francois Maspero, 1980. 彼自身はパリの小さな工場の持ち主で、以前は労働者であったのだが、一八六九年に労働者の分類型の研究を発展させ、それぞれの類型が上司と妻にむけてどのようにふるまっているかを考察しようとしている。

OAKLEY, Ann, *Woman's Work: The Housewife, Past and Present*, New York: Vintage Book, 1976は、第七章においてそれら三つの神話を広範囲にわたって取り扱っている。〔す*なわち、両性間の経済的分割、家族についての「経済的」概念、家庭的領域と公的領域の対立。「生物学的」議論にかんしては〕Clifford GEERTZ の D. SYMON, *The Evolution of Human Sexuality*, Oxford University Press, 1980 にかんする書評が *The New York Review of Books*, 24 Jan. 1980 にある。HUBBARD, R. et al., *Women look at Biology*, Boston: Hall, 1979 をも参照のこと。

二四七—二四八頁への注

NAG, Moni, An Anthropological Approach to the Study of the Economic Values of Children in Jave and Nepal, *Current Anthropology*, 19, 2, 1978, pp. 293-306 はまた、家族の成員への価値の経済的帰属にかんする一般的文献一覧を記載している。

〔*結婚における「経済的連結」にかんしては次のものを参照せよ。〕BECKER, Gary S., A Theory of Marriage, *Journal of Political Economy*, 81, 1973, pp. 813-46, and *The Economic Approach to human behavior*, Univ. of Chicago Press, 1976. LEPAGE, H., *Autogestion et capitalisme*, Paris: Masson, 1978.〔*産業社会における〈自然〉の概念と〈女性〉の概念のあいだの相同関係の分析については、ごく最近出た次のテキストを参照せよ。WERLHOF, Claudia von, Frauen und dritte Welt als "Natur" des Kapitals, H. DAUBER and W. SIMPFENDÖRFER, *Miteinander Leben*, Wuppertal, Peter Hammer Verlag, 1981.〕

二四九頁への注

SKOLKA, Jiti V., The Substitution of Self-Service activities for Marketed Services, *Review of Income and Wealth*, Ser. 22, 4, 1976, p. 297 ff は、以下のように論じている。セルフ・サーヴィス活動とは、市場外で遂行され、インプットとして消費者の時間、産業製品(主に耐久財)、そしてしばしばエネルギーをもつもの、と定義されている。こうしたセルフ・サーヴィス活動は、ますます市場化されるサーヴィス活動にとって代わる。このようにして、産業化された国の増大していく活動は生産的であるけれども、これまでの経済的尺度では記録されえない。というのは、これらの活動は市場にもあらわれないし、市場価値ももたないからである。市場化された価値にとって代わるセルフ・サーヴィスの価値が一国の福祉測定に含まれないかぎり、この測定は無意味となる。だがセルフ・サーヴィス活動をすべて記録することは、大規模な価値帰属の計算を含んでいて、統計学者の嫌う手続きである。

［解説］友人イヴァン・イリイチの思想深化への期待

一

歴史学者、社会哲学者、いや経済学者でもあるイヴァン・イリイチ(Ivan Illich)が今日われわれに突きつけるさまざまな問題提起のもつ衝撃の力と範囲は、はかり知れないほど大きい。右であれ左であれ、ほとんど誰も、もはやこれを無視したり黙殺したりすることはできないだろう。本書を一読すれば、このことがいやというほど感得されるにちがいない。

本書は、*Shadow Work*(1981, Marion Boyars)の邦訳である。これに著者の希望で、「平和とは人間の生き方」(Peace is a Way of Life)を追加し、冒頭の第一章に置いてある。この論文はイリイチが、一九八〇年十二月、横浜での「アジア平和研究国際会議」において行なった基調講演をのちに部分的に改稿して、イギリスの隔月刊誌『リサージエンス』(一九八一年九—十月号)に発表したものである。それゆえこの日本語版は、英語版、フランス語版と異なって、全体として六つの章から構成される。著者の要望にしたがい、英語版を底本としながらフランス語版(*Le travail fantôme*, 1981, Éditions du Seuil)をも参照し、その異同をたしかめた。違いのある箇所は、行文における思想の流れを乱さないように気をつけながら、正確を期すうえに必要な範囲内で、＊と〔 〕を用いて挿入しておいた。なお、第五章の表題のみフランス語版のそれを用いた。

イリイチは一九二六年にウィーンで生まれた。父は貴族の出で富裕な地主、エンジニア。母はスペイン系ユダヤ人である。イタリアのフローレンス大学とローマ大学で自然科学、とくに結晶学を修め、ローマ・グレゴリオ大学で神学と哲学を学び、さらにオーストリアのザルツブルク大学で歴史学の博士号を得た。歴史の研究に不可欠な語学力について、イリイチは抜群である。ドイツ語、英語はもとより、イタリア語、フランス語、スペイン語、さらにロシア語をも自由に話し、ギリシア、ラテンの古典語にも通じる。文字どおり厖大な文献と資料を駆使して展開する彼独得の思想世界に惹きこまれない者は、おそらくいないであろう。一昨年は西独カッセル大学とゲッチンゲン大学で欧州中世史を講じ、昨年からはベルリン高等研究所に招かれて、現在、西ベルリンに滞在中である。

イリイチは、一九六〇年代末から今日にいたるまで矢継ぎばやに労作を発表してきた。それらはすべて、現代産業文明への挑戦と警告の書となっている。その主要なものを発表順にあげると、

Celebrations of Awareness, 1970
Deschooling Society, 1971
Tools for Conviviality, 1973
Energy and Equity, 1974
Medical Nemesis, 1974
Disabling Professions, 1977
The Right to Useful Unemployment, 1978
Shadow Work, 1981
Gender, 1982

これらの著書は、そのほとんどがわが国でもすでに紹介されたり翻訳されたりしていて、「非学校化の社会」、「非病院化の社会」などのユニークな見解の持ち主として、早くから多くの潜在的読者層を獲得してきているようにみえる。私もその一人であったが、しかし、私自身が経済学者としてこの特異な思想家の存在に強く印象づけられたのは、

次のような彼のことばにふと目をとめたときからである。――「自分としてはとくに、人類の三分の二が現代の産業時代を経験するのを避けることが、いまでも可能であるということを明らかにしたい。」(*Tools for Conviviality*, 1973, p. IX)

この発言は、産業化の空前の危機を前にして、おそるべき重みをもっている。並々ならぬ確信と抱負に裏づけられたことばであるといってよい。戦後日本の産業化が〝高度成長〟をとおして、ついに自然・生態系と衝突するほどの環境破壊をひきおこした事実を多くの日本人はじかに経験している。日本におけるこうした臨界点を、私は一九六〇年代の後半以降とみている。イヴァン・イリイチは、今日のエネルギー高消費社会の発展にある種の「限界閾値」を設定しようとする。彼はこれを「分水界」(watershed)と呼び、医療の面から最近の第二の「分水界」を一九五五年以降とみなしている。いずれにせよ、こうした一種の臨界点を経て、先進工業諸国はどこでも、人間の生活環境をめぐる広範なクライシスの局面を生みだすにいたっている。

イリイチによると、問題は、産業的に制度化された市場社会の生産と生活の様式に基礎づけられた異常な科学技術の進歩にある。技術のあり方を規定する「道具」は、その所有の仕方だけが問題なのではなく、それと人々との多次元的なかかわりが評価の査証とされなければならない。そこでイリイチは、周知のように「技術科学的進歩の社会的査証のモデル」として、㈠学校、㈡交通、㈢医療、を選びだした。これら三つの領域を近代の産業社会の象徴的なパラダイムと見立てる。学校化(schooling)によって自分で学ぶことを忘れつつある社会、加速化(acceleration)によって自分の足で歩くことを忘れつつある社会、医療化(medicalization)によって自分で癒すことを忘れつつある社会。このように、人類史上先例のない非自立化の世界が五〇年代後半の「分水界」以後、急速にわれわれの身辺に広がってきたとみるのである。資本主義はもとより既成の社会主義もまたこの例外ではない。問題とされるべき支配的権力は、もはや古典的な階級でもなければ、ただに国家権力というだけのものでもない。あたかも影のごとくはたらいて市場を媒介に産業的な制度化をひたすら推進する「専門家的権力」(professional powers)の姿が捕捉されなければならない、というのである。

核兵器や核エネルギーはまぎれもなく、物理学、工学、経済学にたずさわる研究者、巨大科学に群がる技術者たちからなる「専門家的権力」の産物である。核兵器についてここで想い起こすのは、先年イリイチが来日したさいに、彼といっしょに広島の原爆資料館を訪ねて、その廊下を歩いていたときのことである。目を蔽いたくなるような展示品のひとつひとつをじっと眺めていたイリイチは、沈痛きわまる声で私にこういった。

――「一瞬にして死の淵に突き落とされた人々の〝人間の叫び〟こそがすべてに先行し、

百の論議に先行されるべきだ！」

人間、いや生きとし生けるものを一瞬にして殺戮する「核兵器」という用語のもつ矛盾に、イリイチはつよい疑問を投げかける。ひたすら大量殺戮のみに用いられる「核兵器」を、これまでの通常戦争における兵器や武器の延長で、同じ言葉の範疇としてくれるものだろうか。「核兵器」は兵器や武器ではなく、大量虐殺のための機械と定義されるべきではないか。広島や長崎に投じられた原子爆弾は、同じく大量虐殺を目的としたあのアウシュヴィッツの〝死の収容所〟と並ぶ反人間的な存在以外のなにものでもない。にもかかわらず、われわれが「核兵器」ということばを平然と日常の会話で使用するのは、人間としての存在をかけての現代の矛盾ではないのか。イリイチによると、昨冬、西ドイツの諸都市で一風変わった光景が見られたという。ある時間になると、人通りの多い四つ角に無言のグループがあらわれる。彼らは寒さのなかで足踏みしながら、沈黙のまま立っている。そして時間が経つと、また散っていく。彼らのうちの一人、二人はプラカードを掲げている。それにはこう書かれてあった。——「私は沈黙を守る。なぜなら、核兵器と呼ばれるものにたいし、われわれは人間としていうべきことばをもたないからである。」

最近急速な高まりをみせている西ヨーロッパの反核・平和運動の基底の一部に、大量殺戮の機械に抗議するこのような沈黙のグループがいるという事実は重要である。去る四月来日したさいに、イリイチは、“Can one speak about the unspeakable?” ということをあらためて深刻な問題として提起した。おそらく彼自身にとっても、自問と自戒のことばであろう。イヴァン・イリイチとは、そういう人間的感度の抜きんでて高い思想家である。（本書の第六章中の sensitivity, sentimentality および sentimentalism を味読されるとよい。）

二

われわれは今日、このような大量虐殺用の機械の存在にたいして、人間として絶対的な反対の立場を築かねばならないであろう。しかし現実には、こうした反人間的機械をその産物の頂点とする「専門家的権力」のシステムのなかに、人間の生存がゆだねられてしまっている。このように深く、かつ広範なクライシスを回避するためには、産業的に制度化された現代の文明をなんらかの形で転換させるよりほかには方途はないであろう。イリイチは、六〇年代末から七〇年代にかけてひとつの流行語ともなった alternatives ということばに含まれる〝選択〟という用語の消費者的ニュアンスを排して、これに代わることばとして institutional inversion（制度上の位置転換）を考える。inversion とは、内側にめくり返すことをいう。もとより権力奪取を意味するものではない。かねて私が〝地域主義〟の提唱において主張してきているように、権力の抑制と縮小を求めて、権力の座そのものを風化させる考えに近いものとみてよい。

ここで、産業的に制度化された市場社会に対置させようとするイリイチの視座または立場を考えるにあたって忘れてならないのは、イリイチが自分の思想上の師と仰ぐカール・ポランニーの理論である。ポランニーといえば、歴史学、とくに経済史学にたいして、そのパラダイムの転換をうながすような根本的な問題提起を試みた学者として知られている。事実、彼は交易・貨幣および市場の諸起源を主題にして、先史時代から始まって現代にいたる人間の全歴史のなかに近代の西欧文明を相対的に位置づけようと努力した。その結果、ひとつの重要な事実関係を見出した。人間の経済というものは、原則として人間同士の社会関係、すなわち地域のコミュニティのなかに埋まっているものだというのがそれである。ところが、いわゆる近代化とともに経済が市場経済として社会から「離床（disembed）」――例のW・W・ロストウの〝離陸〟などと混同してはならない――して、逆に経済システムのなかに人間社会が埋没するという状態が現出するにいたった。これはまったく新奇で異常な事態というほかはない、というのである。それゆえ、「市場経済を社会のなかへふたたび埋めこむ(reembed)」という作業こそが、現代の最大の歴史的課題であるとされる。(K・ポランニー『人間の経済』I・II—岩波現代選書／岩波モダンクラシックス—を参照されたい。)

イリイチのいう「制度上の位置転換」の概念には、このようなポランニーの歴史認識が確実に投影されている。ニーズという名で産業的に制度化された現代の文明に対置させる自分の根本的な視座または立場をいいあらわすことばを探し求めて、ここにイリイチがやっと発見したキーワードのひとつは vernacular という語である。だが、これを日本語に移しかえるのはむずかしい。反市場的、反産業的立場をあらわすことばではあるが、その意味するところはあまりにも深い。〝土着〟や〝地縁〟といった邦語もあるが、どれもイデオロギー的に多かれ少なかれ汚染されているように思われるので、やむなく本訳書では原名のままにしておいた。そこで、彼自身の説明をここに掲げておこう。

「ヴァナキュラーというのは、「根づいていること」と「居住」を意味するインド－ゲルマン語系のことばに由来する。ラテン語としての vernaculum は、家で育て、家で紡いだ、自家産、自家製のもののすべてにかんして使用されたのであり、交換形式によって入手したものと対立する。自分の妻の子、奴隷の子、自分が所有する家畜のろばから生まれたろばは、ちょうど菜園や共用地《コモンズ》からとれた基本的な生活物資のように、ヴァナキュラーな存在である。もしカール・ポランニーがこの事実に気づいていたなら、古代ローマ人によって受け入れられていた意味で、ヴァナキュラーという言葉を使用したかもしれない。すなわちそれは、生活のあらゆる局面に埋め込まれている互酬性の型に由来する人間の暮らしであって、交換や上からの配分に由来する人間の暮らしとは区別されるものなのである。前古典時代からテオドシウス法典にみられる専門的な文句にいたるまで、ヴァナキュラーはこの一般的な意味で使われていた。この語をとりあげて、言語の領域に同じ区別をもちこんだのは、ヴァロであった。彼にとって、ヴァナキュラーな話しことばとは話し手自身の土地で育まれたことばと型式《パターン》からなるものであり、他の場所で育てられ、運びこまれてきたものとは対立するものだった。……ヴァナキュラーという語は、ヴァロが限定づけたある一定の意味で英語とフランス語に入った。私はいまここで、この語の古い息づかいをいくぶん復活させたい。われわれが必要としているのは、交換という考えに動機づけられていない場合の人間的活動を示す簡単で率直なことばである。それは、人々が日常の必要を満足させるような自立的で非市場的な行為を意味することばなのだ。その性質上、官僚的な管理からまぬがれているその行為は、それによってその都度独自の形をとる日常の必要を満足させるものである。ヴァナキュラ

ーというのは、この目的に役立つ旧き良きことばであるように思われる。」(一四四―一四六頁)

イリイチはこの言葉にdomainという語を付して、「ヴァナキュラーな領域」という概念をもしばしば使用する。これは、私が日頃用いている「地域」、とりわけ基層「地域」の概念に近いものととると、あるいは理解しやすいかもしれない。

ここでもう一つ。イリイチが自分の立場をいいあらわすのに用いたことばのひとつに、convivial, convivialityがある。一九七三年に彼は、このことばをタイトルの一部に用いた書物を公けにした。先に紹介しておいた文章もそのなかの一節であるが、他の箇所でこういっている。――「現在の制度の位置転換《インヴァーション》なしには、また産業的な諸用具をコンヴィヴィアルなものにとりかえることなしには、社会主義への移行は効果があるはずがない。同時に、社会における用具の再編は、社会主義の公正という理想がゆきわたるのでなければ、偽善的な夢のままにとどまることだろう。」(*ibid.*, p. 12)

こう語ってから十年近くたった今日、社会哲学者としてのイリイチの思想は、歴史学の新たな研究を加えていっそうの深まりをみせている。とくに最近、ドイツの大学で欧州中世史の講義を準備するかたわら設定した「生き生きとした共生《コンヴィヴィアリティ》を求めて」という主題は、イリイチにとって特別の学問的関心の対象となったようである。そのさい「中世に表現されたものが持っているさまざまな意味を一九八〇年代の若者が理解できない場合、彼らの精神構造のなかで彼らの理解をさまたげている典型的な障害は何かをみつけることが、われわれの研究の目的なのである」(一八七頁)といっている。もともと「コンヴィヴィアリティ」は、イリイチにとって、「産業的生産性とは正反対の意味を示す」ものとして選ばれたことばであり、いうなれば、人々がヴァナキュラーな領域をふまえて自律的な生を互いに分け合いながら拡充するとでもいった、生き生きとした表現として用いられているのであるが、そのようなコンヴィヴィアリティの探究については、科学《サイエンス》の見直しとともに、十二世紀初期の卓越したスコラ学者、聖ヴィクトールのユーグの思想を活写している本訳書第五章を読んでいただきたい。この用語もやはり原名のままに表記しておいた箇所がいくつかある。

右の二つと、後に述べる shadow work をのぞけば、あとの述語はほとんど日本語に移してある。このなかで邦訳しにくかったものに subsistence がある。これはすでにイリイチ理論の先達ポランニーが重要視していた用語であり、市場経済、産業経済に対置させられるキーワードであるが、これの含意する内容もかなり多義的である。地域の民衆が生活の自立・自存を確立するうえの物質的、精神的基盤というほどの意味であると解される。それゆえこの言葉には、「人間生活の自立・自存」といった訳語をひとまずあてておいた。

三

歴史学者イリイチは、ポランニーの理論をひとつの大切な導きの糸としながら、地域に生きてきた民衆の生活の歴史を巨細に探究しようとする。その探究の照明によって浮かび上がる新たな歴史は多彩である。なぜなら、そこには人間生活の自立・自存を生みだす多様な経済と文化があり、それをささえるヴァナキュラーな領域において、それぞれの活動をになう男と女の多彩な性《ジェンダー》の世界が展開しているからである。このようにイリイチによると、平和というのは、それが民族誌的〃人類学的なレアリティをつたえるものでなければ、したがって歴史的な次元を含むものでないならば、ほとんど意味がない。ごく最近まで、戦争は平和を完全に破壊し去ることはほとんどなかった。昔の戦争行為は民衆の平和を無視するものではなかった。十二世紀の平和は、小農民と修道士を戦争の暴力から守るものだった。これこそ「神の休戦」の意味であり、「領邦の平和」の意味でもあった。領主たちのあいだでいかに血なまぐさい戦いがくり返されようと、平和は、牛や羊を守り、収穫期前の畑を守った。緊急時用の穀物倉庫も守られた。「一般的にいえば、「地域の平和」は、共用の環境を利用するうえの大切な価値を暴力的な干渉から守ったのである。それは、自分の生活の糧《かて》を他からひきだすすべをもたなかった人々のために、水と牧草地、森と家畜を利用できる状態に保護したのである。かくて「地域の平和」は、戦う者同士の休戦とは別個のものだった」(四二頁)というのである。しかしながら、やがて国民国家が台頭し、それと重なるようにして、産業的制度が今日のように組織化されてくるにつれて、まったく新たな種類の平和と暴力がとってかわることになった。

いまや平和ということばは、西も東も、北も南も、〝国際平和〟、〝世界平和〟と、まことに抽象的で無内容な表現と化しつつある。これこそ「パックス・エコノミカ」の平和幻想にまでなりさがってしまった観がある。平和は、コカコーラと同じ一般的名称にほかならない。この幻想をはっきりと退けるためには、なによりもまず、「平和」がそれとリンクしている「開発」から切り離されねばならない。経済平和への挑戦こそが、現代の大きい歴史的課題である。暴力や革命はコカコーラと同じように輸出できるけれど、民衆の平和は輸出できるものではない。これがイリイチ平和論の骨子である。

以上述べてきたことから多少とも明らかなように、最近のイリイチは、経済学にますます関心をよせ、この科学の根底にある〝稀少性〟という価値体系の問題を、独自の歴史的視野からとらえなおそうとしている。本書のフランス語版序のなかで、「近代の歴史は稀少性の領域の形成史として理解することができよう」といっている。前にみたように、社会からの経済の「離床」の過程に注視するイリイチは、あらためてこの歴史的過程を、「稀少性」という概念の文化的伝播、普及の過程としてとらえようとする。それはこれまで経済学において、誰も本格的な研究対象としてとりあげることのなかった主題のひとつである。この主題を追究する作業のなかで現在のイリイチが最大の努力を傾けて解明しつつある問題がある。社会生活における男と女の活動という gender の問題である。

日本語の「性」は、昔から天性、資性、性格、国民性としてもいいあらわされる大事な言葉である。ところが近頃は、この「性《ジェンダー》」という概念が「セックス」と混同され、後者に埋没しかねない異常な状況となってきている。そのことからもわかるように、稀少性の世界の拡大としてとらえられる近代社会の生成と発展は、同時に genderless technology とそれに照応する genderless humans の世界の拡大としてもとらえられる。そのような構図でイリイチは、今日の危機的な状況認識を念頭におきながら、「賃労働」とともに近代の歴史に登場し、しかも「賃労働」の影にかくされていた「シャドウ・ワーク」の歴史的背景に光をあてて、その存在を力づよく浮かびあがらせる。目を見張らせるような叙述の展開である。

「シャドウ・ワーク」は、これまで名前もなく、検証もされないままに、どの産業社会においても多数者を差別する主要な領域となってきている。しかも、これから今世紀末にかけて、この領域は「賃労働」の領域をしのいでいっそう拡大するだろうと見込まれる。こうした「シャドウ・ワーク」の本性を十分に理解するために、なによりもこの歴史をたどってみたい、というわけである。イリイチによると、「シャドウ・ワーク」のひな型は、女性の家事労働である。男性が給料取りとして外ではたらく生産者である一方、女性は社会の表面からしめ出されたまま家庭で夫の給料の範囲内で家事労働を行なう消費者という名の〝影法師〟である。それゆえshadow workを「影法師のしごと」と邦訳することもできるだろう。しかし、このshadowをより一般化して、「影の仕事」として訳出するほうがよいようにも思われる。というのは、イリイチは、経済学の歴史の上でかならずしも新しくない用語である「影の価格《シャドウ・プライス》」をもあらかじめ念頭において「影の経済《シャドウ・エコノミー》」ということばを用い、それとの関連で、産業社会に特有な現代の「シャドウ・ワーク」をとらえようとしているからである。たとえば、「価格のないものさえもが、商品の世界と矛盾するものではなくなって、操作と管理と官僚的な開発が可能となる領域へと登場することになった」(九九頁)という。そしてここでもイリイチは、経済学へ向けての痛烈な批判を忘れない。産業的な世界において、「影の経済」学の領域は初めて探険されているところであるが、この新しい能力をもつ経済学者が自分のやっているることの真の意味を理解していないのは、あたかもコロンブスが自分の発見を最後まで誤認していたようなものだ、というのである。

そのようなわけで、このshadow workという言葉も、英語名を生かして「シャドウ・ワーク」とすることにした次第である。

四

さて、ここで注目しなければならないのは、この「シャドウ・ワーク」や「性《ジェンダー》」に歴史的に接近するための方法をめぐる問題である。おそらくこの点は、わが国の歴史学研究にとっても、少なからぬ学問的刺激となることであろう。

イリイチによると、「最近では、女性の仕事を研究する何人かの歴史家たちが、伝統的な分析の枠組や接近方法を超えるような洞察を進めてきている。この新たな歴史家は使い古された専門家の眼鏡をとおして自分たちの問題をながめることを拒否し、むしろ学界のルールを破って問題を見つめることを選んでいる。この人たちは、子どもの誕生、母乳による養育、家の清掃、売春、婦女暴行、よごれものの洗濯や話し方、母の愛、幼年期、避妊、更年期を研究している」(二五〇頁)。「〈シャドウ・ワーク〉の発見は、歴史家にとっては、一世代前に民衆文化と農民《ペザント》とが歴史の主題として発見されたのと同じくらい重要なことであるといえよう。当時、カール・ポランニーと『アナール』誌に集うすぐれたフランスの論客たちは、貧民とその生活様式、貧民たちのものの考え方や世界観を研究する新しい分野を開拓した。彼らは、弱者と無学の者の生活の自立と自存を歴史的研究の領域のなかに持ちこんだ。産業化の衝撃をこうむった女性の研究は、前人未踏のもうひとつの歴史に向かう橋頭堡として理解することができる。というのは、産業社会にのみ典型的にみられる生活の諸形態は、この社会がこれまで分泌してきた稀少性、欲望、性《セックス》、あるいは労働についての諸仮定のもとで研究されるかぎり、いっこうに目に見える姿となってあらわれないからである」(二五八頁)。(本書の「注と文献解題」中の「ヨーロッパの民衆文化の破壊にかんする報告」(三〇二頁以下)を参照されたい。)

これこそ、「平和」の歴史的研究というものであろう。これまで多くの歴史家は、歴史を戦争の物語として描き、もっぱら権力者や勝利者の盛衰を記録してきた。だが遺憾なことに、新領野からの報告者として敗者の物語を記録しようとする新鋭の歴史家の多くもまた、貧しい人たちの日常の平和よりもむしろ、彼らをめぐる暴力に多くの関心をよせる。彼らは主として奴隷、少数民族、疎外された周辺の民衆の反抗、反乱、暴動、さらに地下の抵抗運動、プロレタリアの階級闘争や女性の解放闘争を対象としているにすぎない、というのである。歴史家をはなれて、われわれの日常の会話においてさえも、たとえば「平和戦略」という用語における表現の矛盾にすら気づく人は少なくなっている、というのが現状である。

このようにしてイリイチによる歴史の探究は、地域に生きる民衆の「ヴァナキュラーな価値」を求めて、過去六百年、七百年の西欧のむかしへとさかのぼってゆく。産業社会が投げかける二十世紀の現実を直視しながら、近代社会の生誕、さらにさかのぼって国民国家の生成へ、その生成の起源に横たわるヨーロッパ・キリスト教の教派全体の〝母なる教会〟の制度にまで、さかのぼってゆく。

こうした探究から彼が洞見した画期的な歴史的事実がある。コロンブスと同時代人のスペイン文法学者ネブリハの事績に光をあてた現代的評価である。言語学界ではすでに一九四〇年代の後半にこの事績が話題となったようであるが、あらためて本書を読むと、ゴシック体で組まれた五つの署名のある四つ折本『カスティリア語文法』(一四九二年)を初めて手にしたときのイリイチの知的興奮がじかに伝わってくる思いがする。ネブリハによって創造された史上最初の標準化された国語と、国語による国民的教育の必要という、近代の国民国家の構図生成の描写は、十五世紀のイサベラ女王というスペインの歴史的舞台を中心に、読者を釘づけせずにはおかないであろう。

だが、イリイチはここでもまた、国民国家の起源を語るすべての歴史家が国語の生誕に注意を払っているにもかかわらず、歴史的研究に無関心な経済学者たちは、この教えられる母語が特殊近代的な商品の最初のもの、すなわち、その後のあらゆる「基本的必要」の原型であるという事実を見逃している、と鋭い一撃を加える。ここには「ニーズ」という市場＝産業的用語への批判が含まれる。

なるほど言語の商品化は、彼に指摘されるまでは私も明確にはとりあげることを知らなかった問題点である。考えてみると、これは、とりわけ日本のような単一言語社会の研究者にたいして、とくに明治以降の極端な集権化と国民的義務教育の徹底化を達成した国の研究者にたいして、直截にその盲点を指摘しているものともいえるように思われる。今日でもバルカン半島からインドシナ西部の辺境にいたるまで、二、三種以上のことばで日常会話をしていないような村を見つけだすのは容易でない、とイリイチはいっているのだ。

私は、わが母国日本の日本語という母国語と区別して、母語というものの言葉とその存在を大切にする必要を、いまもつよく感じている。ここで母国語と区別されている母語とは、いうまでもなく子どもが習得する最初のことば、すなわち、ことばの最初の贈り手である母を含意させることばである。ところで、ヨーロッパの社会史において、「母語」(mother tongue)の歴史的起源はどこまで明らかになっているのだろうか。歴史家イリイチの深い学殖からその一端をのぞいてみると、「母」と「語」が「母語」という語の組合せとなってあらわれる過程をさぐるためには、まず、シャルルマーニュ時代の宮廷のできごと、次いで、その後ゴルツの修道院で起きたできごとをみる必要がある、という。宮廷の古い古フランコニア語は当時の学習された専門語であって、自然に習得されるヴァナキュラーな言語はこれに対立するものであった。あたかも各地の葡萄酒やチーズの風味と同じくらいに多様性を誇っていたヴァナキュラーな言語の世界に突如として母語という用語が出現した。それは、ヴェルダンからほど近いゴルツ修道院の修道士たちの説教のなかに姿をあらわした、というのである。かくして「母語」は、やがて学校教師が本を読むために教えることばを意味するようになり、そして最後に、国民国家を正当化することばを意味するようになった。

私のかねての想像に反して、ここには「母語」→「母国語」への必然的推転の過程が示唆されている。この事実の背後には、母語そのものの地域差の重要性、つまり多彩なヴァナキュラーな言葉の重要性が訴えられているようにみえる。彼の研究によると、「母語」という用語は、まさしく最初から制度的な主張に役立つように日常の言語を道具化したものであったという。この連関する歴史の過程に沿ってのイリイチの歴史的探究は、近代の国民国家がそれに先行するヨーロッパ教会制度を確実な背景的基礎として生成したものであることを明らかにしようとしている。読者は、本書第四章の叙述から、きっと新鮮で深い刺激をえられるにちがいない。私自身は、私事にわたって恐縮であるが、ゴルツ修道院をめぐる十二世紀西欧の農業上の技術革新――アジアに由来する四つの発明――の箇所を訳出しながら、わが国の中世史研究に少なからぬ貢献をされた故堀米庸三さんとかわした会話を思い出した。十二世紀は、堀米さんにとって最大の研究課題であった。水車をまわして水を引き、重い犂を動かして畑を耕し、ミサ聖祭にかかせぬ葡萄酒をつくる。このようにして修道院が地域共同体の経済にはたした役割について、経済学者はこれまでほとんど十分な考察を試みていない。三圃農法がライン、ロアール河間の地域に生成したころのことである。このようなことを話題とした会話を思い起こしながら、亡くなる数年前、中世修道院の事蹟に格別の関心を寄せていた堀米さんがいまも元気であったなら、イリイチとの学問的交流に格別の関心をよせたことだろう、と残念に思われる。

イリイチはもともと神学の大家であるが、そればかりかラテン・アメリカの現状と欧米文明との矛盾する複雑なかかわり合いをみずから経験し、産業制度のはらむ問題を、教会制度のはらむ問題とかかわらせてとらえてきた特異な実践家でもある。ローマ・カトリックによるラテン・アメリカの宗教上の援助計画にたいして激しい批判的姿勢をとって、ヴァチカンとのあいだに一大論争を敢行した。ヨルダン・ビショップ、カミロ・トレスとともにラディカル・カトリック三僧侶の一人と目されたのは、有名な話である。しかしこれを契機に、彼は次第に教会から離反し、自由な思想家としての道を選んで今日にいたっている。おそらく教会制度と国民国家の生成との関連についての歴史的研究ということになると、この巨大な歴史的研究をなしとげることのできる人はきわめて数少ない。そのなかにイヴァン・イリイチがいることはまちがいないことと思われる。

これだけの広大な歴史的射程を収めた学問的対象であるからには、本書を含めてすでに進行中のイリイチの現在の研究計画は、その全体像が次第に姿を見せてくるにつれて、これからさき、確実に次の世紀にまで持続するような影響力をもちつづけることだろう。イリイチは、終末的な現代の苦悩を自分のものとしながら、目下『稀少性の歴史』という年来の大著の完成を目ざして、歴史の探索と思索を深めている。時代の矛盾の解明と解決をめぐって、断想を綴り未定稿の山を積みかさね、それらを改稿し、修正し、さらに新たなものを加えようとする。私としては、このようなタイプの思念と想像力の思想家が思いもかけず親しい友人として私の前にあらわれたことに、若干のとまどいを覚えながら、彼の思想深化に大きい期待をよせないではいられないのである。

五

ここで Illich という姓の日本語表記の仕方について、一言ふれておきたい。われわれ日本人には l 音と r 音との区別が概してむずかしい。彼の場合は l が二つ並んでいる。そこでかりに「イリッチ」と表記すれば、“rich”の表記音に近くなるおそれがなくもない。きっと彼にとってもあまり好ましくない発音となりそうな気もする。いろいろ考えたあげく、「イリイチ」とするのが、彼自身の発音にもっとも近い日本語表記だろうということに落ちついた次第である。

終わりに、本訳書の翻訳作業について述べておこう。一九八〇年の十二月にイリイチが来日したあと、年が明けた八一年早々に本訳書刊行の計画が岩波書店で本ぎまりとなったとき、最初私はこの仕事をひとりでなるべく早く仕上げたいと思った。しかし、イリイチの難解な思想とその術語については、それを研究する若い人たち(山本哲士、林淳、山中邦久)の手で「イリイチ研究会」がつくられていることを知っていた。この会の代表者であった栗原彬君は、かつて彼が東大の学生だったときに私の演習に参加していたという関係もあり、同君に共訳者になってもらうことにした。そして二人で、ひとまず翻訳の分担を行なった。私の担当したのは、本訳書の第一章、第三章、第四章、第六章である。このうち第一章については、河合伸訳と大西仁訳を参照し、負うところがあった。他は栗原君が受け持ち、おそらく研究会の成果を生かしたであろうその訳稿を私のもとに届けてくれた。それをもう一度原本と照合しながら目をとおし、私流の表現になおして全体としての統一をはかった。訳文に誤りがあれば、もとより私の責任である。前のカール・ポランニー『人間の経済』の訳出のときに手伝ってくれた山崎光治君と丸山真人君が、今回の翻訳作業においても熱心に協力してくれた。両君に感謝したい。また訳稿の一部の浄書などの労をとってくれた山中邦久君にもお礼を述べたい。なお、フランス語版の照合とその訳出については、主として海老坂武君に担当してもらい、部分的に金沢公子さんに手伝ってもらった。深く感謝申しあげたい。このように多くの人の手をわずらわしてできあがったということもあって、本訳書の刊行に思わぬ時間がかかった。岩波書店現代選書編集部に、このことをお詫びしながら、あらためてここに謝意を表したいと思う。

一九八二年七月十日

玉野井芳郎

[岩波文庫版解説]
ヴァナキュラーな生を求めて

一

一九七六年、夏の日の午後、メキシコ市からバスで一時間半ほど南に下った花の街クエルナバカで、イヴァン・イリイチに会った。彼は週に一度、近くの村から学生たちとのセミナーを開くためにこの街のCIDOC(Centro Intercultural de Documentación 国際文化資料センター)に、やせた長身を洗いざらしの白いシャツと白いズボンに包み、サンダルばきで自転車に乗ってやって来る。大きな鋭い目、かすかに傷あとの見える広い額、柔和な微笑、そしてしなやかな身のこなし。

イリイチは、一九二六年にウィーンに生まれ育ち、ヨーロッパの大学で自然科学、神学と哲学、歴史学を学んだ後、カトリックの司祭になった。五一年にアメリカに渡り、ニューヨークのプエルトリコ人街の司祭、ついでプエルトリコのカトリック大学の副学長をつとめた。

折からキューバ革命が起こって、六〇年に法王ヨハネス二三世は、カトリック信者の多い南米の共産主義化をくいとめ、開発を進める尖兵として北米の宣教師を多数派遣した。イリイチは、クエルナバカの宣教師訓練センターに拠って、宣教師たちに陽気なからかいに似た問答を吹っかけて、追い返す仕事に熱中した。ラテン・アメリカ革命に関わり、ヨルダン・ビショップ、カミロ・トレスとともに三ラディカル・カトリック僧と呼ばれた。

六八年の夏、ヴァチカンの教理省はイリイチの罪状を問うために彼をローマに召喚した。彼は出頭したものの、キリストの教えに従って、審問に回答せず、沈黙を守ってクエルナバカに戻り、みずから聖職を捨てる。

六〇年代末にセンターは教会との関係を完全に断ち切って、ＣＩＤＯＣの名称で自由に学び、探究する学芸の場となった。エーリッヒ・フロムら改革を志す思想家たちと新しい世界を希求する若者たちが、イリイチの主宰するセミナーに参加して、開発によって人々の自立・自存の生活を侵犯する先進産業社会の諸制度の理論的解明を始めた。

七〇年代にイリイチは、ＣＩＤＯＣ発の四冊の本によって世界を震撼させた。『脱学校の社会』(七一年)は、教育が平等をもたらすという目的に反して、むしろ格差を拡大し、権力の偏重を招くという、学校化の逆生産性をえぐり出した。

七三年の石油危機に際しては、『エネルギーと公正』(七四年)によって、エネルギー消費の増大が、加速と便利さと効率を拡大して社会的進歩を導くという「常識」に反して、多くの人々にとっては、ゆっくりと生を享受する時間の縮小、自立・自存の生活の喪失という不正義への転倒を招くことを論じた。

『脱病院化社会』(七四年)は、医学の進歩と医療機構の制度化の進展に伴い、文化的医原病の危険が生まれることを論じた。すなわち患者は医学によって標準化され、規格化された「健康」像と「病」像に従属することによって、自らの身体を歪ませ、自立・自存の生活を見失っていく。

私たちの当り前の生活を考えてみよう。人間は、食べる、話す、歌う、遊ぶ、歩く、働く、交わる、眠る、夢見る、愛する。また、子どもを生み育て、学び、養生し、人を世話し、人に世話になり、死を迎える。これらの当り前の行為は、人が他の人といのちを広げ合う、愉悦に充ちた行為だ。

イリイチは、それをコンヴィヴィアリティ(conviviality)と呼ぶ。彼はクエルナバカ近郊の先住民族の村に住んでいて、村人たちがコモンズ(共用地)で結ばれる絆、機織の仕事、市が立つときの祝祭的なにぎわいを指すものとして日常的に用いているスペイン語のconvivencialからこのことばを拾った。「生き生きした共生」「交響する享受」「自律・共生」といった多様な意味を含むことばだ。

自立・自存の生活を紡ぐコンヴィヴィアルな行為は、近代化と産業化、とりわけシステム国家の形成と開発の進展とともに、巨大な社会装置・専門制度によって「ニーズ」に変換され、コモンズも「資源」に組み替えられて、市場経済に組み込まれていく。

イリイチは社会の学校化や医療化をくいとめるために『コンヴィヴィアリティのための道具』(七三年)で、道具のスペクトルを描いてみせた。左端にはコンヴィヴィアリティ(生き生きした共生)のある「ホーム」を支える道具として、鉛筆、絵具、ナイフ、電話、自転車など、手足の延長上にある道具をあげる。楽器、公園、コーヒーショップ、空き校舎、散歩道なども「ホーム」に近い。反対側の右端には、人間の手を離れて逆に人間を操作する制度化された道具、地球市場を支配する巨大な組織・機構・システムが置かれる。学校、病院、刑務所、ジャンボ・ジェット、軍隊、原子力発電所などが右寄りにあり、最右翼には、核体制、多国籍企業、国際金融資本などが配列されている。今日では、GAFAのようなプラットフォーム企業やオープンAIが置かれるだろう。

現実は、矢印がスペクトルを左から右へ分水嶺を越えてしまった。イリイチは、逆に右から左へ、「ホーム」の方へ越え直していこうと呼びかける。

イリイチはこれらの仕事をCIDOCに集う人々との協働作業として進めた。四冊の本は、セミナーの討論と、CIDOCから出版された二百冊以上の研究報告書の冊子を踏まえて、彼自身が何度も書き換えた草稿の結晶である。

CIDOCは一九七六年一月に財政難から閉鎖され、縮小版CIDOCとして、学生たちとのセミナーと資料書庫だけが残された。彼自身もCIDOCの役割は終ったと考えている。

夏の日のイリイチのセミナーは、生き生きとした共生そのものだった。中庭のテーブルを囲んで、オランダ、ドイツ、カナダ、アメリカ、日本などから来た十人ほどの男女学生たちが、報告と討論によってイリイチ理論に果敢な挑戦を試みていた。

イリイチは、アジアの諸言語と文化への関心をもっていて、さしあたり日本語を勉強中だった。先生はCIDOCに一年半ほどいる日本人青年山本哲士さんだった。それで、私との会話も、私がイリイチの思想を問いただそうとする姿勢と、イリイチが日本語をめぐって遊びたい姿勢とが押しっくらをしたのだった。だが私はすぐに負けて、漢字をいくつかの要素に分解したり再構成して意味の変移を楽しむイリイチの戯れに乗った。時を忘れて、知的探究と知的戯れは果てしもなく続くのだった。

その日イリイチが紡ぎ出したもてなしと友情を忘れない。今にして思えば、その清冽なやさしさは、質問し解を求める目的追求的な、いわば学校化された言説の方へでなく、自由な無償性への心づかいに充ちた生き生きした共生の方への越境を物語っていた。つまり、コンヴィヴィアルな世界の方へ分水嶺を越えることは日々の実践なのだ。

二

一九七〇年代後半から八〇年代にかけて、グローバルに大きな社会変動が起こった。新自由主義の政治は、市場原理を優先させ、優勝劣敗の競争原理を導入した。労働組合の切り崩しを進め、自助努力と自己責任を唱道した。広大なインフォーマル・セクターが新たな開発と植民地化の対象となった。

市場経済は、シャドウ・エコノミー(影の経済)の領域を拡大し、社会的制御を解除して、家庭、コミュニティ、街や村、労組などのセイフティネットを解体し、人々の自立・自存の生活を支える文化を蚕食した。

本書『シャドウ・ワーク』(八一年)は、この時代の先端に置かれる。イリイチは、市場の外部に二つの異なる支払われない活動領域を区別して、それぞれに名称を与え、両者の根本的な違いを強調した。「シャドウ・ワーク」と「ヴァナキュラーな領域」である。

シャドウ・ワークは、自立・自存の生活を奪い取り、財とサーヴィスの生産を補足する、賃労働に必然の支払われない労役である。

シャドウ・ワークには、女性に押しつけられた家事、会社でのお茶汲み、通勤時間、教師や看護師の膨大な書類づくり、経済成長に資する「自己啓発」などが含まれる。

シャドウ・ワークでは、人はその領域に囲い込まれて逃れようがなく、時間、労苦、尊厳の損失が、支払われることなく強要される。支払われない労役だから、公的な名前をもたず、多数者を囲い込んで差別する主要な領域でありながら、「レジャーの時代」「自助の時代」「女性が輝く時代」「サーヴィス経済」など、差別を影に追い込む遠まわしの表現が用いられる。

増殖する市場経済の影から自立・自存の生活を救い出すために、イリイチは「ヴァナキュラー」ということばを掘り起こした。もともとラテン語で「根づいているもの」「地に足が着いた」「居住」という意味がある。自分の家で育てたもの、自家製のもの、コモンズで育てたり、拾ったものなどを指す。

イリイチがこのことばを用いるときには、市場原理や交換の形式から外れているものを指し、「互酬」(reciprocity)ということばで説明する。互酬とは、互いに報いる、相互的な贈与、助け合いといった暮らし方を表わす。すなわち、ヴァナキュラー・ドメイン（領域）は、「互酬によって営まれる暮らし」である。

「互酬」という概念は、カール・ポランニーとマーシャル・サーリンズによって彫琢された。人類史の生の営みは、贈与、互酬、再分配、市庭《いちば》の社会過程を経て、そこから離床した交換、市場交換へと展開してきた。平等な社会過程からの市場交換の離床が、現在に至る不平等をもたらした。

もとより生の営みの展開は直線的ではない。交換と市場原理が突出して浮き上がっているけれども、私たちの日常生活に目をとめれば、市場原理に支配されない穴ぼこがいくつもあることが分かる。たとえば、生まれた子どもにお乳を与えること、子どもがひとり立ちできるまで育てることなどは、そうしないではいられない当り前の行為だ。それは贈与であり、悦びを伴う互酬でもある。イリイチは、現在も可能性として存在する贈与と互酬の領域を、ヴァナキュラーな暮らしとして、市場交換の影と区別して示したのだ。

ではその可能性はどのようにして立ち上がるか。たとえば、目の前に倒れて苦しんでいる人がいたら、思わずその人を助けてしまうだろう。この助けてしまうということは何なのか。市場原理や交換で助けるのではない。ヴァナキュラーなものが身体に埋もれていて、移動していって、他者の「私を死にゆくままにするな」という呼びかけがあれば、その場所で思わずからだの応答が惹き出される。

それは一つの瞬間でしかなく、点滅しながら続いているのではないか。ヴァナキュラーな贈り物は、人間の生存をきわどく支えていくラインに沿って、身体性をもって、相互的に立ち上がる。ヴァナキュラーは、地に足の着いたものだが、定住を意味しない。たまたま人と人がその場所に居合わせて、互酬の悦びがあって、全てが成就したときの充溢というか、静寂というか、むしろ平和がある生の状態、それをヴァナキュラーと呼ぶと考えてよい。

イリイチはヴァナキュラーという形容詞を掘り起こすことによって、望ましい未来社会の生活のあらゆる場でヴァナキュラーな様式がもう一度ひろがる可能性があることに人々が気づくこと、そして議論することを、本書による問題提起としていた。

『シャドウ・ワーク』に続く『ジェンダー』(八二年)で、イリイチはヴァナキュラーなジェンダー、すなわち男と女、天と地、太陽と月、昼と夜、右と左といった宇宙誌的な相補的両極性の文化基盤が崩れたとき、事物が互いにフィットし、全てが均衡を保っていたコスモスも崩れて、人々は交換可能となり、均一化した空間に商品価値だけがグローバルな奔流となると言う。

しかし、フェミニストたちは、彼のジェンダー論をジェンダー不平等の現状を補強するものとして激しく批判した。フェミニストたちがジェンダーの解放を見るところに、彼が逆にヴァナキュラーなジェンダーの悲しむべき喪失を見たからである。

イリイチは、インドのセヴァグラム村のガンジーの小屋で、静けさと寛ぎの中に、ガンジーのヴァナキュラーな共生への呼びかけを聴き取って、この空間を「ホーム」と呼んだ。彼が住んだメキシコの村、先住民族のコモンズ、中世のユーグの「読書の家」もまたホームである。

彼は何度か来日して、亀岡の愛善苑、水俣、沖縄を訪れた。そこに悲劇の極限を見ただけではない。他者と出会い、「静寂の響き」に耳を澄ました。希望を拓くホームをそこに見出したのだ。彼は、民衆宗教大本の聖地亀岡では、出口ナオと王仁三郎、つまり教主(女)と教主輔(男)のワンセットにヴァナキュラー・ジェンダーを見、また水俣では、網元の杉本栄子さんと雄さん夫妻にヴァナキュラー・ジェンダーを、ユージーン・スミスの入浴する母と子の写真に「ロンダニーニのピエタ」を見たに違いない。

『シャドウ・ワーク』で、イリイチは影の経済の制度批判にとどまらず、その起点を求めて歴史の探究に歩を進めた。一五世紀スペインの文法学者エリオ・アントニオ・ネブリハは、コロンブスがパロス港を出航した同じ一四九二年に、スペイン女王イサベラに「カスティリア文法」の四つ折本を献呈した。ネブリハは、日常の話しことばから人工的な「母語」を制作した。野卑なことばを話す「野蛮な」連中とその子どもたちに、牧師や教師がこの(母)国語を強制的に教え込むことで、彼らをキリスト教文明と帝国の秩序の方へ連れてゆくことができ、更に海外の地の征服にも役立つことを説いた。

イリイチは、ネブリハが制作した最初の国語による統治と、国民を作り出す教育の「必要」とが、協働して国民国家の形成を導いた構図を、鮮やかに切り出した。更に、国語教育の「必要」ということに目をとめて、教えられる(母)国語が、最初に生み出された商品であって、近代的で産業的な「ニーズ」の原型となった、という驚くべき事実を析出している。

三

一九八〇年代以降の社会変動を更に加速させたものは、情報テクノロジーとネットによるサイバネティクス空間の拡大だった。イリイチは、歴史の進展でなく、断絶をそこに見た。

断絶の淵でイリイチが直面した人間の危機とは、人間がシステムの従属変数になったこと。彼は言う。人間は、国家や企業や専門制度が押しつけてくる避け難い権威的イメージの枠組に拘束されて精神の麻痺を生み、感覚も思想もヴァーチャル・リアリティに引きずりこまれて、真・善・美を享受する身体の力を乏しくしつつあると（『生きる希望──イバン・イリイチの遺言』〔二〇〇五年〕）。現在の危機を直視しながら、イリイチは、西欧に居を移して、危機を胚胎した分水嶺を求めて、近代がキリスト教会の歴史の延長上にあることをつきとめていく。

『ABC──民衆の知性のアルファベット化』（一九八八年）は、民衆の読み書きの歴史をたどり、二進法に至る。

イリイチは『シャドウ・ワーク』でコンヴィヴィアリティの民衆的探究者として取り上げた中世の神学者、サン＝ヴィクトール修道院長のユーグを、『テクストのぶどう畑で』（九三年）において取り上げて、その『学芸論』が、「読書の術」について書かれた最初の本であることを指摘した。

イリイチは、ユーグの修道院を起点とする「読書の家」と呼べるホームが、現在の教育システムの枠外にあることを述べる一方、本が退場して新たに「画面」と「イメージ」が登場し、コンピュータ・リテラシーの脅威に直面して危機を迎えた現代の精神生活にも言及する。コンピュータの隠喩は「文字によってものを考える精神」を衰弱させ、代りに身体性を欠いた「サイバネティクス的精神」を導入する。

『生きる希望』で、イリイチは善なるものの起点に「受肉」を見定める。受肉とは、神が肉となって、この世界で目に見える愛の現前となり、そのことばが肉性を帯びて私たちの間に宿ること。受肉の延長上に愛の拡張された地平が開かれて、世界を不可逆的に変えた。

しかし教会は隣人愛を慈善の制度に置き換えた。人を裁く権力を手にして「罪の赦し」を代行し、人々の心の「ニーズ」に応じて恩寵を生産する社会装置となった。教会の制度化を介して、善なるものは価値に変換され、したがって効果や効率が計測可能なもの、交換可能なものとなって、商品に仕立てられた。イリイチは言う。最善の堕落が最悪となったと。

イリイチが『生きる希望』で繰り返し言及した「愛の拡張された地平」を想い起こそう。打ちのめされたユダヤ人が目の前にいて、「私を死にゆくままにするな」という沈黙の呼びかけがサマリア人の臓腑に惹き起こしたものは、目的追求型の反応でなく、報酬を求めない無償の反応、善の反応だった。

真であり、善であり、美である生は、まず何よりも無償の生であること。無償性の可能性の回復ということが、イリイチが「遺言」で提起した「基本的問題点」だった。

「無償の生」は、『シャドウ・ワーク』で提起された「ヴァナキュラーな生」と響き合い、ポランニーの「贈与」「互酬」に重なり、アウグスティヌスが「あなたに存在してほしい」ということばで定義した「愛」の生であり、ニーチェの（隣人愛を否定する）「遠人愛」または「友情」と接点をもち、スピノザが「戦争の欠如ではなく、精神の力から生じる徳」と定義する「平和」にも共鳴し、立岩真也が終生求め続けた「はやく、ゆっくり」の「唯《ただ》の生」とも共振している。

コロナ禍のヴァナキュラーなもの、無償性の起動について考えてみたい。コロナ禍に、夫が在宅勤務となった妻から、新聞の「声」欄に二様の反応が寄せられた。

一つは、四六時中在宅で、オンライン以外何もしない夫への三度の食事、風呂、昼寝の世話など、家事が増えたことを嘆く、つまりシャドウ・ワークの重圧を告げる反応。もう一つは、在宅勤務で一時間半の通勤時間がなくなり、家族が共に過す時間が増え、会話も増えた、夫が家事を分担するので、妻の負担が減り、子どもと夫婦が共に楽しむ機会が増えたことを喜んだ反応。

ただし後者の反応には後がある。コロナウイルス感染症が五類に移行して在宅勤務が廃止されると、ホームの生活は元の木阿弥になった。「社会を回すために家庭が回らなくなるなんて！　仕事とは、働き方とは、家庭とは何か、と考えてしまう」という反応が続く。

後の反応は、経済を一時でも止めるというあり得ない社会実験の実現が、シャドウ・ワークの時間とヴァナキュラーな生の時間とがせめぎ合う光景を、くっきりとした輪廓で浮かび上らせたことの確認を、怒りをもって告げている。

コロナ禍に生活困窮者への支援を行うNPO「つくろい東京ファンド」にSOSの電話が入ると、スタッフが電車賃もないその人の待つ場所に駆けつける。その時点で、その人は「ネットカフェから出て、行き場を失った人」という大きなカテゴリーの中の一人にすぎない。しかし会って話を聞いているうちに、相手が「カテゴリー」から「一人の誰か」となって姿を現わしてきて、スタッフは手を抜けなくなる。「その人がこれ以上困らないように、持てる力のすべてを使わなくてはならないと思う」(稲葉剛・小林美穂子・和田靜香編『コロナ禍の東京を駆ける——緊急事態宣言下の困窮者支援日記』岩波書店〔二〇二〇年〕五〇—五一頁)。

打ちのめされた人が目の前にいれば、制度から始まっても、そこに身体が立ち上って、無償の反応が現われないではいない。

ネットワークのグローバル化が、対話とコミュニケーションを拡大し、民主主義と平等と平和を拡大するはずだったのに、逆に欲望と妄想を増大させ、ポピュリズムと強権政治、独裁制、フェイクの政治、格差と不平等、そして戦争へと導いた。善なるものが悪に転倒すること。それは今、世界に起こりつつある現実である。

スーパーインテリジェンスをもつ自律したＡＩは、暴走して人類を滅亡させる可能性がある。イリイチなら言うだろう。螺旋状に環流する流れに限界設定を施さねばならないと。チャットＧＰＴの法規制とヴァーチャル空間からの離脱の企てが必要だ。

離脱の企てを立てるとき、出発点になるのは、ＡＩになくて人間にあるもの、つまり身体だ。自然や生活世界が差し出すものに身体で触れながら、そのものを表わすことばを目や耳にするとき、人ははじめてことばの意味を理解する。ＡＩは身体をもたないから、ことばの意味を理解することはない。身体の感覚を伴うことばの訪れのその先に、理解から始まる、ＡＩになくて人間にある、知の世界が拓かれる。

そのときその人のほとりに立って、ものとことばをそっと差し出す誰かの身体が必要だ。誰かからものとことばを贈り物として身体で受け取って、ことばの意味を理解した悦びをその誰かに返す互酬がその場に生まれる。つまり自然の中に歩み出る自立した自由な身体と誰かとの互酬、無償性があれば、離脱は可能になる。理解に至る身体の行為は、すでにしてヴァーチャル空間からヴァナキュラーな、地に足の着いた空間への離脱を物語っている。

イリイチは言う。ヴァーチャル空間に汚染されにくい身体や目やことばを伴ってこの世界を歩みたいと。

ふたたび引く彼のことばで解説の締めとしたい。「ヴァナキュラーな言語とその再生の可能性を語ることによって、望ましい未来社会の生活のあらゆる場でもう一度ひろがるかもしれない存在《あること》、行動《すること》、制作《つくること》のヴァナキュラーな様式がありうることに気づかせ」られるのではないか。

イリイチの問題提起に、私たちは応答しなければならないだろう。イリイチの呼びかけに、文庫本という手に取ることのできる形式で応答することを提案され、タイトなスケジュールの中、緻密な編集を進められた吉川哲士さんの協働に感謝申し上げる。

二〇二三年八月

栗原　彬

イヴァン・イリイチ主要著作一覧

- *Celebration of Awareness : a call for institutional revolution*, Heyday Books, Berkeley, 1970.
  『オルターナティヴズ——制度変革の提唱』〔尾崎浩訳〕新評論、一九八五年。
- *Deschooling Society*, Calder and Boyars, London, 1971.
  『脱学校の社会』〔東洋・小澤周三訳〕東京創元社、一九七七年。
- *Tools for Conviviality*, Heyday Books, Berkeley, 1973.
  『コンヴィヴィアリティのための道具』〔渡辺京二・渡辺梨佐訳〕日本エディタースクール出版部、一九八九年(ちくま学芸文庫、二〇一五年)。
- *Energy and Equity*, Calder and Boyars, London, 1974.
  『エネルギーと公正』〔大久保直幹訳〕晶文社、一九七九年。
- *Medical Nemesis : Limits to Medicine. The Expropriation of Health*, Boyars, London, 1974.

『脱病院化社会——医療の限界』〔金子嗣郎訳〕晶文社、一九七九年。

- *Shadow Work*, Marion Boyars, Boston, 1981.
  『シャドウ・ワーク——生活のあり方を問う』〔玉野井芳郎・栗原彬訳〕岩波書店、一九八二年（本書）。
- *Gender*, Heyday Books, Berkeley, 1982.
  『ジェンダー——女と男の世界』〔玉野井芳郎訳〕岩波書店、一九八四年（岩波モダンクラシックス、二〇〇五年）。
- *H_2O and the Waters of Forgetfulness : Reflection on the History of Stuff*, Heyday Books, Berkeley, 1985.
  『H_2Oと水——「素材《スタッフ》」を歴史的に読む』〔伊藤るり訳〕新評論、一九八六年。
- *ABC : The Alphabetization of the Popular Mind*, with Barry Sanders, North Point Press, San Francisco, 1988.
  『ＡＢＣ——民衆の知性のアルファベット化』〔丸山真人訳〕岩波書店、一九九一年（岩波モダンクラシックス、二〇〇八年）。
- *In the Vineyard of the Text : a commentary to Hugh's Didascalicon*, Univ. of Chicago Press, Chicago, 1993.
  『テクストのぶどう畑で』〔岡部佳世訳〕法政大学出版局、一九九五年。

- *In the Mirror of the Past : Lectures and Addresses 1978–1990*, Marion Boyars, New York & London, 1992.
  『生きる思想――反＝教育／技術／生命』〔桜井直文監訳〕藤原書店、一九九一年、新版＝一九九九年に多く収録。
- *Ivan Illich in Conversation*, ed. by David Cayley, House of Anansi Press, 1992.
  『生きる意味――「システム」「責任」「生命」への批判』〔デイヴィッド・ケイリー編、高島和哉訳〕藤原書店、二〇〇五年。
- *The Rivers North of the Future: The Testament of Ivan Illich*, ed. by David Cayley, House of Anansi Press, 2005.
  『生きる希望――イバン・イリイチの遺言』〔デイヴィッド・ケイリー編、臼井隆一郎訳〕藤原書店、二〇〇六年。

〔編集付記〕

本著作は一九八二年九月、岩波書店より刊行された。底本には岩波現代文庫版(二〇〇六年九月刊)を用いた。

(岩波文庫編集部)

シャドウ・ワーク　イリイチ著

2023年11月15日　第1刷発行

訳　者　玉野井芳郎《たまのいよしろう》　栗原《くりはら》　彬《あきら》

発行者　坂本政謙

発行所　株式会社 岩波書店
〒101-8002 東京都千代田区一ツ橋 2-5-5
案内 03-5210-4000　営業部 03-5210-4111
文庫編集部 03-5210-4051
https://www.iwanami.co.jp/

印刷・精興社　製本・中永製本

ISBN 978-4-00-342321-9　　Printed in Japan

読書子に寄す

――岩波文庫発刊に際して――

岩波茂雄

真理は万人によって求められることを自ら欲し、芸術は万人によって愛されることを自ら望む。かつては民を愚昧ならしめるために学芸が最も狭き堂宇に閉鎖されたことがあった。今や知識と美とを特権階級の独占より奪い返すことはつねに進取的なる民衆の切実なる要求である。岩波文庫はこの要求に応じそれに励まされて生まれた。それは生命ある不朽の書を少数者の書斎と研究室とより解放して街頭にくまなく立たしめ民衆に伍せしめるであろう。近時大量生産予約出版の流行を見る。その広告宣伝の狂態はしばらくおくも、後代にのこすと誇称する全集がその編集に万全の用意をなしたるか。千古の典籍の翻訳企図に敬虔の態度を欠かざりしか。さらに分売を許さず読者を繋縛して数十冊を強うるがごとき、はたしてその揚言する学芸解放のゆえんなりや。吾人は天下の名士の声に和してこれを推挙するに躊躇するものである。このときにあたって、岩波書店は自己の責務のいよいよ重大なるを思い、従来の方針の徹底を期するため、すでに十数年以前より志して来た計画を慎重審議この際断然実行することにした。吾人は範をかのレクラム文庫にとり、古今東西にわたって文芸・哲学・社会科学・自然科学等種類のいかんを問わず、いやしくも万人の必読すべき真に古典的価値ある書をきわめて簡易なる形式において逐次刊行し、あらゆる人間に須要なる生活向上の資料、生活批判の原理を提供せんと欲する。この文庫は予約出版の方法を排したるがゆえに、読者は自己の欲する時に自己の欲する書物を各個に自由に選択することができる。携帯に便にして価格の低きを最主とするがゆえに、外観を顧みざるも内容に至っては厳選最も力を尽くし、従来の岩波出版物の特色をますます発揮せしめようとする。この計画たるや世間の一時の投機的なるものと異なり、永遠の事業として吾人は微力を傾倒し、あらゆる犠牲を忍んで今後永久に継続発展せしめ、もって文庫の使命を遺憾なく果たさしめることを期する。芸術を愛し知識を求むる士の自ら進んでこの挙に参加し、希望と忠言とを寄せられることは吾人の熱望するところである。その性質上経済的には最も困難多きこの事業にあえて当たらんとする吾人の志を諒として、その達成のため世の読書子とのうるわしき共同を期待する。

昭和二年七月

《法律・政治》〔白〕

- 人権宣言集 — 高木八尺・末延三次・宮沢俊義 編
- 新版 世界憲法集 第二版 — 高橋和之 編
- 君主論 — マキァヴェッリ 河島英昭 訳
- フィレンツェ史 全二冊 — マキァヴェッリ 齊藤寛海 訳
- リヴァイアサン 全四冊 — ホッブズ 水田洋 訳
- 法の精神 全三冊 — モンテスキュー 野田良之・稲本洋之助・上原行雄・田中治男・三辺博之・横田地弘 訳
- 教育に関する考察 — ロック 服部知文 訳
- 完訳 統治二論 — ジョン・ロック 加藤節 訳
- 寛容についての手紙 — ジョン・ロック 加藤節・李静和 訳
- キリスト教の合理性 — ジョン・ロック 加藤節 訳
- ルソー 社会契約論 — 桑原武夫・前川貞次郎 訳
- アメリカのデモクラシー 全四冊 — トクヴィル 松本礼二 訳
- リンカーン演説集 — 高木八尺・斎藤光 訳
- 権利のための闘争 — イェーリング 村上淳一 訳
- 近代人の自由と古代人の自由・征服の精神と簒奪 他一篇 — コンスタン 堤林剣・堤林恵 訳
- 民主主義の本質と価値 他一篇 — ハンス・ケルゼン 長尾龍一・植田俊太郎 訳
- 外交談判法 — カリエール 坂野正高 訳
- 危機の二十年 —理想と現実 — E・H・カー 原彬久 訳
- ザ・フェデラリスト — A・ハミルトン J・ジェイ J・マディソン 斎藤眞・中野勝郎 訳
- アメリカの黒人演説集 —キング・マルコムX・モリスン 他 — 荒このみ 編訳
- モーゲンソー 国際政治 全三冊 —権力と平和 — 原彬久 監訳
- ポリアーキー — ロバート・A・ダール 高畠通敏・前田脩 訳
- 現代議会主義の精神史的状況 他一篇 — カール・シュミット 樋口陽一 訳
- 政治的なものの概念 — カール・シュミット 権左武志 訳
- 第二次世界大戦外交史 全二冊 — 芦田均
- 憲法講話 — 美濃部達吉
- 日本国憲法 — 長谷部恭男 解説
- 民主体制の崩壊 —危機・崩壊・再均衡 — ファン・リンス 横田正顕 訳
- 憲法 — 鵜飼信成

《経済・社会》〔白〕

- 政治算術 — ペティ 大内兵衛・松川七郎 訳
- 国富論 全四冊 — アダム・スミス 水田洋 監訳 杉山忠平 訳
- 法学講義 — アダム・スミス 水田洋 訳
- コモン・センス 他三篇 — トーマス・ペイン 小松春雄 訳
- 経済学における諸定義 — マルサス 玉野井芳郎 訳
- オウエン自叙伝 — ロバアト・オウエン 五島茂 訳
- 戦争論 全三冊 — クラウゼヴィッツ 篠田英雄 訳
- 自由論 — J・S・ミル 塩尻公明・木村健康 訳
- 大学教育について — J・S・ミル 竹内一誠 訳
- 功利主義 — J・S・ミル 関口正司 訳
- イギリス国制論 全二冊 — バジョット 遠山隆淑 訳
- ユダヤ人問題によせて ヘーゲル法哲学批判序説 — マルクス 城塚登 訳
- 経済学・哲学草稿 — マルクス 城塚登・田中吉六 訳
- 新編輯版 ドイツ・イデオロギー — マルクス エンゲルス 廣松渉 編訳 小林昌人 補訳
- マルクス エンゲルス 共産党宣言 — 大内兵衛・向坂逸郎 訳
- 賃労働と資本 — マルクス 長谷部文雄 訳
- 賃銀・価格および利潤 — マルクス 長谷部文雄 訳
- マルクス 経済学批判 — 武田隆夫・遠藤湘吉・大内力・加藤俊彦 訳
- マルクス 資本論 全九冊 — エンゲルス 編 向坂逸郎 訳
- トロツキー わが生涯 全二冊 — 森田成也・志田昇 訳

空想より科学へ —社会主義の発展　エンゲルス　大内兵衛訳
帝国主義論 全二冊　ホブスン　矢内原忠雄訳
帝国主義　レーニン　宇高基輔訳
国家と革命　レーニン　宇高基輔訳
ローザ・ルクセンブルク 獄中からの手紙　秋元寿恵夫訳
雇用、利子および貨幣の一般理論 全二冊　ケインズ　間宮陽介訳
シュムペーター 経済発展の理論 全二冊　塩野谷祐一　中山伊知郎　東畑精一　訳
シュムペーター 経済学史 —学説ならびに方法の諸段階　中山伊知郎　東畑精一訳
租税国家の危機　シュムペーター　木村元一　小谷義次　訳
日本資本主義分析　山田盛太郎
恐慌論　宇野弘蔵
経済原論　宇野弘蔵
資本主義と市民社会 他十四篇　大塚久雄　齋藤英里編
共同体の基礎理論 他六篇　大塚久雄　小野塚知二編
ユートピアだより　ウィリアム・モリス　川端康雄訳
社会科学と社会政策にかかわる認識の「客観性」　マックス・ヴェーバー　富永祐治　立野保男訳　折原浩補訳
プロテスタンティズムの倫理と資本主義の精神　マックス・ヴェーバー　大塚久雄訳

職業としての学問　マックス・ウェーバー　尾高邦雄訳
社会学の根本概念　マックス・ヴェーバー　清水幾太郎訳
職業としての政治　マックス・ヴェーバー　脇圭平訳
古代ユダヤ教 全三冊　マックス・ヴェーバー　内田芳明訳
宗教と資本主義の興隆 —歴史的研究 全二冊　トーニー　出口勇蔵・越智武臣訳
世論 全二冊　リップマン　掛川トミ子訳
鯰絵 —民俗的想像力の世界　C・アウエハント　小松和彦・中沢新一・飯島吉晴・古家信平訳
贈与論 他二篇　マルセル・モース　森山工訳
国民論 他二篇　マルセル・モース　森山工編訳
ヨーロッパの昔話 その形と本質　マックス・リュティ　小澤俊夫訳
独裁と民主政治の社会的起源 —近代世界形成過程における領主と農民 全二冊　バリントン・ムーア　宮崎隆次　森山茂徳　高橋直樹訳
大衆の反逆　オルテガ・イ・ガセット　佐々木孝訳

《自然科学》〔青〕

ヒポクラテス医学論集　國方栄二編訳
科学と仮説　ポアンカレ　河野伊三郎訳
ロウソクの科学　ファラデー　竹内敬人訳
種の起原 全二冊　ダーウィン　八杉龍一訳

自然発生説の検討　パストゥール　山口清三郎訳
完訳 ファーブル昆虫記 全十冊　山田吉彦　林達夫訳
科学談義　T・H・ハックスリ　小泉丹訳
メンデル 雑種植物の研究　岩槻邦男　須原準平訳
アインシュタイン 相対性理論　内山龍雄訳・解説
相対論の意味　アインシュタイン　矢野健太郎訳
アインシュタイン 一般相対性理論　小玉英雄編訳・解説
自然美と其驚異　ジョン・ラバック　板倉勝忠訳
ダーウィニズム論集　八杉龍一編訳
ニールス・ボーア論文集1 因果性と相補性　山本義隆編訳
ニールス・ボーア論文集2 量子力学の誕生　山本義隆編訳
ハッブル 銀河の世界　戎崎俊一訳
パロマーの巨人望遠鏡 全二冊　D・O・ウッドベリー　関正雄　湯澤博　成相恭二訳
生物から見た世界　ユクスキュル　クリサート　日高敏隆　羽田節子訳
ゲーデル 不完全性定理　林晋　八杉満利子訳
日本の酒　坂口謹一郎
生命とは何か —物理的にみた生細胞　シュレーディンガー　岡小天　鎮目恭夫訳

ウィーナー サイバネティックス ―動物と機械における制御と通信　池原止戈夫・彌永昌吉・室賀三郎・戸田巌 訳

熱輻射論講義　マックス・プランク／西尾成子 訳

コレラの感染様式について　ジョン・スノウ／山本太郎 訳

20世紀科学論文集 現代宇宙論の誕生　須藤靖 編

高峰譲吉文集 いかにして発明国民となるべきか　鈴木淳 編

相対性理論の起原 他四篇　廣重徹／西尾成子 編

《哲学・教育・宗教》〔青〕

ソクラテスの弁明・クリトン　プラトン　久保勉訳
ゴルギアス　プラトン　加来彰俊訳
饗宴　プラトン　久保勉訳
テアイテトス　プラトン　田中美知太郎訳
パイドロス　プラトン　藤沢令夫訳
メノン　プラトン　藤沢令夫訳
国家　全二冊　プラトン　藤沢令夫訳
プロタゴラス ―ソフィストたち　プラトン　藤沢令夫訳
パイドン ―魂の不死について　プラトン　岩田靖夫訳
アナバシス ―敵中横断六〇〇〇キロ　クセノポン　松平千秋訳
アリストテレス ニコマコス倫理学　全二冊　高田三郎訳
アリストテレス 形而上学　全二冊　出隆訳
アリストテレス 弁論術　戸塚七郎訳
アリストテレース 詩学　ホラーティウス 詩論　松本仁助・岡道男訳
物の本質について　ルクレーティウス　樋口勝彦訳
エピクロス ―教説と手紙　出隆・岩崎允胤訳

生の短さについて 他二篇　セネカ　大西英文訳
怒りについて 他二篇　セネカ　兼利琢也訳
エピクテトス 人生談義　全二冊　國方栄二訳
人さまざま　テオプラストス　森進一訳
マルクス・アウレーリウス 自省録　神谷美恵子訳
老年について　キケロー　中務哲郎訳
弁論家について　全二冊　キケロー　大西英文訳
キケロー書簡集　高橋宏幸編
平和の訴え　エラスムス　箕輪三郎訳
方法序説　デカルト　谷川多佳子訳
哲学原理　デカルト　桂寿一訳
情念論　デカルト　谷川多佳子訳
パンセ　全三冊　パスカル　塩川徹也訳
スピノザ 神学・政治論　全二冊　畠中尚志訳
知性改善論　スピノザ　畠中尚志訳
スピノザ エチカ（倫理学）　全二冊　畠中尚志訳
スピノザ 国家論　畠中尚志訳

スピノザ往復書簡集　畠中尚志訳
デカルトの哲学原理 ―附 形而上学的思想　スピノザ　畠中尚志訳
スピノザ 神・人間及び人間の幸福に関する短論文　畠中尚志訳
モナドロジー 他二篇　ライプニッツ　谷川多佳子・岡部英男訳
市民の国について　全二冊　ヒューム　小松茂夫訳
自然宗教をめぐる対話　ヒューム　犬塚元訳
エミール　全三冊　ルソー　今野一雄訳
人間不平等起原論　ルソー　本田喜代治・平岡昇訳
ルソー 社会契約論　桑原武夫・前川貞次郎訳
言語起源論 ―旋律と音楽的模倣について　ルソー　増田真訳
ディドロ 絵画について　佐々木健一訳
道徳形而上学原論　カント　篠田英雄訳
啓蒙とは何か 他四篇　カント　篠田英雄訳
純粋理性批判　全三冊　カント　篠田英雄訳
カント 実践理性批判　波多野精一・宮本和吉・篠田英雄訳
判断力批判　全二冊　カント　篠田英雄訳
永遠平和のために　カント　宇都宮芳明訳

- プロレゴメナ　カント　篠田英雄訳
- 学者の使命・学者の本質　フィヒテ　宮崎洋三訳
- シュライエルマッハー 独白　木場深定訳
- ヘーゲル 政治論文集 全二冊　金子武蔵訳
- 哲学史序論 —哲学と哲学史　ヘーゲル　武市健人訳
- 歴史哲学講義 全二冊　ヘーゲル　長谷川宏訳
- 法の哲学 —自然法と国家学の要綱　ヘーゲル　上妻精・佐藤康邦・山田忠彰訳
- 学問論　シェリング　西川富雄・藤田正勝監訳
- 自殺について 他四篇　ショウペンハウエル　斎藤信治訳
- 読書について 他二篇　ショウペンハウエル　斎藤忍随訳
- 知性について 他四篇　ショーペンハウエル　細谷貞雄訳
- 不安の概念　キェルケゴール　斎藤信治訳
- 死に至る病　キェルケゴール　斎藤信治訳
- 体験と創作 全二冊　ディルタイ　柴田治三郎・小牧健夫訳
- 眠られぬ夜のために 全二冊　ヒルティ　草間平作・大和邦太郎訳
- 幸福論 全三冊　ヒルティ　草間平作・大和邦太郎訳
- 悲劇の誕生　ニーチェ　秋山英夫訳

- ツァラトゥストラはこう言った 全二冊　ニーチェ　氷上英廣訳
- 道徳の系譜　ニーチェ　木場深定訳
- 善悪の彼岸　ニーチェ　木場深定訳
- この人を見よ　ニーチェ　手塚富雄訳
- プラグマティズム　W・ジェイムズ　桝田啓三郎訳
- 宗教的経験の諸相 全二冊　W・ジェイムズ　桝田啓三郎訳
- 日常生活の精神病理　フロイト　高田珠樹訳
- 純粋現象学及現象学的哲学考案 全二冊　フッセル　池上鎌三訳
- デカルト的省察　フッサール　浜渦辰二訳
- 愛の断想・日々の断想　ジンメル　清水幾太郎訳
- ジンメル宗教論集　深澤英隆編訳
- 笑い　ベルクソン　林達夫訳
- 道徳と宗教の二源泉　ベルクソン　平山高次訳
- 時間と自由　ベルクソン　中村文郎訳
- ラッセル教育論　安藤貞雄訳
- ラッセル幸福論　安藤貞雄訳
- 存在と時間 全四冊　ハイデガー　熊野純彦訳

- 学校と社会　デューイ　宮原誠一訳
- 民主主義と教育 全二冊　デューイ　松野安男訳
- 我と汝・対話　マルティン・ブーバー　植田重雄訳
- アラン 幸福論　神谷幹夫訳
- アラン 定義集　神谷幹夫訳
- 天才の心理学　E・クレッチュマー　内村祐之訳
- 英語発達小史　H・ブラッドリ　寺澤芳雄訳
- 日本の弓術　オイゲン・ヘリゲル述　柴田治三郎訳
- ことばのロマンス —英語の語源　ウィークリー　寺澤芳雄・出淵博訳
- ヴィーコ 学問の方法　上村忠男・佐々木力訳
- 国家と神話 全二冊　カッシーラー　熊野純彦訳
- 天才・悪　ブレンターノ　篠田英雄訳
- 人間の頭脳活動の本質 他一篇　ディーツゲン　小松摂郎訳
- プラトン入門　R・S・ブラック　内山勝利訳
- 反啓蒙思想 他二篇　バーリン　松本礼二編
- マキアヴェッリの独創性 他三篇　バーリン　川出良枝編
- ロシア・インテリゲンツィヤの誕生 他五篇　バーリン　桑野隆編

論理哲学論考　ウィトゲンシュタイン　野矢茂樹訳
自由と社会的抑圧　シモーヌ・ヴェイユ　冨原眞弓訳
根をもつこと　全二冊　シモーヌ・ヴェイユ　冨原眞弓訳
重力と恩寵　シモーヌ・ヴェイユ　冨原眞弓訳
全体性と無限　全二冊　レヴィナス　熊野純彦訳
啓蒙の弁証法　—哲学的断想　M・ホルクハイマー　T・W・アドルノ　徳永恂訳
ヘーゲルからニーチェへ　十九世紀思想における革命的断絶　全二冊　レーヴィット　三島憲一訳
統辞構造論　付『言語理論の論理構造』序論　チョムスキー　福井直樹　辻子美保子訳
統辞理論の諸相　方法論序説　チョムスキー　福井直樹　辻子美保子訳
快楽について　ロレンツォ・ヴァッラ　近藤恒一訳
古代懐疑主義入門　判断保留の十の方式　J・アナス　J・バーンズ　金山弥平訳
ニーチェ　みずからの時代と闘う者　ルドルフ・シュタイナー　高橋巖訳
フランス革命期の公教育論　コンドルセ他　阪上孝編訳
フレーベル自伝　長田新訳
旧約聖書　創世記　関根正雄訳
旧約聖書　出エジプト記　関根正雄訳
旧約聖書　ヨブ記　関根正雄訳

旧約聖書　詩篇　関根正雄訳
新約聖書　福音書　塚本虎二訳
文語訳　新約聖書　詩篇付
文語訳　旧約聖書　全四冊
キリストにならいて　トマス・ア・ケンピス　大沢章　呉茂一訳
聖アウグスティヌス　告白　全二冊　服部英次郎訳
アウグスティヌス　神の国　全五冊　服部英次郎　藤本雄三訳
新訳　キリスト者の自由・聖書への序言　マルティン・ルター　石原謙訳
キリスト教と世界宗教　シュヴァイツェル　鈴木俊郎訳
水と原生林のはざまで　シュヴァイツェル　野村実訳
コーラン　全三冊　井筒俊彦訳
エックハルト説教集　田島照久編訳
ムハンマドのことば　ハディース　小杉泰編訳
新約聖書外典　ナグ・ハマディ文書抄　荒井献　大貫隆　小林稔　筒井賢治　編訳
後期資本主義における正統化の問題　ハーバーマス　山田正行・金慧訳
シンボルの哲学　—理性、祭礼、芸術のシンボル試論—　S・K・ランガー　塚本明子訳

ジャック・ラカン　精神分析の四基本概念　全二冊　ジャック＝アラン・ミレール編　小出浩之　新宮一成　鈴木國文　小川豊昭　訳
精神と自然　生きた世界の認識論　グレゴリー・ベイトソン　佐藤良明訳
人間の知的能力に関する試論　全二冊　トマス・リード　戸田剛文訳
開かれた社会とその敵　全四冊　カール・ポパー　小河原誠訳

岩波文庫の最新刊

谷川俊太郎選
永瀬清子詩集
妻であり母であり農婦であり勤め人であり、それらすべてでありつづけることによって詩人であった永瀬清子(一九〇六－九五)の、勁い生命感あふれる決定版詩集。
〔緑二三一－一〕 定価一一五五円

フロイト著／高田珠樹・新宮一成・須藤訓任・道籏泰三訳
精神分析入門講義(上)
第一次世界大戦のさなか、ウィーン大学で行われた全二八回の講義。入門書であると同時に深く強靱な思考を伝える、フロイトの代表的著作。(全二冊)
〔青六四二－二〕 定価一四三〇円

ヴィンチェンツォ・ヴィヴィアーニ著／田中一郎訳
ガリレオ・ガリレイの生涯 他二篇
ガリレオの口述筆記者ヴィヴィアーニが著した評伝三篇。数多あるガリレオ伝のなかでも最初の評伝として資料的価値が高い。間近で見た師の姿を語る。
〔青九五五－一〕 定価八五八円

カール・ポパー著／小河原誠訳
開かれた社会とその敵
第二巻 にせ予言者―ヘーゲル、マルクスそして追随者(下)
マルクスを筆頭とする非合理主義を徹底的に脱構築したポパーは、合理主義の立て直しを模索する。はたして歴史に意味はあるのか。懇切な解説を付す。(全四冊)
〔青N六〇七－四〕 定価一五七三円

……今月の重版再開……

今西祐一郎校注
蜻蛉日記
定価一一五五円
〔黄一四－一〕

ポオ作／八木敏雄訳
黄金虫 アッシャー家の崩壊 他九篇
定価一二二一円
〔赤三〇六－三〕

定価は消費税10％込です

2023.10

岩波文庫の最新刊

フロイト著／高田珠樹・新宮一成・須藤訓任・道籏泰三訳
精神分析入門講義（下）
精神分析の概要を語る代表的著作。下巻には第三部「神経症総論」を収録。分析療法の根底にある実践的思考を通じて、人間精神の新しい姿を伝える。（全二冊）　〔青六四二-三〕　定価一四三〇円

イリイチ著／玉野井芳郎・栗原 彬訳
シャドウ・ワーク
家事などの人間にとって本来的な諸活動を無払いの労働〈シャドウ・ワーク〉へと変質させた、産業社会の矛盾を鋭く分析する。現代文明への挑戦と警告。　〔白二三二-一〕　定価一二一〇円

ロゲルギスト著／松浦 壮編
精選 物理の散歩道
談論風発。議論好きな七人の物理仲間が発表した科学エッセイから名作を精選。旺盛な探究心、面白がりな好奇心あふれる一六篇を収録する。　〔青九五六-一〕　定価一二一〇円

川村晃生・柏木由夫・伊倉史人校注
金葉和歌集
天治元年(一一二四)、白河院の院宣による五番目の勅撰和歌集。撰者は源俊頼。歌集の奏上は再度却下され、三度に及んで嘉納された。平安後期の変革時の歌集。改版。　〔黄三〇-一〕　定価一四三〇円

今月の重版再開

南波 浩校注
紫式部集
―付 大弐三位集・藤原惟規集―
定価八五八円　〔黄一五-八〕

ベーコン著／桂 寿一訳
ノヴム・オルガヌム（新機関）
〔青六一七-二〕　定価一〇七八円

定価は消費税 10% 込です　2023.11